DIDIER CORNAILLE

Originaire du Morvan, Didier Cornaille est un
observateur passionné du monde rural, en tant que
journaliste spécialisé et auteur de guides de randon-
nées depuis vingt-cinq ans. Ses romans, publiés
dans la célèbre collection "Terres de France"
des Presses de la Cité, se nourrissent de cette
expérience avec succès.

L'HÉRITAGE
DE LUDOVIC GROLLIER

DU MÊME AUTEUR
CHEZ POCKET

LES LABOURS D'HIVER

DIDIER CORNAILLE

L'HÉRITAGE
DE LUDOVIC GROLLIER

PRESSES DE LA CITÉ

© Presses de la Cité, 1999.

ISBN : 2-266-10477-2

1

La petite église ne manquait pas d'allure. D'ailleurs, elle devait probablement à sa modestie, comme à celle de la paroisse dont elle était le temple, de n'avoir pas trop attiré le regard des rénovateurs de toutes les époques. On s'était contenté, au fil des siècles, de lui assurer un entretien régulier mais étroitement limité aux plus urgentes nécessités. Les maigres moyens d'ouailles pauvres comme Job ne permettaient pas d'espérer plus. D'autant plus que, quoi qu'aient pu faire ses curés successifs, la méfiance et le pragmatisme des gens du cru n'avaient jamais admis que puissent leur être rendus au centuple les sous dont il leur avait fallu se fendre pour que ne s'effondre pas le toit ou que les cloches acceptent de rester suspendues à une charpente percluse de fatigue.

Moyennant quoi, sous son toit d'ardoises à fortes et longues pentes trahissant le chaume ancien, ses murs épais en granit bleu, ses étroites ouvertures coiffées de voûtes en plein cintre et la tour brève de son clocher chapeauté d'une modeste flèche quadrangulaire lui avaient laissé l'allure sympathique et bon enfant de la maison du berger.

A tout prendre, l'abbé Duvernoy qui officiait en ce modeste sanctuaire, comme en une bonne demi-douzaine d'autres fort semblables répartis au travers de toute cette région de monts en désordre et de routes abominablement sinueuses, aurait bien sûr préféré qu'elle ait l'allure plus martiale et que la foi de ses paroissiens soit à cette image.

On était loin du compte. Et il lui fallait bien faire avec le peu que la miséricorde divine avait semé dans le pays, qu'il s'agisse des richesses temporelles ou des convictions spirituelles, les unes comme les autres n'ayant jamais pu fructifier sur cette pauvre terre morvandelle.

Depuis le parvis, d'où il considérait d'un œil grave, par convenance, le cercueil que quatre hommes sortaient avec précaution de la camionnette du boulanger faisant office de corbillard, il avait glissé un regard discret mais sans illusions vers les rangs clairsemés des vivants manifestant le souci d'accompagner le défunt en cette ultime formalité.

La recette, cette fois encore, serait bien maigre, se disait l'abbé en emboîtant le pas aux quatre costauds qui portaient le cercueil. Car, non seulement les rangs de l'assistance étaient clairs, mais sa perspicacité autant que son expérience lui avaient tout de suite indiqué que tous ceux-là portaient bien moins d'intérêt à celui dont les croque-morts étaient en train d'installer le cercueil sur des tréteaux, en face du chœur, qu'à son héritage qu'ils allaient se disputer, l'après-midi même, chez le notaire.

Décidément, ce vieux grincheux d'Octave Grollier, dont il allait lui falloir vanter toutes les qualités qu'il n'avait pas, restait aussi ennuyeux mort que vivant. Et cela se lisait sur les visages des quelques familles qui s'installaient vaille que vaille sur les bancs de l'église.

Des cousins... Rien que de vagues cousins plus éloignés les uns que les autres, vivant tous à la ville. Ils ne lui avaient pas rendu trois visites de toute sa vie de vieux garçon irascible, sale et médisant. Et ils se précipitaient à la curée.

L'abbé Duvernoy n'avait pas négligé les quelques maigres héritages qui, au cours de sa vie, lui étaient tombés du ciel. Il n'en fit pas moins, dans l'ombre du chœur, une grimace de dégoût.

« Jusqu'au Gustave », se dit-il en voyant entrer un petit homme râblé dont la face ronde, le teint rougeaud et les yeux bruns très vifs, sous d'épais sourcils très noirs, indiquaient le bon vivant sans risque d'erreur.

Il triturait des deux mains sa casquette, sans se départir de son large sourire habituel qui paraissait aussi incongru que son costume sombre, sa chemise blanche et sa cravate au nœud de travers.

« C'est pourtant vrai qu'ils étaient cousins », continuait de penser l'abbé Duvernoy en suivant des yeux le manège dudit Gustave qui paraissait fort hésitant. « Celui-là est pourtant du pays. Mais il est encore plus mal à l'aise dans mon église que les autres. Il faut bien une pareille occasion pour qu'il ose en franchir la porte. Il ne doit pourtant pas espérer grand-chose. Enfin… »

Il fit le signe de croix. Et l'office débuta.

Ignorant les regards noirs et outrés que lui avait jetés Juliette, son épouse, Gustave Grollier dit le Flûtot était resté à la traîne. Il avait attendu que tout le monde soit entré pour se décider à son tour à franchir la porte de l'église.

Enfin, ce grand benêt d'Hippolyte Grassien, qui faisait office de bedeau, lâcha la corde de la cloche à laquelle il était bien inutilement resté pendu, cassant les oreilles de tout le monde, pendant dix bonnes minutes. Il vint fermer les lourds vantaux dans le dos de Gustave.

Il avait eu la désagréable sensation d'être emprisonné et avait même hésité à ressortir. Pour ce que tout cela allait lui rapporter…

Sûr qu'il ne le pleurerait pas, l'Octave Grollier. Il avait beau être son voisin le plus direct. C'était peut-être bien à cause de ça, et parce que lui, Gustave Grollier, n'avait hérité que d'une pauvre petite ferme un peu crasseuse, que ce vieux drôle d'Octave, maître sans espoir de la Grande Cheintre, lui avait mené la vie si dure.

Pour sûr qu'il ne le regretterait pas. Le voilà qui se retrouvait seul agriculteur du Crot-Peuriau. Mais mieux valait cette solitude que d'avoir pour unique collègue un mauvais coucheur pareil. Et cousin, pardessus le marché. Qu'est-ce que ça aurait été s'ils n'avaient rien été l'un pour l'autre !

Se désintéressant de Juliette qui était allée s'installer devant, comme il convenait à une cousine et voisine du défunt, Gustave se résolut à se glisser le long du banc du dernier rang. Puisqu'il était là… Il parvint tout de même à trouver la zone d'ombre propice à la réflexion qu'il entendait bien mener durant tout le temps des patenôtres qu'allait leur servir le curé et auxquelles il n'entendait rien.

Depuis qu'il avait trouvé le cousin mort, le nez dans son bol, à trois matins de là, il n'avait guère eu le temps de réfléchir à tout ça. Ce n'était pas faute, pourtant, d'en avoir souci.

Voir partir ce vieux radoteur sans déplaisir était une chose. Savoir ce qu'allait devenir tout le bien qu'il détenait en était une autre. Les hommes passent, mais la terre reste. La terre, les bâtiments, la maison de la Grande Cheintre… La Grande Cheintre ! Ils étaient lâchés, les trois mots qui faisaient toute l'affaire. Les sous, s'il y en avait — et peut-être bien qu'il y en avait beaucoup —, Gustave en aurait le regret, bien sûr. Mais il savait très bien qu'ils n'étaient pas pour lui. Il en avait fait son deuil.

10

Mais la ferme, la Grande Cheintre qui depuis tant de générations faisait l'orgueil de la famille Grollier. Qu'allait-il advenir de la Grande Cheintre ? Si ce n'était pas un malheur, tout de même, de voir l'état dans lequel elle était rendue. Elle devait pourtant avoir une autre allure au temps où, de la bonne vingtaine de fermes que comptait le Crot-Peuriau, elle était de loin la plus belle, la plus grande, la plus active. On racontait que le Fernand, le père d'Octave, avant la Grande Guerre, entretenait quinze paires de bœufs qu'il envoyait, chaque printemps, à la galvache.

Conduits par autant de bouviers parfois accompagnés de leurs épouses, ils allaient au pas lent mais régulier des bêtes jusqu'en Berry, en Champagne, dans les Vosges et même dans les Ardennes débarder le bois ou faire les labours et les charrois des grandes fermes des plaines. Ils s'en revenaient à l'automne, pour la Saint-Martin, fatigués mais bien heureux des quelques sous que leur donnait le Fernand. Sans eux, la misère aurait été bien grande, dans les chaumières du Crot-Peuriau.

Mais on disait aussi que la ferme n'appartenait pas au Fernand. Une sombre histoire d'un frère aîné parti se placer au début du siècle, bien avant que leur père passe la main, et dont, à ce qu'il paraissait, on n'avait plus jamais entendu parler.

Le Fernand n'était pas rentré de la guerre. Le frère avait été porté disparu. Restait la Pauline, la grand-mère de Gustave, qui n'aimait pas trop qu'on parle de tout ça devant elle. Elle fronçait les sourcils, marmonnait quelques vagues imprécations et se détournait comme si aucune parole définitive ne pouvait être prononcée autour de cette affaire à jamais inachevée.

Elle avait marié un rescapé, un blessé de la Grande Guerre, le François Villatte dit le Flûtot, allez savoir pourquoi. Ça lui tenait de famille, ce sobriquet-là. Peut-être un aïeul, au temps des veillées, les réjouissait-il des mélodies anciennes jouées de mémoire sur son petit instrument. Toujours est-il qu'avec le Flûtot, son *estropia* de mari qu'une jambe folle rendait plus à l'aise au café qu'aux champs, vaille que vaille, dans l'ombre de la Grande Cheintre, elle avait réussi à élever trois enfants sur une toute petite ferme. Ils s'étaient échinés leur vie durant pour ne rien devoir à personne. Ils y étaient tout de même parvenus. De leurs deux garçons, aucun, pourtant, n'avait voulu rester à la terre. Il avait fallu que leur seule fille épouse un lointain cousin pour que la ferme ne disparaisse pas. C'était un Grollier, lui aussi. Mais d'une branche si éloignée et vivant depuis si longtemps loin du Crot-Peuriau que lui n'avait jamais été un Flûtot.

C'était dans cette petite ferme et de cette union que Gustave était né. Sans frère ni sœur. Un fils unique, ça simplifie les choses, quand vient le moment d'hériter. Et ses parents l'avaient si intimement lié au devenir de la ferme, dès son plus jeune âge, que l'idée ne l'avait jamais effleuré que puissent exister ailleurs d'autres destinées. Tout s'était passé comme il était convenu, sans qu'on ait eu à le dire, depuis le premier instant.

Et ce fut au tour de Gustave, ayant hérité avec la ferme du sobriquet de son grand-père, de s'échiner à faire vivre un troupeau de charolaises qui n'aurait rien été si n'avaient pas existé toutes les primes bruxelloises et les compensations diverses à un revenu de plus en plus illusoire. Encore lui avait-il fallu accepter, pour ne pas trop avoir à priver le garçon et la fille que lui avait donnés la Juliette, que cette dernière garde, à la ville, l'emploi de vendeuse qu'elle occupait avant leur mariage, il y avait dix ans de ça.

Pendant ce temps, la Grande Cheintre s'était lentement éteinte. Octave, qui n'avait que deux ans lorsque son père était parti à la guerre, était resté seul avec sa mère qui avait mené la ferme durant près d'un demi-siècle. Mais que pouvait une femme seule face à tant d'adversité ? On avait raconté à Gustave que, durant les premières années, l'Honorine en avait remontré à bien des hommes. Elle n'avait rien cédé de ce qui, avant la Grande Guerre, faisait le prestige de la Grande Cheintre. Et puis, vaincue par l'arrivée des tracteurs, la galvache s'était peu à peu éteinte. La main-d'œuvre s'était faite rare. Il avait fallu se reconvertir à l'élevage, apprendre à tenir tête aux marchands. Peu à peu l'Honorine s'y était usée.

Encore aurait-elle peut-être lutté quelques années de plus si l'espoir d'une continuité lui était venu. Mais il avait vite été évident qu'Octave ne prendrait pas femme. Taciturne et facilement ombrageux, il n'était guère, en somme, qu'à l'image d'une génération dont les yeux s'étaient ouverts sur l'incommensurable drame de la Grande Guerre, qui s'était éveillée à la vie sur l'enseignement incontournable qu'il fallait partir ou se résoudre au déclin, et qui était arrivée à l'âge adulte juste à temps pour recevoir en offrande le désastre de quarante.

Prisonniers, maquisards ou simplement rentrés à la maison, les lourdes années d'échines courbées ou de révolte n'avaient fait qu'appesantir sur eux le fardeau d'une existence dont ils n'avaient guère espéré autre chose que durant le temps, très bref, de la fête, à la Libération.

Et puis les espérances, une fois de plus, s'étaient envolées. Et avec elles l'espoir, tout naturellement, sans même qu'ils y prennent garde. Comme il va de soi, pour d'autres, qu'ils seront médecins, chefs d'entreprise, chercheurs ou employés de la poste, eux avaient admis, une fois pour toutes, qu'ils étaient des fins de race. Trop de désillusions, trop de renoncements avaient marqué leur brève existence pour qu'ils puissent encore raisonnablement escompter autre chose que la paix morne de l'oubli.

Que pouvait faire Honorine ainsi encombrée d'un irréductible « vieux gars » dont la seule ambition était de n'avoir jamais à affronter un monde dans lequel il ne se reconnaissait pas ? Elle n'avait pourtant jamais totalement renoncé. Oh, bien sûr, après le sursaut des années de guerre qui avait vu revenir d'autant plus de monde vers les campagnes qu'elles étaient loin de tout, dès que s'étaient éteintes les grandes illusions de la fin des années quarante, la Grande Cheintre n'était déjà plus que l'ombre d'elle-même. L'Honorine qui tenait bon, malgré son grand âge, faisait travailler Octave plus dur encore qu'un commis. Mais il ne s'en plaignait pas. C'était sa façon à lui de n'avoir pas à regarder ailleurs.

A la veille de sa mort, à l'aube des années soixante, l'Honorine était encore tous les matins vers six heures à l'entretien des poules et du cochon.

Il s'en était fallu de peu que Gustave la connaisse. Il était né en 1964, un an après sa mort. Mais il en avait tellement entendu parler qu'il lui avait toujours semblé l'avoir connue. Aussi loin qu'il remontât dans ses souvenirs, pourtant, il y avait, de part et d'autre de la petite route qui les séparait, à l'orée du village, l'activité débordante, un peu grouillante, de la petite ferme de ses parents, celle-là même qu'il faisait vivre aujourd'hui, un peu crasseuse, un peu délabrée mais si chaude à son cœur, et, en face, la Grande Cheintre enfermée dans sa splendeur passée et que hantait seule la silhouette rustaude d'Octave.

— Si c'est pas malheureux ! disait-on en contemplant les grands bâtiments devant les portes irrémédiablement closes desquels on voyait prospérer la ronce et l'ortie.

De la belle maison de ferme, une des rares du pays à s'enorgueillir d'un étage, seuls restaient ouverts les volets de la cuisine et d'une pièce voisine dont les anciens se souvenaient que son riche mobilier faisait l'orgueil de l'Honorine et dont on présumait que l'Octave, par commodité, avait fait sa chambre.

Tout le reste de la vaste façade n'offrait plus que le spectacle attristant de volets clos et gris à force d'avoir été battus par tous les hivers sans que plus jamais ne vînt les secourir la bonne couche de peinture dont les précédents maîtres de la Grande Cheintre les honoraient régulièrement.

On ne savait pas trop de quoi vivait l'Octave.

— Ce ne sont pas ses trois biques, ses deux vaches et son bout de jardin qui peuvent lui suffire, supputait-on en laissant sous-entendre quelque magot bien caché que l'Honorine, en sa grande prévoyance, aurait pu laisser à son fils.

On n'en sut jamais rien de plus. L'Octave, que tout ce qui pouvait se dire laissait parfaitement indifférent, vécut ainsi jusqu'à ses derniers jours sans que se réalise le secret espoir de beaucoup de le voir réduit à l'indigence.

Gustave, à vrai dire, n'était pas de ceux-là. On ne s'aimait pas beaucoup, d'un côté à l'autre de la route. Ce n'était pas nouveau. Il y avait là-dessous cette histoire jamais élucidée de l'héritage de la Grande Cheintre. Était-il seulement propriétaire, l'Octave ? Allez savoir. Alors, bien sûr, la jalousie, les supputations, quelques vagues espoirs qu'un jour, peut-être…

Ça ne les empêchait pas de se parler, quand il le fallait. Et Gustave avait une nature bien trop joviale pour se brouiller le tempérament à longueur d'existence avec des histoires pareilles. Il serait bien temps de voir le jour où il faudrait passer devant le notaire.

Or, voilà justement qu'on s'y trouvait, à ce jour-là.

Et Gustave, depuis le fond de son église, ne pouvait pas s'empêcher de rigoler doucement en voyant devant lui les dos hypocritement ployés de tous ces cousins dont il ne connaissait pas la moitié.

2

« S'ils savaient ce qui les attend ! » ricanait dou-cement Gustave, du fond de l'église, pendant que ses cousins s'évertuaient à se donner bonne conscience en en rajoutant sur les génuflexions que leur deman-dait l'abbé Duvernoy.

Lui savait. Et il rigolait. Jaune, bien sûr. Car il était bien placé pour savoir qu'il n'avait, pour ce qui le concernait, aucune illusion à se faire et que les cousins n'auraient, avant longtemps, que des com-plications.

« Vieux drôle ! » maugréa-t-il à l'adresse du cer-cueil dont le bois verni scintillait doucement au pied des marches du chœur. Octave dont il prenait pitié, sur la fin, et dont il venait s'occuper tous les jours, avait trouvé un malin plaisir à tout lui expliquer.

C'était un matin de l'hiver dernier. Le vieux avait oublié de recharger son poêle la veille au soir. Il gelait dans la maison. Du fond de son lit où il gre-lottait, il avait accueilli Gustave avec des invectives.

— Bande de propres à rien ! s'était-il écrié avant même que la porte se soit refermée sur un matin gris et frigorifié. Vous le laisseriez bien mourir, le vieux Octave. Vrai, vous n'en avez que pour ses sous. Toi comme les autres, le Flûtot, je le sais bien, va. Et tu crois peut-être que ça va te servir à quelque chose de faire semblant de t'occuper de ma vieille carcasse ? Qu'est-ce que tu comptes y gagner ? La ferme ? La maison ? Les champs ? Peut-être bien que tu préfères les sous ? Tu crois que j'ai pas compris, dis, avec tes airs de trop poli, de trop aimable pour être tout à fait honnête ? Tu ne le sais donc pas que t'auras rien ?

Gustave, qui ne se faisait plus d'illusions depuis longtemps, voulut le calmer.

— Vous énervez pas comme ça, Octave, dit-il. C'est pas bon pour ce que vous avez.

L'autre, qui n'écoutait que son idée fixe, trépignant dans son lit pendant que Gustave rallumait le feu, voulut à toute force aller jusqu'au bout.

— Arrête donc tes singeries ! clama-t-il. Ça ne sert plus à rien, va. Il y a longtemps que j'ai tout arrangé, tu peux me croire. Et c'est pas demain la veille que j'en changerai un mot.

Pour le coup, Gustave avait tout de même tendu l'oreille. Ça pouvait devenir intéressant.

— Bande de bons à rien, continuait Octave que la colère devait réchauffer, vous pouvez me croire que vous ne vous en tirerez pas comme ça. D'abord, tout est chez le notaire, bien clair, signé, tout. Il n'y a pas à y revenir. Vous voulez des sous ? Vous n'en aurez pas. Vous voulez vendre ? Je ne serai plus là pour voir ça, alors… Oui mais, attention, si vous vendez, il faudra que ce soit à un agriculteur, pour que la Grande Cheintre tout entière reste en exploitation. Si c'est pour la transformer en résidence secondaire, c'est simple, c'est prévu dans le testament, tout l'argent, tout le montant de la vente, jusqu'au dernier sou, tu m'entends bien ?, revient aux bonnes œuvres de l'évêché.

Et son rire de vieille crécelle résonna bizarrement dans l'air glacé de la pièce. Gustave, malgré toute sa bonne volonté, eut un peu le sentiment de se défouler en cassant sèchement un bout de branche dont il faisait du petit bois.

— T'énerve pas. A quoi ça sert ? fit méchamment

le vieux depuis son lit. Mais attends. C'est pas tout. J'ai tout prévu, je te dis. Moi, je veux bien vous laisser la Grande Cheintre. Vous vous débrouillerez entre vous pour les dédommagements. Mais à une condition : c'est que l'un de vous — pas toi, bien sûr : t'as déjà ta ferme et puis, d'abord, je ne le veux pas — vienne s'installer pour de bon ici et exploite. Marche, je sais ce que je fais : il n'y en a pas un qui en sera capable. Vous êtes tous des dégénérés. Et puis, si vous n'arrivez pas à vous débrouiller avec tout ça, eh bien c'est simple : l'indivision. Il faudra bien que vous fassiez avec.

Gustave ne voulut pas en entendre plus. Le feu ronflait. Il sortit rapidement les éléments du petit déjeuner du vieux et il s'éclipsa. Il en savait assez.

Il savait surtout qu'il n'avait quasiment rien à espérer. A franchement parler, ce n'était pas une grande nouvelle. Il y avait beau temps qu'il ne se faisait plus d'illusions. Mais ce qui le chagrinait le plus, c'était ce risque de voir tout le prix de la Grande Cheintre échoir aux bonnes œuvres des curés si jamais ils en laissaient faire une résidence secondaire.

Ce n'était pas que la perspective de voir cette belle ferme transformée en maison d'été pour Parisiens le réjouisse particulièrement. Mais quelle autre solution ? Y installer un agriculteur ? Gustave savait bien que c'était là une utopie à laquelle il ne fallait pas penser. D'ailleurs, la perspective ne le réjouissait pas spécialement. Cela faisait des années qu'il avait annexé à sa propre exploitation quelques terres que le vieux laissait à l'abandon et qu'il ne comptait pas du tout rendre.

Restait bien sûr la dernière hypothèse : l'installation «pour de bon» de l'un ou l'autre de ses cousins. Là, pour le coup, ce serait une vraie catastrophe. Mais il lui avait suffi de les voir rappliquer, les uns après les autres, pour se rassurer. Et l'ombre propice de l'église dissimulait son large sourire à l'idée de la tête qu'ils allaient faire, l'après-midi même, lorsque le notaire leur proposerait cette solution.

La Grande Cheintre resterait donc dans l'indivision. A tout prendre, ce n'était pas pour Gustave une perspective inquiétante. Certes, vivre au jour le jour devant des bâtiments et une si belle maison condamnés à rester fermés et à se détériorer jusqu'à la ruine inéluctable n'avait rien de réjouissant. Mais, vu qu'il était le dernier agriculteur du Crot-Peuriau, bien malin serait celui qui pourrait l'empêcher de récupérer l'un après l'autre les champs de l'Octave.

C'était pourtant là une solution à laquelle il ne pouvait pas se résoudre. Oh, bien sûr, ils seraient bien entretenus, les champs de l'Octave. Ce serait même une fameuse aubaine, pour sa petite ferme et pour quelques projets qu'il avait en tête, que ces terres qui ne lui coûteraient rien et dont il aurait tout de même les profits.

Mais ne pas être maître de son bien…

Il avait beau se répéter que personne ne viendrait lui disputer ces champs, puisqu'il était seul à pouvoir les exploiter. Ça ne faisait rien. Ne pas avoir, dans son tiroir, le bout de papier qui atteste de la propriété, c'était une affaire qui lui paraissait intolérable. Est-on quelque chose si l'on n'est pas totalement maître chez soi ?

Et puis, à vrai dire, ça faisait malice à Gustave de penser qu'il pourrait être redevable, aussi peu que ce soit, de ce qu'il allait gagner sur ces terres à tous ces étrangers qui continuaient leurs génuflexions devant lui.

« Il faudra bien que je trouve quelque chose », grogna-t-il en se trémoussant sur son banc où le séjour commençait à lui peser.

Trouver quelque chose ! Il ne savait évidemment pas quoi. L'idée lui était venue comme ça, sans trop de netteté. Mais elle lui plaisait. Il n'allait tout de même pas se laisser faire par tous ces citadins ! Ma foi, c'était l'Octave lui-même qui avait fait en sorte que toute cette affaire soit assez embrouillée. A lui, maintenant, de tirer les marrons du feu en s'arrangeant pour que plus personne ne s'y retrouve.

Il eut une petite moue satisfaite. L'idée n'était pas si mauvaise que ça. Restait bien sûr à trouver le moyen. Mais Gustave n'était pas homme à douter. Surtout de lui.

« Faudra y penser », se dit-il gravement.

Toujours aussi ignorant de l'office funèbre d'Octave Grollier, il commençait déjà à échafauder des hypothèses lorsqu'un moment de stupeur figea l'assemblée. Toutes les têtes, d'un seul mouvement, se tournèrent vers la porte de l'église qui venait de grincer légèrement. Même l'abbé Duvernoy qui, le dos tourné à l'assistance, en était au moment plein de mystère de l'élévation, eut un instant de distraction.

Gustave, lui, fut aux premières loges pour voir une silhouette entrer dans le sanctuaire, refermer doucement sur elle la porte qui émit le grincement inverse, et venir se glisser silencieusement sur le banc qui prolongeait le sien, de l'autre côté de l'allée, sans même un détour par le bénitier et sans esquisser le moindre signe de croix.

C'était un homme assez grand, plutôt mince. De ce qu'il avait pu en voir, dans la pénombre de l'église, il avait semblé à Gustave qu'il était vêtu comme un de ces randonneurs qu'on voyait de plus en plus souvent défiler dans les chemins du pays.

« C'est qui, celui-là ? » se demanda-t-il en fronçant les sourcils. « Encore un cousin ? C'est pas vrai ! Il en sort de partout. »

Mais il n'arrivait pas à s'en persuader. Quelque chose lui disait que celui-là n'avait rien à voir avec toute cette affaire.

« Mais alors, qu'est-ce qu'il vient faire là ? »

Cet étranger, qui débarquait ainsi en plein milieu de l'office funèbre de son cousin Octave Grollier, opérait sur lui une véritable fascination qui lui faisait oublier tout le reste et jusqu'au grand dessein qu'il envisageait quelques instants auparavant. Qui donc pouvait ainsi entrer dans une église de village sans rien savoir de ce qu'on y célébrait et sans même avoir le moindre des gestes auxquels on reconnaît un habitué de ce genre de lieu ?

Gustave ne pouvait pas détourner les yeux de cet homme qui, très droit sur son banc, donnait toutes les apparences de la plus grande attention aux paroles du prêtre alors qu'il était persuadé qu'il n'en écoutait pas un mot. Au bout de quelques instants, il comprit que l'étranger était tout entier tourné vers l'intérieur de lui-même. Son corps et son attitude donnaient le change. Mais, Gustave en eut vite la conviction, cette raideur, ce regard comme planté sur l'abbé Duvernoy trahissaient un très grand trouble.

« Ça doit être pour ça qu'il est entré là », pensa Gustave. Et comme lui n'en aurait jamais eu l'idée, il eut une moue un peu compatissante. « Ça doit être grave », ajouta-t-il pour lui-même.

3

Gustave avait vu juste.

A la fin de l'office, lorsque Hippolyte Grassien vint ouvrir les deux battants de l'église, l'étranger ne bougea pas de son banc. Indifférent aux regards suspicieux des gens qui sortaient lentement en suivant le cercueil, il restait manifestement perdu dans une profonde introspection qui lui faisait fixer sans le voir le grand christ de plâtre aux couleurs trop vives qui dominait le chœur.

Quand tout le monde fut sorti, le bedeau vint lui taper sur l'épaule.

— Il faut partir, dit-il. Je vais fermer.

L'homme obéit docilement. Mais il parut chanceler légèrement lorsqu'il atteignit la froide lumière d'une belle journée d'automne qui inondait le parvis de l'église. Sous l'œil vigilant d'Hippolyte Grassien, il se ressaisit pourtant, descendit les trois marches qui le séparaient de la place et, à la surprise vaguement scandalisée du bedeau, il emboîta le pas au maigre cortège des cousins d'Octave Grollier qui escortaient sa bière jusqu'au cimetière tout proche.

Durant tout le temps que dura la cérémonie de l'inhumation et pendant que quelques villageois, plus respectueux des convenances que réellement éplorés, défilaient en silence devant la famille, bérets et casquettes à la main, il se tint légèrement à l'écart.

Du bout du rang où il était venu se poster comme à regret, tout en serrant les mains qu'on lui tendait et en hochant tristement la tête, en guise de réponse à la litanie des condoléances marmonnées, Gustave ne le perdait pas de vue.

« Tu parles d'un oiseau, se disait-il. Qu'est-ce qu'il nous veut ? De où il sort ? »

Il fallut encore que chacun des cousins, afin qu'il ne soit pas dit que tous les gestes n'avaient pas été faits, égrenât une poignée de terre sur le cercueil que les cantonniers avaient descendu dans la tombe.

On attendit d'avoir franchi les grilles du cimetière pour se départir enfin de l'affliction de circonstance qu'on affichait jusque-là.

— Il ne faudra pas traîner, dit une des cousines sur le ton de celle qui n'a pas l'habitude de souffrir la contradiction.

Gustave eut un regard circulaire sur la place. L'étranger avait disparu.

« Enfin… » marmonna-t-il en haussant les épaules, mais avec, au fond de lui, le regret de ne pas avoir pu en savoir plus sur cet étranger dont les autres semblaient ne pas se soucier.

On frissonna. Une bise obstinée, en courant entre les tombes, avait semblé prendre un malin plaisir à frigorifier tous ces citadins que n'occupait même pas la sincérité de leur peine.

— C'est loin ? s'inquiéta la même cousine dont il était évident qu'elle n'entendait pas que s'éternisent les choses.

— Non, c'est là, répondit simplement Gustave en désignant du doigt la modeste façade d'un café de village dont le fronton, entre deux publicités de bière et d'apéritif, s'ornait fièrement d'un bandeau rouge à lettres blanches annonçant « café-tabac-épicerie-restaurant ».

Il y eut, dans le groupe, un très léger mouvement de flottement.

— Avec ça… murmura la cousine. Enfin !

Ils parvinrent encore à se faire des politesses en franchissant la porte. Gustave, que le froid ne gênait pas, attendait légèrement à l'écart que tout le monde soit entré.

— Tu viens ? lui demanda sèchement Juliette.

C'était une petite femme blonde au beau regard vert qui ne manquait pas de charme mais qui portait dans les yeux comme une perpétuelle inquiétude, un souci permanent qui l'assombrissait.

— T'occupe ! répondit négligemment Gustave.

Elle haussa vivement les épaules et s'empressa de profiter de la porte que lui tenait galamment ouverte un des cousins de la ville. Gustave attendit qu'il l'ait lâchée et qu'elle se soit refermée sur son dos pour entrer à son tour.

Autour de la grande table qu'on leur avait dressée au fond de la salle, c'était la grande presse. Les chaises raclaient le carrelage, on parlait fort, on se plaçait, on riait déjà.

Gustave, indifférent, s'accouda au bar.

— Oh ! fit le patron qui rinçait des verres. T'y vas pas ?

Il eut de la main un geste d'apaisement.

— Pas de panique, tu veux ? Ils s'installent comme ils veulent. Il paraît qu'ils sont pressés. Moi pas. Un gueuleton, ça commence par un apéro au bar. Pas vrai ? Alors, tu me mets un pastis. Le reste, on verra plus tard.

Le patron, un grand bonhomme dégingandé au cheveu déjà rare, malgré sa petite quarantaine, au regard fuyant et au nez en bec d'aigle, eut un sourire entendu.

— Y a pas à dire, Gustave, fit-il. T'as du savoir-vivre.

— T'occupe pas de mon savoir-vivre, tu veux ? Mets-moi mon pastaga. Après une séance pareille, j'y ai droit.

Mais il faillit l'avaler de travers. Il portait son verre à ses lèvres lorsque la porte libéra dans la pièce une grosse bouffée de l'air glacé de la place. Et, avec elle, entra l'étranger de l'église et du cimetière.

« Ah ben, ça alors, grogna Gustave dans son verre. Si je m'attendais… »

L'autre, parfaitement indifférent à la stupeur que ne pouvait pourtant guère dissimuler le regard de Gustave, vint s'accouder au bar à côté de lui.

— Vous me mettrez un blanc-cassis, s'il vous plaît.

Gustave n'eut qu'un très bref instant d'hésitation.

— Ce sera pour moi ! annonça-t-il triomphalement.

L'étranger tourna vers lui un regard plus ennuyé que surpris.

— Mais, monsieur… voulut-il commencer.

Il avait déjà sur l'épaule la main épaisse et calleuse de Gustave.

— Ici, il y a pas de monsieur. Moi, c'est Gustave. Et vous ?

L'autre parut interloqué.

— Michel, je me nomme Michel, bredouilla-t-il. Mais, enfin…

— Marchez, c'est pas une affaire. Ici, on est comme ça. On sait accueillir, au Crot-Peuriau. Pas vrai, Marcel ?

L'interpellé, qui n'avait que de très vagues idées quant au sens local de l'accueil, mais qui ne voulait pas contredire un si bon client que Gustave, parut vouloir piocher l'air de son grand nez fourchu tant il acquiesça. Ils trinquèrent et burent en silence. Gustave ne savait pas trop par quel bout attaquer.

— Vous nous remettrez ça, dit l'étranger en reposant son verre sur le zinc.

« Il a du savoir-vivre », apprécia Gustave.

— C'est… C'est la première fois que vous venez ici ? hasarda-t-il enfin.

— Oui.

« Bon, c'est pas avec ça qu'on va aller bien loin », dut-il admettre.

— En vacances ? tenta-t-il encore.

L'autre n'eut qu'un très bref instant d'hésitation assaisonné d'un hochement de tête dubitatif.

— Si on veut.

« Nous voilà bien avancés », commenta Gustave pour lui-même. Il fallait bien pourtant qu'il parvienne à savoir. Il se décida à tenter le tout pour le tout.

— Vous connaissiez Octave Grollier ?

— Comment vous dites ?

Il avait l'air tellement sidéré que Gustave, sans trop savoir pourquoi, fut persuadé qu'il avait touché juste.

— Octave Grollier, vous le connaissiez ?

L'étranger se contenta de hocher la tête de droite à gauche en signe de dénégation. Mais il y avait dans son regard tant de perplexité que Gustave crut bon d'insister.

— Marcel, tu nous remets ça, dit-il en préambule.

— Non, non, voulut se défendre l'étranger en mettant la main sur son verre. Pas pour moi. Ça va bien comme ça.

— Allons, insista Gustave, un petit, pour la route ! Allez, Marcel, t'occupe pas, sers !

La main s'écarta. Marcel servit. Gustave attendit que les verres soient pleins.

— Grollier, dit-il à tout hasard, c'est aussi mon nom. Ici, la moitié de la population ou presque s'appelle Grollier.

— Comme moi, fit Michel Grollier comme s'il avouait une tare.

— C'est pas vrai ? Alors, peut-être bien qu'on est cousins ?

— Ça m'étonnerait.

26

— Et pourquoi donc ? T'entends ça, Marcel ? Monsieur s'appelle Grollier, comme moi, comme presque nous tous, ici, dit triomphalement Gustave en embrassant d'un large geste de la main toute la salle au fond de laquelle on ne l'avait pas attendu pour commencer à manger.

— Et pourquoi que vous ne seriez pas mon cousin ? insista-t-il.

Michel Grollier, qu'un troisième apéritif n'avait pas rendu moins morose, eut une moue sceptique.

— Ou alors, dit-il, c'est de loin, de très loin.

— Ah bon ? fit Gustave. Et pourquoi ça ?

— Je suis du Nord, dit-il. De la région de Cambrai. Ça fait tout de même loin d'ici. Encore que…

Les apéritifs devaient tout de même commencer à faire leur effet. Gustave sentit qu'il commençait à avoir envie de parler. «Faut battre le fer pendant qu'il est chaud», pensa-t-il.

— Encore que quoi ?

Le cheveu brun légèrement frisé, le regard sombre, Michel Grollier pouvait avoir une quarantaine d'années. Grand et mince, l'allure plutôt sportive, il avait des mains bien trop fines pour être un travailleur manuel mais il y avait tout de même chez lui une sorte de rudesse, d'épaisseur qui n'était pas sans plaire à Gustave. Très lentement, son regard, qu'il n'avait guère détaché, jusque-là, des lointains dans lesquels on sentait que continuait d'évoluer sa pensée, vint se poser sur son questionneur et parut s'éveiller au monde qui l'entourait.

— Encore que j'ai toujours entendu dire par mon père que notre famille est originaire d'ici, du Crot-Peuriau, dit-il. Alors…

— Ah ben ça alors ! fit Gustave interloqué. Quand je vous le disais. Peut-être bien qu'on est cousins !

Cette fois, toute cette histoire commençait à l'intéresser bougrement. Et une idée un peu folle lui germait dans la tête qui lui faisait drôlement plisser les yeux pétillant d'une flamme déjà enthousiaste.

— Attends voir, fit-il. Tu permets que je te dise tu, entre cousins ? Bon. Tu dis que ta famille vient d'ici. Ça fait longtemps ?

— J'en sais rien.

Gustave eut l'air dépité. Mais il n'était pas homme à s'arrêter en si bon chemin.

— T'en sais rien, t'en sais rien, répéta-t-il comme un reproche. Tu sais tout de même bien comment il s'appelait, ton père, son petit nom ?

— Mon père, il est né dans le Nord. Et tout ce que je sais, c'est qu'il nous répétait toujours que la famille venait d'un pays qui s'appelait le Crot-Peuriau. C'était juste pour le nom. Ça l'amusait, ce nom-là. Allez savoir pourquoi ? Mais pour le reste…

— T'as jamais cherché ?

— Cherché quoi ? C'est bon pour les riches de chercher. Ils ont des papiers, des lettres, des documents. Nous, on était de simples petits ouvriers. On n'avait rien. Qu'est-ce qu'on pouvait chercher ?

Cette fois, Gustave en était pour sa perplexité. C'était bien maigre, tout ça. Il s'efforçait de réfléchir aussi vite qu'il le pouvait. Quelque chose lui disait qu'il y avait là une occasion à ne surtout pas laisser passer.

— Marcel, tu nous remets ça, dit-il d'un ton préoccupé.

— C'est la mienne, fit simplement Michel Grollier.

Gustave le considéra brièvement d'un œil entendu. « Ce coup-ci, il ne discute plus », nota-t-il avec satisfaction. « Raison de plus pour ne pas lâcher. »

— Ça fait rien, décréta-t-il enfin. T'es du Crot-Peuriau, alors, nécessairement, on est cousins quelque part. Et, comme ça, tu viens voir à quoi il ressemble, le pays ?

Marcel remplissait les verres. L'opération parut

accaparer toute l'attention de Michel Grollier. Il attendit que les bouteilles aient regagné leurs logements, sur les étagères.

— En quelque sorte, dit-il enfin.

— Et qu'est-ce que tu en dis ?

— Je n'ai pas eu le temps de voir. Je suis arrivé ce matin.

— Et t'es venu à l'enterrement ?

C'était là une démarche qui sidérait Gustave.

— Tu as vu, confirma Michel Grollier.

— Et t'es là pour longtemps ?

— A la tienne !

Il trinquait ! Pour la première fois depuis que défilaient les apéritifs. « Il commence à être mûr », pensa Gustave en cognant son verre contre celui de son nouveau cousin.

— Et puis, zut, fit tout à coup ce dernier. Tu me fatigues avec tes questions. Est-ce que je sais, moi, pour combien de temps je suis dans ce trou perdu ? Peut-être que j'en serai parti tout à l'heure. Peut-être que j'y serai encore dans dix ans. Est-ce que je sais seulement où j'en suis ?

« Nous y voilà », se dit cyniquement Gustave. « Il aura fallu le temps. »

— Oh ! fit-il en se penchant vers Michel Grollier et en lui posant une main compatissante sur l'épaule. Ça va pas ?

L'autre parut faire un violent effort sur lui-même pour se reprendre. Mais, manifestement, il faudrait un certain temps pour que s'estompe l'effet des apéritifs auxquels il ne paraissait pas habitué en si grand nombre.

— Mais si, ça va, grogna-t-il en repoussant doucement la main trop amicale de Gustave. Ça va et puis, ça va pas. Est-ce que je sais, moi ? Tu crois que ça va quand tu t'aperçois, un beau jour, qu'il ne reste plus rien ? Je suis marié, moi. J'ai deux enfants, une grande maison, un chien, un chat, des tas d'appareils très chers et bien plus encore de traites à la fin du mois. Tiens, rien que pour la maison, j'en ai encore pour plus de dix ans à payer. Tu te rends compte, toi, dix ans à raquer, tous les mois, pour une bicoque où je ne mettrai peut-être plus jamais les pieds ?

— Et pourquoi t'y mettrais plus les pieds, dans ta bicoque ?

— Pourquoi ?

Michel Grollier eut tout à coup l'air tout surpris qu'on puisse lui poser une telle question. Il se tourna lentement vers Gustave et le dévisagea gravement.

— Tu me demandes pourquoi j'y mettrai peut-être plus jamais les pieds, dans ma maison ? répéta-t-il. Eh ben, je m'en vais te le dire, moi, pourquoi j'y mettrai plus jamais les pieds. Parce que j'en ai ras le bol ! Ras le bol de ma femme, d'abord. Celle-là, ça fait belle lurette qu'on peut plus se voir, tous les deux. Fallait bien que ça casse, un jour ou l'autre. Alors, aujourd'hui plutôt qu'un autre jour… Quelle importance ? Faut que ça casse, alors cassons ! Parce que, tu vois, aujourd'hui, c'est tout de même pas un jour tout à fait comme les autres.

— Sûr, fit Gustave. T'as retrouvé tes cousins.

— Fiche-moi la paix avec ça, tu veux ? Est-ce que je te parle de ça, moi ? Non, c'est pas un jour comme les autres parce que, vois-tu, c'est le premier jour où je suis libre.

Il avait dit ces derniers mots en se redressant très fort et en relevant la tête. Cramponné des deux mains au bord du zinc, il oscillait doucement d'avant en arrière et Gustave se tenait prêt à toute éventualité. « Cette fois, il a son compte », pensa-t-il.

— Libre ! reprit-il. Et libre de quoi ?

— De moi ! fit impérialement Michel Grollier sans déroger d'un pouce de toute sa hauteur vaguement titubante.

Puis, tout à coup, il s'affala sur le zinc et se tourna péniblement vers Gustave.

— Écoute, balbutia-t-il d'une voix soudain très pâteuse. Faut bien écouter parce que c'est pas simple. Quinze ans que je suis dans la même boîte, peinard, quoi. Avant, l'école, les écoles, des diplômes…

Il eut un geste vague et hésitant comme pour balayer tout ça.

— Ah, il était fier, mon père. Des diplômes longs comme ça, qu'il avait, son fils. Le vieux, il s'était saigné aux quatre veines pour que je ramasse tout ça, tu penses. Alors, moi, en bon fils, j'ai ramassé. Là-dessus, le service militaire. Bon, jusque-là, rien d'anormal. C'est au retour que ça se complique. Du boulot, j'en trouve tout de suite ou presque, une chance. Un bon boulot, y a pas à dire. La preuve : ça fait quinze ans que ça dure. Alors, moi, comme un idiot que je suis, je fais comme les autres. Le mariage, les mômes, la bagnole, la machine à laver, la télé, tout quoi. Et même la maison qu'on fait construire avec architecte et tout le fourbi. Deux ans qu'on y est, pas plus… Le piège.

Sans que Gustave vît bien par quel bout, ça devait être très triste car Michel Grollier, en prononçant ce dernier mot, s'était effondré sur le zinc où il sanglotait. Gustave lui donna quelques petites tapes amicales dans le dos.

— Oh ! fit-il. Faut pas te laisser aller comme ça. C'est pas si grave.

— Pas grave que tu dis, toi, bredouilla Michel Grollier dans ses sanglots.

Puis il se redressa brutalement et fit face à Gustave, une lueur tragique dans son regard quelque peu brouillé par l'alcool.

— Pas grave, tu dis ? L'enfer, oui ! Qu'est-ce que tu veux, on ne s'entend plus. Il n'y a pas à y revenir. C'est dit, c'est dit. Oui, mais les traites. Oui, mais le qu'en-dira-t-on. Oui, mais les enfants. Alors, on tient, on se cramponne. On se fait la gueule, on s'engueule, mais on tient bon. Jusqu'au jour où…

Il eut une pauvre moue d'enfant qui a perdu ses

billes, baissa les yeux et fut à nouveau secoué de brefs sanglots.

— J'sais pas… fit-il. J'sais pas pourquoi je te raconte tout ça.

— Bah ! ça fait du bien, des fois, de lâcher la bonde, s'empressa Gustave qui n'en avait pas fini avec son idée.

Michel Grollier acquiesça gravement de la tête.

— Peut-être bien que t'as raison, dit-il, ça fait du bien. Il faut que je le dise pour finir par le croire. Elle, j'ai jamais osé lui dire. Je ne l'ai jamais dit à personne, là-haut. Depuis trois mois que je le sais, j'ai continué, j'ai fait comme si de rien n'était. Maintenant, c'est fini. Je peux plus cacher.

— Quoi ? dit simplement Gustave.

— Mon boulot. J'ai perdu mon boulot.

— C'est tout ? T'es pas le premier à qui ça arrive. T'en trouveras un autre.

Il fit « non » de la tête.

— Un comme ça, dans notre pays, là-haut, où il y a bientôt plus de chômeurs que de gens au travail, plus jamais, plus jamais j'en trouverai un. Plus de femme, plus de travail, rien que des traites. J'en ai eu marre. Je me suis cassé.

— Et c'est comme ça que tu nous arrives ?

Les yeux toujours baissés, les épaules basses, il se contenta de confirmer d'un geste de la tête.

— Bon, fit Gustave tout à coup très décidé. C'est pas tout ça, mais il ne sera pas dit qu'on reçoit mal les cousins au Crot-Peuriau. Pour commencer, tu vas venir casser la croûte avec nous. T'es cousin oui ou non ?

Un reste de lucidité fit bondir Michel Grollier.

— T'es pas fou ? J'les connais pas, moi, tous ces gens-là.

— Et moi ? Tu crois que je les connais ? Et nous ? On se connaissait, voilà une heure ? Allez, viens donc. Et fais pas de manières.

4

Il y eut, d'abord, la conscience très vague, très floue, d'une heure grise. Il y eut ensuite, mais après un temps qui dut être très long, la sensation plus forte de l'inconnu. Il y eut encore, durant longtemps, du moins le crut-il, une sorte de conviction un peu obtuse que tout cela ne le concernait pas, qu'il y était totalement étranger, spectateur peut-être, mais indifférent à tout ce qui n'était pas son malaise.

Et ce fut, en fin de compte, cette certitude d'être habité d'un profond malaise qui fit basculer Michel Grollier d'un état de sommeil un peu comateux à une demi-conscience douloureuse. Ouvrir les yeux lui fut un effort dont il craignit un instant qu'il lui fasse éclater la tête. Et le geste qu'il eut pour porter la main à son front brûlant éveilla tant de douleurs en lui qu'il put se croire transpercé de mille aiguilles.

Un long moment encore, moins curieux de ce qui l'entourait que soucieux d'échapper au profond remue-ménage de son être, il resta immobile, la main devant les yeux. Puis il lui fallut bien essayer de comprendre.

Où diable pouvait-il bien être ? Et comment y était-il arrivé ? Il n'en gardait pas le moindre souvenir. Au fur et à mesure que sa conscience lui revenait, il lui semblait qu'elle s'était progressivement dissoute, la veille, autour d'une grande table à laquelle il n'aurait jamais dû se trouver.

Le zinc, Gustave le faisant parler à coups d'apéritifs, puis l'entraînant vers ce repas d'enterrement que partageaient, en parlant très fort et en riant grassement, des gens qu'il ne connaissait pas… Comment lui, Michel Grollier, respectable cadre supérieur, avait-il pu se laisser entraîner ?

Cadre au chômage, il était vrai. Alors, tout lui revint. L'impasse dans laquelle s'était fourvoyée sa situation, le Nord, son incapacité à gérer le drame, le désir fou de tout rompre qui s'était saisi de lui. Son départ, au petit matin, sans même un au revoir à ses gosses et sans autre bagage que ce qu'il avait sur le dos.

Un dernier reste de lucidité lui avait tout de même fait prendre ses précautions. Quelques jours avant de se résoudre au geste définitif de cette fuite, il avait ouvert un nouveau compte en banque et y avait viré le montant confortable de ses économies. De quoi voir venir.

Quoi ?

Toujours recroquevillé dans un lit dont il ne reconnaissait pas le contact, la main obstinément rivée sur les yeux, il s'astreignait à rester parfaitement immobile de peur que se réveillent les insupportables douleurs de son crâne et, à ce qu'il lui avait semblé, de tout son corps. Vaguement conscient que le monde entier pourrait bien se mettre à tourner, à virevolter et à danser autour de lui s'il bougeait d'un pouce, il permettait juste aux images qui se bousculaient dans son esprit de tenter la remise en ordre qui s'imposait. Le passé, désormais, était à peu près clair. Mais il y avait celui, plus immédiat, de la veille au soir dont il ne parvenait décidément pas à débrouiller l'écheveau.

Il se souvenait tout de même vaguement du silence glacé et de l'air profondément scandalisé des cousins de Gustave lorsque ce dernier leur avait laborieusement expliqué qu'il avait trouvé un autre Grollier, un cousin qui devait donc partager la même table qu'eux. Comment avait-il supporté la honte de cette séance ? Lui le timide, le réservé, le pointilleux sur les formes, le maladivement respectueux des convenances, comment avait-il pu se prêter à cette mascarade ?

D'autant plus que le souvenir lui revenait peu à peu de tout ce qu'ils avaient encore bu, tout en mastiquant un repas un peu froid. Ils avaient bu, ils avaient ri, en se donnant des grandes claques dans le dos. A plusieurs reprises, l'un ou l'autre des cousins avait prétendu les faire taire, surtout une cousine. Bravant la douleur, Michel sourit en revoyant sa face sèche et son regard outré. Elle criait fort, la cousine. Mais eux riaient plus fort encore. Et comme quelques-uns des cousins, moins cul serré que les autres, se mettaient de la partie, elle dut bien se taire.

Alors, elle fit en sorte qu'arrivent au plus vite les desserts et les cafés. Quelqu'un suggéra le pousse-café. Elle se récria vigoureusement et clama bien haut qu'elle n'attendrait plus, pas plus d'ailleurs que le notaire chez qui on était déjà en retard. Ce qui déclencha une hilarité chez Gustave plus grande et plus bruyante encore.

Il s'en remettait à peine lorsque, comme un seul homme et à grand renfort de bruits de chaises, tout ce beau monde se leva. Eux ne bougèrent évidemment pas le cul de leur chaise.

— Gustave, on ne vous attendra pas, cria de la porte la cousine acariâtre.

— Marche, ma belle, marche, grommela Gustave tout à coup très grave. C'est pas ça qui te fera en ramasser plus.

— T'y vas pas ? lui demanda encore, en se levant et en passant derrière sa chaise, une petite femme blonde aux yeux verts que Michel trouva fort à son goût.

— Tu sais bien que non. Qu'est-ce que j'irais y faire ? gronda encore Gustave.

— Alors, il y a le pansage, dit-elle sèchement.

— Tu sais faire ?

Elle haussa les épaules et s'éloigna vivement.

— Mignonne, hein ? fit Gustave instantanément revenu à une humeur plus gaillarde.

— Je veux ! approuva imprudemment Michel en la suivant des yeux.

— C'est ma femme.

— Je disais ça… hasarda Michel sans pour autant détourner le regard.

Mais Gustave n'en était plus à se formaliser.

— Tu veux que je te dise ? fit-il en se penchant vers Michel et en prenant le ton de la confidence. C'est pas une affaire. Vaut mieux que tu laisses tomber. Une vraie carne. Si je pouvais, marche, il y a belle lurette que j'aurais fait comme toi, je me serais taillé.

— Qu'est-ce que t'attends ? Il n'y a que le premier pas qui est difficile. Après, ça va tout seul.

— J'peux pas, j'te dis.

— Et pourquoi ? On peut toujours. Regarde-moi.

— Et la ferme ? T'y penses à la ferme ? Pourquoi crois-tu que je l'ai mariée, la Juliette, voilà bientôt dix ans ? Parce qu'elle a du bien, pas pour le reste, tu peux me croire. Oh, peut-être bien un peu, au début. T'as raison. Elle est plutôt gironde. C'est comme ça que je lui ai fait deux gamins. Mais ça n'a pas duré, ça, je te le dis. Elle me les a fait payer, ses champs et ses prés, la garce ! Et le pire, c'est que si je la fous dehors, elle se casse avec. Et qu'est-ce que je ferai moi, avec les misères qui me resteront ? Hein ? Tu peux me le dire, ce que je ferai ?

Michel, à vrai dire, n'en avait pas la moindre idée. Il avait assez de ses propres soucis matrimoniaux. Ceux des autres, semblablement désespérants, ne l'intéressaient pas. Il préféra qu'on passe à autre chose.

On était passé à autre chose. Mais à quoi ? Il ne s'en souvenait plus bien. On avait probablement encore beaucoup bu, beaucoup ri. D'autres hommes avaient défilé qui, les uns après les autres, étaient venus s'accouder à la table qu'ils avaient pour eux tout seuls. Ils avaient trinqué. C'était, dans la tête de Michel, comme un défilé de têtes inconnues dont les contours, au fur et à mesure que passait le temps, se faisaient de moins en moins précis, de plus en plus flous.

Jusqu'au trou final. C'est à peine si, en y réfléchissant bien, malgré la tarière qui semblait alors s'emballer dans son crâne, il se souvenait de la nuit trouée, par places, du halo jaunâtre de quelques lampadaires. Qu'y faisait-il ? Il n'en savait rien. Lui restait juste la sensation fraîche de l'air nocturne qui, un instant, avait dû le réveiller. Le reste se perdait dans les brumes grises de son inconscience.

Il en était donc au moment précis où, le passé ne pouvant plus rien lui révéler, il fallait qu'il accepte de s'affronter au présent. Il se résolut à ôter la main de devant ses yeux. Où diable pouvait-il bien se trouver ?

Il n'avait d'abord pris conscience que d'une vague lueur grise. Elle était toujours là, tellement tamisée par des volets clos et d'épais rideaux qu'il dut poser longuement son regard sur chaque chose pour composer peu à peu le décor qui l'entourait. Il ne vit que de grands meubles sombres, de profonds angles d'ombre, des tapis usagés dont la perspective s'enfuyait, depuis le lit sur lequel il reposait.

Lentement, il osa repousser les épais édredons qui le couvraient et, d'un pied prudent, il chercha le sol. Il était étonnamment bas. Ou, du moins, sa couche d'une nuit était d'une hauteur tout à fait surprenante. La pièce était glacée mais elle eut le bon goût de ne pas céder à la tentation qu'il redoutait de se mettre à tourner et à virevolter.

Bravant le froid et sa migraine tenace, il partit à l'aventure. Il lui fallut tâtonner longuement pour trouver enfin l'interrupteur électrique, à côté de la porte. C'était un antique modèle en porcelaine dont il dut tourner le bouton. De grise, la lumière devint jaune mais ne crût guère en intensité. Elle lui permit tout de même de découvrir ses vêtements jetés à la diable sur un fauteuil.

Il se vêtit rapidement et alla à l'une des deux grandes fenêtres dont il écarta les rideaux. L'ouvrir et déverrouiller les volets fut une véritable lutte qui finit de le réveiller, dissipa légèrement son malaise et le réchauffa. Il la referma vite mais n'en resta pas moins un long moment interdit devant la désolation du paysage. De l'autre côté de la vitre s'étendait une cour délimitée à gauche et à droite par de longs bâtiments de ferme. En face de lui, après un mur bas et ce qui avait dû être un potager, on devinait, dans une brume épaisse, les maisons du village étagées sur une colline que coiffait l'église.

Son regard avait surtout été accroché par l'infinie tristesse et la désolation qui émanaient de cette cour. Rangés le long du muret, en face de lui, il devinait quelques vieux outils agricoles émergeant à peine des ronces, des orties et des herbes folles que l'automne avait déjà réduites en longues traînées grisâtres. Elles couraient encore, en plates-bandes sales et désordonnées, le long des bâtiments dont même les hautes portes étaient scellées de leurs trames échevelées.

Seule la partie de la cour la plus proche de la maison restait encore à peu près accessible. Mais son pavage s'était peu à peu couvert d'une vilaine mousse jaunâtre que ne sillonnaient que deux cheminements étroits. L'un la traversait hardiment et parvenait à se faufiler entre les ronces et les orties, jusqu'à une petite cabane étroite érigée entre le bout du muret et le bâtiment de droite. De sa fenêtre, Michel voyait nettement le bout de fer tordu qui faisait office de crochet et, par la porte entrebâillée, il devinait la gerbe de papier plantée sur un clou. En se penchant, il vit l'autre cheminement filer le long de la maison vers une grille derrière laquelle il devinait une route.

Que diable faisait-il donc dans ce décor sinistre ? Ce qui l'impressionnait le plus était l'épais silence dans lequel reposaient cette maison, qu'il devinait vaste, et sa cour navrée d'un si long abandon. Il fallait bien que quelqu'un lui réponde. Il traversa la pièce et poussa la porte. Elle ouvrait sur une grande salle au plafond de poutres, au fond de laquelle se dressait une cheminée monumentale. Une longue table encadrée de bancs en occupait tout le centre. Il vint s'y appuyer. Les murs, la cheminée et le plafond étaient à peu près du même noir. Contre le mur de gauche, un grand bahut de merisier laissait béer ses portes marbrées, à la hauteur des serrures, de grandes auréoles brillantes de crasse, sur des étagères où s'entassaient sans ordre des piles de vaisselle et un assortiment hétéroclite d'instruments de cuisine.

— Oh ! tenta Michel d'une voix mal assurée. Il y a quelqu'un ?

C'est à peine s'il eut l'impression d'avoir écorné le silence que le tic-tac obstiné d'une horloge martelait, sans rien lui ôter de sa prégnance. C'était une grande comtoise qui se dressait dans l'ombre, à gauche de la cheminée, et dont le balancier de cuivre, en allant de droite à gauche, derrière sa petite vitre ronde, concentrait sur lui assez de la lumière grise qui baignait la grande salle pour qu'il parût être le seul élément vivant de ce monde clos, figé et fané dans lequel Michel ne comprenait toujours pas ce qu'il faisait.

Légèrement oppressé, il alla jusqu'à l'horloge. C'était un meuble superbe dont la porte s'ornait d'incrustations de nacre et de dorures qu'il n'aurait pas remarquées, sous la crasse qui les couvrait, si l'envie ne lui était pas venue de passer un doigt presque tendre sur cet unique signe de vie qui, malgré tout, le rassurait.

Elle séparait la cheminée d'une porte à peine visible, au fond de l'épaisseur du mur dans laquelle elle avait été ménagée. Michel la poussa. Elle s'ouvrait sur un vestibule d'où, sur sa droite, partait un large escalier en colimaçon. Il s'y engagea et eut le geste instinctif de se saisir de l'épaisse rampe de chêne. Un fin nuage de poussière monta dans l'air frigorifié. Il vit alors que les semelles de ses chaussures laissaient leur marque bien nette sur des marches que personne, depuis bien longtemps, n'avait dû fouler.

A l'étage, un long couloir desservait quatre portes. Les deux fenêtres qui l'éclairaient n'avaient pas de volets. Mais c'était à peine si, au travers de l'épaisse couche de poussière qui couvrait les vitres et des toiles d'araignée qui les tapissaient, Michel put entrevoir, sous un ciel gris et bas, un paysage morne de vallons et de collines couvertes de forêts et saisi par les premiers frimas.

Il poussa la première porte et, toujours accompagné des petits nuages de poussière que soulevait chacun de ses pas, il pénétra dans une grande chambre baignée de la même lueur grise qui l'avait réveillé et qu'il avait trouvée dans la salle. Mais ici, tout était du même gris. Les meubles, imposants, le lit immensément vaste et étonnamment haut, comme celui où il avait passé la nuit, le plancher et les tapis qui le couvraient, tout était uniformément recouvert d'une telle couche de poussière que plus une couleur, plus une ombre, plus un volume ne se distinguait du reste.

Captivé, il avança lentement, contourna le lit et vint jusqu'à la table de chevet sur laquelle se dressait encore un cadre à pied. C'était, près de lui, la forme totalement incongrue et bien reconnaissable, malgré la poussière qui l'enduisait, d'une grosse rose des sables qui l'avait attiré. Doucement, il passa le plat de la main sur le verre du cadre, déclenchant une succession d'infimes avalanches.

Dans la pénombre, il ne distingua qu'une vague silhouette sur un fond très clair. Il allait s'en détourner lorsque, d'un détail, naquit en lui la certitude encore diffuse d'un vieux souvenir. Il se pencha, plissa les yeux pour mieux voir, passa une nouvelle fois la main sur le verre pour en écarter un restant de poussière.

« Ce n'est pas croyable », marmonna-t-il en se saisissant du cadre. Il était fixé sur le même socle que la rose des sables. Soulevant un épais nuage gris, il emmena le tout vers la fenêtre et se plaça de telle façon que l'étroit sillon de lumière qui tombait du cœur découpé dans les volets vînt éclairer sa trouvaille.

C'était, il est vrai, un curieux objet dont la présence, bien en vue à une place privilégiée, sur la table de chevet, surprenait, entre ces grands et beaux meubles de campagne. Le socle n'était qu'une rondelle de bois débitée dans un tronc et vernie. Le cadre en bois peint était noir et tout à fait banal. Il était fixé légèrement en biais, comme si on avait tenu à ce que le personnage que l'on découvrait sous le verre ne perde pas de vue la grosse rose des sables.

Et ce personnage était étonnant. C'était un homme très grand et apparemment très fort. Sous une abondante chevelure sombre, son visage semblait avoir été taillé à la serpe. Mais cette rugosité apparente ne faisait qu'ajouter au charme singulier qui s'en dégageait et auquel n'ôtait rien, bien au contraire, une énorme moustache soigneusement épointée, tout aussi noire que le cheveu.

C'était cette moustache qui, la première, jaillissant sous la poussière du cadre, avait attiré l'attention de Michel. Il n'y avait pas de doute, cet étonnant personnage en naïles, vêtu d'une grande djellaba claire et dont la chevelure noire formait une étrange couronne sous un chèche enroulé à la diable, était bien le même homme que celui dont Michel, il y avait bien longtemps de cela, avait trouvé la photo dans le grenier de la petite maison familiale du Nord. Elle était enfermée dans un cadre en tout point similaire à celui qu'il tenait dans ses mains, à ceci près que, curieusement, la rose des sables était remplacée par un œuf en plâtre.

Que faisait là cet œuf ? C'était un mystère que le jeune Michel, captivé par cette photo, n'avait jamais pu éclaircir.

Mais il y avait une autre différence de taille entre les deux portraits. S'il ne pouvait pas faire de doute qu'il s'agissait du même personnage, si celui dont il tenait la photo en main se tenait fièrement devant un paysage de dunes austères et dans la tenue qui lui correspondait le mieux, celui qui restait attaché à ses souvenirs d'enfance, en sabots, larges pantalons rayés et chemise ample sous un gilet étroit, coiffé d'un feutre sombre à large bord, se découpait très nettement sur la géométrie monotone et très rectiligne des vastes champs du Nord. Et il s'appuyait avec nonchalance au joug d'un bœuf dont on voyait l'œil placide, à droite de la photo.

Totalement décontenancé, Michel eut un long regard circulaire pour le décor fané de la pièce au milieu de laquelle il se tenait planté, son étrange trouvaille à la main. Il existait donc un lien entre cette chambre, où rien, apparemment, n'avait changé depuis que la vie s'en était retirée, et la petite maison modeste mais proprette du coron du Nord où il avait été élevé.

Revenu délibérément dans le pays d'où un de ses ancêtres, sans qu'il en connaisse l'histoire, était parti un jour pour aller s'installer dans le Nord, il aurait pu s'y attendre. Mais les choses allaient vraiment trop vite et de telle façon qu'il en restait totalement désorienté.

Il alla reposer le cadre à l'endroit précis où il l'avait trouvé. Un long moment, il resta encore en contemplation devant cet objet curieux et plein de mystère. Dans la grisaille de la pièce endormie sous son manteau de poussière, lui seul en étant débarrassé, il prenait un tel relief qu'il en devint presque inquiétant. Michel, perplexe, préféra lui tourner le dos.

Il erra encore un long moment dans les pièces du premier étage, toutes livrées au même abandon. Il trouva même l'escalier du grenier, y monta, mais renonça à visiter un véritable capharnaüm. Il était depuis trop longtemps abandonné aux seules araignées pour que puissent encore s'y distinguer les strates des générations qui, successivement, y avaient abandonné les surplus de leur existence.

Imperturbable, le tic-tac de l'horloge continuait à hacher le silence de la grande salle, lorsqu'il y redescendit.

« Pour que cette mécanique fonctionne ainsi, pensa-t-il, il faut bien que quelqu'un vienne la remonter. Mais qui ? »

Il tourna encore quelques instants, indécis et vaguement inquiet, dans la pièce glacée et sinistre. L'envie lui venait d'aller retrouver sa voiture, qu'il avait abandonnée sur la place, la veille, et de partir. Mais il y avait ce mystère qui le subjuguait. Il y avait vaguement en lui la conscience qu'il était arrivé jusque-là pour ça, pour éclaircir cette page inconnue de l'histoire de sa famille dont, inconsciemment, il avait toujours souffert de ne pas savoir d'où elle venait. Et le hasard venait de lui mettre en main un fil infiniment ténu. Il allait lui falloir le dévider, avec infiniment de précautions pour qu'il ne vienne pas à se rompre avant qu'il puisse le nouer à celui de son passé connu.

« Il faut que je me décide », grogna-t-il. Mais

c'était trop demander à son esprit encore envahi des brumes de son réveil, toujours taraudé d'une migraine expiatoire de ses excès de la veille, et incapable de gérer l'avalanche d'événements à laquelle il lui fallait faire face. Sa petite vie bien réglée de cadre ne l'avait pas prédisposé à de telles aventures.

Les jambes un peu cotonneuses, il eut le geste de se laisser tomber sur l'unique chaise de la pièce, au bout de la table, au plus près d'une cuisinière à gaz maculée de longues traînées de crasse brunâtre et encombrée de casseroles, de poêles et d'une bouilloire, lorsque, tout à coup, la porte s'ouvrit.

— Alors ? tout de même réveillé ? lança Gustave, jovial. Passé une bonne nuit ? Il est bon, hein, le plumard de l'Octave ?

5

L'habitude aidant, c'est à peine si Gustave, en se levant, avait ressenti un vague mal aux cheveux. Une toilette énergique à l'eau froide. Un bon café noir là-dessus, et il n'y paraissait plus.

Bien sûr, Juliette lui avait servi la soupe à la grimace. Mais, outre le fait qu'il pensait, au fond de lui, qu'elle n'avait pas tout à fait tort, il possédait un entraînement suffisant à ce genre de situation pour parvenir à lui opposer une indifférence totale et surtout une jovialité à toute épreuve qui avait le don d'exaspérer plus encore son épouse.

Comme tous les matins, elle avait levé Julie, huit ans, et Hervé, six ans, leur avait servi leur petit déjeuner et les avait abandonnés à la garde de leur père pour filer vers la ville et le magasin où, depuis près de quinze ans, elle exerçait les honorables fonctions de vendeuse.

En fait, Gustave laissait les enfants se débrouiller seuls. Non pas qu'il se désintéressât d'eux. Mais il avait bien trop à faire dans sa cour de ferme. Et puis, à leur âge, se plaisait-il à répéter, il n'y avait pas toujours quelqu'un derrière lui pour lui torcher le derrière.

— La mère, clamait-il avec une parfaite mauvaise foi, elle n'allait pas travailler à la ville, bien au chaud, elle. Elle ne chargeait pas le père de son travail. Et elle en abattait, elle, du travail. Alors, il fallait qu'on se débrouille tout seuls et même qu'on l'aide, par-dessus le marché.

Les enfants faisaient ceux qui n'entendaient pas. Juliette, qui savait bien que la ferme n'aurait pas bouclé ses fins de mois sans l'apport de son salaire, fusillait son mari du regard et partait en haussant les épaules.

Cela faisait des années que ça durait. Depuis qu'un minimum d'expérience de vie commune leur avait fait apparaître l'évidence. Lui était bien trop bon vivant pour accepter de renoncer à ses copains, à leurs rencontres quotidiennes devant le zinc de Marcel et aux virées dans lesquelles ils se lançaient à corps perdu chaque fois que le moindre prétexte leur en était donné. Elle avait un caractère bien trop exclusif et sans cesse soucieux des affaires de la maisonnée pour pouvoir tolérer qu'il lui échappe ainsi en permanence.

Au reste, travailleurs l'un comme l'autre et aussi attachés l'un que l'autre à leur petite ferme, il aurait fallu bien peu de chose pour que l'un modère son goût de la fête et que l'autre, en retour, desserre un peu la bride. Mais, dès le début de leur mariage ou presque, ils s'étaient butés. Lui en avait rajouté et y avait pris du plaisir. Et elle en avait trouvé un autre, un peu amer, à lui reprocher de plus en plus vivement ses incartades.

De vénielles qu'elles étaient, elles avaient vite pris un tour bien plus discutable dès qu'au seul plaisir de retrouver les amis s'était ajouté le soulagement d'échapper à ses jérémiades. L'apéritif du midi s'était fait de plus en plus long et s'était même trouvé un frère, le soir.

Gustave avait découvert, par-dessus le marché, un fameux moyen de multiplier à l'infini les prétextes de sorties vespérales dont il rentrait tard dans la nuit, souvent d'un pas marquant quelques hésitations, alors qu'elle dormait depuis longtemps. Il s'était présenté aux élections municipales. Élu sans trop de difficulté à une charge de moins en moins convoitée, il s'était bien gardé, évidemment, de se charger de quelque responsabilité que ce soit. Ce n'était pas pour ça qu'il s'était fait élire. Tout juste avait-il accepté de voir son nom porté parmi ceux des membres d'une ou deux commissions ou au titre de délégué de la commune au bureau de l'association des pompiers, du troisième âge et du syndicat des eaux.

Tout cela représentait, sur l'année, un nombre considérable de réunions et d'assemblées générales auxquelles il faisait scrupuleusement acte de présence. Puis, dès qu'il estimait que sa présence, après avoir été suffisamment remarquée, n'était plus indispensable, il filait en douce. Quelques amis, prévenus, l'attendaient chez Marcel. Et la nuit leur appartenait !

Juliette, bien sûr, n'était pas dupe. Mais, le temps des colères et des désillusions passé, elle avait fini par estimer que c'était mieux ainsi. Ayant renoncé à attendre de son mari l'irréprochable conduite pour la revendication de laquelle elle avait fini par se brouiller avec lui, elle trouvait maintenant commode qu'il lui fiche la paix en filant au diable vauvert comme il le faisait régulièrement. Pour un peu, elle lui aurait démontré qu'il avait perdu bien du temps et de l'énergie en se fabriquant l'alibi de conseiller municipal !

Tout cela n'empêchait pourtant pas Gustave d'être tous les matins, dès l'aube, dans la cour de sa ferme et d'y travailler dur. Depuis leur mariage et grâce aux terres qu'avait apportées Juliette dans sa corbeille, il avait pu augmenter considérablement le nombre de têtes du troupeau de charolaises qu'il

menait. C'étaient de grandes bêtes un peu angu-
leuses, comme il convient à ces pays de terres
maigres et de chiches pâturages. Mais elles donnaient chaque année des veaux bien plantés et aux
squelettes solides, que les marchands appréciaient.
Ils les revendaient dans le Bazois, en Charolais ou
même sur les prés d'embouche du Brionnais où ils
étaient réputés faire merveille.

En somme, Gustave, à longueur de saisons,
s'échinait à produire une matière première dont
toute la valeur finale serait pour d'autres. Lui,
comme ses pairs locaux, ne pouvait pas y prétendre.
Il le savait bien mais n'en tirait aucune amertume. Il
avait même cette fierté un peu ombrageuse du
pauvre qui brandit comme un étendard le peu que lui
laisse la nature et dont il parvient encore à vivre.

Mais cette extension de la ferme, trouvée dans la
corbeille de mariage, à laquelle s'étaient encore
ajoutés quelques prés arrachés à l'Octave qui n'en
faisait plus rien, n'avait pas servi à grand-chose. On
était en un temps où il fallait toujours fournir plus
pour faire face à des charges de plus en plus lourdes.
Et comme la viande, succédant au pain, devait maintenant être accessible à la bourse du travailleur, il
fallait bien que le prix des bêtes reste à l'échelle
modeste des plus bas revenus. On avait alors inventé
un système de plus en plus complexe et de plus
en plus touffu d'aides et de primes dont on estimait,
en haut lieu, qu'elles coûtaient encore moins cher
à la collectivité que la mise au chômage pur et
simple de tous ces éleveurs tels que Gustave dont,
en définitive, la production n'était plus utile à grand-
chose.

Il le savait bien. Mais il aurait préféré crever que
de l'admettre. Alors, comme les autres, et n'ayant
guère le choix, il faisait bien moins son revenu à la
vente de ses bêtes qu'aux multiples dossiers et
imprimés qu'il allait remplir à la mairie. Et il ne se
faisait aucune illusion sur l'avenir de son exploita-

tion. Pour lui qui était installé et n'aurait rien su faire d'autre, on voulait bien payer. Mais il ne fallait tout de même pas que ce petit jeu s'éternise trop longtemps. Son fils, déjà, était prié de ne pas trop regarder vers la terre. Il n'y avait plus aucun avenir. Il serait tout autre chose, peut-être chômeur, mais certainement pas paysan.

Irréductible optimiste, Gustave préférait ne pas trop y penser. Mais il ne pouvait éviter de se demander ce qu'il adviendrait de toute cette terre lorsqu'il ne serait plus là, vu qu'il était le dernier agriculteur du pays. Oh, bien sûr, dans une certaine mesure ça lui simplifiait la vie. Plus de concurrence pour les prés et les champs. Plus de laborieux marchandages pour les fermages sur lesquels on redoutait toujours la surenchère d'un voisin. Pour un peu, il aurait pu se croire le maître de tout cet espace. Mais un maître bien solitaire…

Tout cela ne l'empêchait nullement de regarder avec convoitise vers la Grande Cheintre et toutes les bonnes terres qu'Octave avait longtemps abandonnées à la friche et qui étaient maintenant vacantes. Il avait pour ça trois bonnes raisons.

La première était l'évidence même. Un paysan ne laisse jamais passer l'occasion de tenter d'agrandir sa propriété.

La deuxième avait un rien de sentimentalisme. C'est qu'il était malheureux comme la pierre, ce pauvre Gustave, de voir tous ces champs et ces prés, sur lesquels s'étaient échinées des générations de paysans comme lui, s'en retourner tout doucement à la friche.

La troisième était très pratique. Il savait bien qu'il n'était pas raisonnable d'envisager encore un agrandissement de son exploitation. Seul, et bien qu'il n'ait jamais rechigné devant le travail, il avait déjà toutes les peines du monde à s'en sortir. Agrandir encore, ce serait nécessairement en passer par l'aide indispensable de nouvelles machines, encore plus puissantes, encore plus performantes, pour l'achat desquelles il lui faudrait, une fois de plus, signer des piles de traites, au Crédit agricole. Et ça, il savait qu'il ne pouvait plus se le permettre.

Par contre, tout simplement, disposer de quelques dizaines d'hectares des bonnes terres de la Grande Cheintre, c'était retrouver enfin sa liberté ! C'était ne plus dépendre des terres de la Juliette. C'était, pour de bon, le choix qu'il retrouvait de sa vie. A vrai dire, cette seule idée le faisait baver d'envie.

Il en était, ce matin-là, réduit aux hypothèses quant à ce qui avait bien pu se passer, la veille, dans le bureau du notaire. L'envie de savoir le turlupinait bien un peu. Mais comment faire ? Alors, comme il n'avait aucunement l'intention de se contenter d'attendre, en s'activant au pansage des bêtes depuis peu rentrées des prés où elles avaient passé l'été, il ruminait l'idée un peu folle qui lui était venue à l'esprit, la veille, au bar de chez Marcel.

« Qu'est-ce qu'on risque ? Que ça ne marche pas ? Et alors ? J'aurai au moins tenté le coup », estima-t-il enfin en posant sa fourche.

Il passa par la maison. Rôdant autour de la cuisinière chauffée à blanc, Julie et Hervé finissaient de se préparer.

— Ça va, les enfants ? demanda-t-il depuis la porte entrebâillée.

— Oui, p'a, claironna la voix haut perchée de la gamine. On va bientôt y aller.

— Ça va être l'heure.

— On sait. Mais ne t'inquiète pas. On n'est pas en retard.

— C'est bon, conclut-il en refermant la porte.

« Elle est gentille, cette gamine », pensa-t-il avec une bouffée d'orgueil. Et pourtant ! Les avait-elle assez déçus en venant au monde ! Dame, c'était qu'ils y croyaient au garçon du premier coup. Comme ça, l'affaire aurait été réglée. La descendance du nom assurée, pas de partage à faire, tout le bien transmis d'un même coup. A l'époque, il croyait encore au devenir de sa ferme. Raison de plus pour espérer un gars.

Et voilà que c'était une fille. Pour sûr, elle les avait déçus. D'autant plus que ça commençait déjà sérieusement à tirailler, entre eux. Alors, les reproches… « Même pas capable de me donner un fils. » Ça n'avait pas arrangé les choses.

Il avait bien fallu remettre ça. On s'était résigné à la dot qu'il faudrait bien lui donner, à cette fille, et qui, nécessairement, écornerait le bien. Et on avait attendu avec angoisse. Cette fois, ce fut la bonne. Et c'est peu de dire qu'il avait été soulagé.

Et puis les enfants, en grandissant, s'étaient chargés de lui faire oublier tout ça. Les rapports qu'il avait avec eux le surprenaient lui-même. La gamine le menait par le bout du nez et il en était heureux. Le gamin essayait déjà ses jeunes forces à vouloir lui tenir tête et il en faisait un jeu. « De mon temps, pensait-il, je ne m'y serais pas frotté. Une bonne taloche, c'est tout ce que j'aurais récolté. »

Il n'était pourtant jamais plus heureux que lorsque la petite Julie venait faire la chattemite autour de lui et jusque sur ses genoux pour mieux l'amadouer et obtenir ce qu'elle voulait, et quand Hervé, du haut de ses six ans, engageait contre lui de furieux combats qui se terminaient invariablement par un câlin sur les mêmes genoux.

Et lui, tout pataud, conscient de ce qu'il avait de rustre et qu'il ne convenait plus de donner comme exemple à ces enfants voués à la ville, fondait littéralement devant eux et devant toute la tendresse qu'ils étaient capables de lui manifester.

« Allons, se dit-il en traversant la rue. C'est pas tout ça, mais il y a des affaires plus sérieuses à mener. » La grande maison de l'Octave était comme morte. Il en poussa la porte. Seul le tic-tac régulier de l'horloge rythmait le silence.

« Il dort encore, pensa-t-il. Avec ce qu'il tenait hier soir, pas étonnant. »

Il retourna à ses litières. Dans l'atmosphère tiède de l'étable, les bêtes, dont il venait de garnir les râteliers, mâchaient paisiblement. Elles peuplaient l'espace des bruits étouffés de leurs chaînes et de leurs corps qui se mouvaient sans hâte. Il aimait s'activer dans l'ambiance paisible de son troupeau. En même temps qu'il effectuait les gestes tant de fois répétés des soins qu'il lui devait, il lui semblait que son esprit, libéré pour un moment de toutes les autres préoccupations, se prêtait plus facilement aux divagations vers des tas d'idées étonnantes qui lui venaient.

En faisant la litière de ses bêtes, Gustave rêvait.

Et son rêve, ce matin-là, était rien moins que de rouler le monde entier, ou peu s'en fallait, pour conquérir une vie nouvelle.

6

Avant même que Michel ait eu le temps de parer le coup, Gustave avait traversé la pièce d'un pas décidé et lui avait asséné sur les omoplates une grande claque à l'intention tout à fait amicale. Michel n'en avait pas moins cru que sa tête allait éclater en même temps que ses jambes se dérobaient sous lui. Il acheva en catastrophe le geste ébauché de s'asseoir.

— Attends voir, disait Gustave déjà totalement à son affaire. Je vais te réchauffer cette pièce et te préparer un de ces petits déjeuners, tu m'en diras des nouvelles. Remarque, j'ai l'habitude. Je le faisais tous les matins pour l'Octave. Au point que c'est comme ça qu'il est mort. J'ai pas dit que c'était de ça qu'il était mort. J'ai dit que c'est comme ça qu'il est mort, un beau matin, il y a cinq jours. Je te le laisse là bien tranquille, devant son bol de café. Et c'est là que je l'ai retrouvé, le lendemain matin, le nez dans le bol. Tu parles d'un coup ! Sûr qu'il ne se sera même pas vu partir, le vieux. Au fond, c'est-y pas mieux comme ça ? Plutôt que de traîner des années, à la charge des autres, comme il y en a qui doivent faire. Il a eu une belle mort, le vieux bougre, faute d'avoir eu une belle existence. Qu'est-ce que tu veux, c'est ça, la vie. On ne peut pas tout avoir. Mais dis, à propos, je te raconte ça. Mais il ne faudrait pas croire que je vais recommencer pour toi comme pour l'Octave. T'aurais peut-être intérêt à regarder comment je m'y prends pour allumer la cuisinière et où sont rangées les choses. Parce que, demain, il faudra bien que tu te débrouilles tout seul.

Michel, un peu sidéré, avait subi tout ce discours sans broncher. Il avait ainsi appris qu'il avait passé la nuit dans la maison du mort et fort vraisemblablement dans le lit sur lequel on l'avait allongé pour le préparer avant la mise en bière.

— Demain, dit-il d'une voix blanche, je n'aurai pas à allumer la cuisinière puisque je serai parti.

— Oh ! fit Gustave en se retournant vivement. Où ? Parti où ?

Michel haussa les épaules.

— Je ne sais pas. Mais, au moins, je ne serai plus dans la maison d'un mort.

Gustave parut soulagé.

— Si ce n'est que ça, dit-il ! T'as qu'à changer les draps. Il y a tout ce qu'il faut dans la grande armoire, dans la chambre.

Michel en eut presque un haut-le-corps. Rien de mieux, pour faire disparaître une gueule de bois, que de se voir confirmer qu'on vient de passer la nuit dans le lit et même dans les draps d'un inconnu dont on suivait le cercueil la veille encore !

— Et quoi encore ? fit-il. Tu ne t'imagines pas que je vais rester plus longtemps dans une pareille crasse ?

— Oh ben, ça, t'as bien raison. Faut tout virer, tout nettoyer, là-dedans, décréta Gustave. Je viendrai te donner la main, n'aie crainte.

Cette fois, Michel en fut tout éberlué.

— Parce que tu t'imagines que je vais me donner la peine de faire le ménage dans tout ce capharnaüm ? Et pourquoi donc ?

Gustave finissait de préparer la cafetière. Il la posa sur le coin de la cuisinière, s'assura qu'elle était bien au bon endroit, celui qui chauffe juste ce qu'il faut, ni trop peu ni trop fort, prit dans le bahut le beurrier, un pot de confiture et un couteau et les déposa sur la table, devant Michel. Il prit encore le temps d'aller à la pêche au sucrier et trouva un bol à peu près propre. Il l'équipa d'une petite cuillère, attrapa au passage une miche de pain, qui rassissait doucement posée sur une passoire, et vint se glisser sur le banc en disposant tout cela devant son nouvel ami.

— Parce que tu es chez toi, décréta-t-il.

— Chez moi ?

Michel, qui appréciait la douce chaleur venant de la cuisinière, dans son dos, avait plus envie de s'y abandonner que de discuter. Mais tout de même ! Il y avait là de quoi s'étonner.

— Bien sûr que t'es chez toi, confirma Gustave très sûr de lui. On est cousins, oui ou non ? Bon, alors !

— Alors quoi ?

— Fallait bien que tu sois soûl, hier soir, pour ne même pas te souvenir. Mon cochon, qu'est-ce que tu t'es mis ! Des comme ça, ça fait date. Enfin, faut ce qu'il faut. Il y a des jours, je sais, ça fait du bien. C'est comme une nécessité, quoi. Bon, mais hier, c'était hier. Aujourd'hui, c'est autre chose. Faut que tu prennes tes affaires en main, mon gars. Moi, je veux bien t'aider, vu que t'es pas du pays. Mais je ne peux pas tout faire pour toi. C'est pas ce qu'il avait prévu, le vieux.

Michel eut un geste de la main comme pour écarter tout ce discours auquel il ne comprenait plus rien.

— Attends voir, dit-il. Qu'est-ce que tu m'as dit hier dont je devrais me souvenir maintenant ?

Gustave prit l'air ennuyé de celui que ça fatigue de devoir toujours répéter la même chose.

— Je t'ai expliqué, martela-t-il en détachant les mots, que l'Octave, qui est mort ici voici cinq jours, qui n'était qu'un vieux drôle et dont tu as honoré l'enterrement de ta présence, a mis noir sur blanc dans son testament que la Grande Cheintre reviendrait à celui de ses héritiers qui viendrait s'y installer pour de bon. Tu y es. T'as qu'à y rester. La ferme est à toi.

— Ça va plus, non ?

Ce fut au tour de Gustave de prendre l'air éberlué de celui qui souffre de réaliser tout à coup à quel point il est incompris.

— Pourquoi tu dis ça ? demanda-t-il d'un ton désolé. C'est pourtant la vérité, ce que je dis. T'as qu'à rester. Les autres, tous les Parisiens d'hier, ils n'ont pas plus de droits que toi. Si tu t'installes pour de bon, la ferme est à toi. Il n'y a rien à redire.

— Mais où tu as vu qu'on était cousins ? C'est pas parce que ma famille est originaire du Crot-Peuriau et qu'on porte le même nom que je suis héritier de cet homme-là.

— Et qui peut dire que tu ne l'es pas ?

— Eux, bien sûr.

— Qui, eux ?

— Tes cousins, ceux qui étaient à l'enterrement, hier.

— Tu n'y étais pas, toi, à l'enterrement ? Marche, dans le tas, il y en a bien la moitié qui ne savent pas trop non plus à quel degré ils en étaient cousins, de l'Octave. Et puis, le temps qu'ils réagissent, qu'ils comprennent la salade que leur a servie le notaire, hier après-midi, tu seras installé. Et ils n'auront plus rien à dire.

A vrai dire, Michel n'y comprenait plus grand-chose. Pour sa pauvre tête mise à mal par leurs libations de la veille, il y avait là trop de choses à assimiler et à analyser en une seule fois.

— Mais enfin, tenta-t-il, pourquoi veux-tu à toute force que ce soit moi qui m'installe ici ? Pourquoi pas toi ?

— Ah, si je pouvais, je ne dis pas, concéda Gustave. Seulement, voilà, je ne peux pas. Il savait ce qu'il faisait, le vieux bougre. Je ne peux pas à la fois être en face et ici. Et comme je ne peux pas quitter en face…

— Mais moi, pourquoi moi ? s'obstina Michel. Hier encore on ne se connaissait pas.

— C'est justement, dit Gustave. Hier, on ne se connaissait pas. Aujourd'hui, on est amis. Ça compte pour du beurre, ça ? Les autres, tu m'as vu leur taper dans le dos en buvant des coups avec eux ? Ceux-là, je ne veux pas les voir. Je ne veux pas dépendre d'eux, pour rien. Alors, je préfère que ce soit toi, qui as une bonne gueule, qui sais payer ta tournée et avec qui on peut rigoler, qui sois mon voisin. Voilà.

C'étaient là, à franchement parler, des critères déterminants d'une possible propriété qui laissaient Michel pour le moins perplexe.

Mais il y avait ces cadres qui, l'un dans un modeste grenier du Nord, l'autre sur la table de chevet d'une grande maison morvandelle tombée en léthargie, s'obstinaient à célébrer le souvenir d'un homme unique et pourtant si différent. Ils tendaient une sorte de fil très ténu — mais pourtant fascinant — entre la vie dont Michel venait de s'échapper et celle dont il ne soupçonnait pas, en arrivant au Crot-Peuriau, qu'elle puisse l'accaparer avec tant d'énergie.

Les yeux dans le vague, plongé dans ses réflexions, il trempait ses tartines dans le bon café au lait que lui avait préparé Gustave. Celui-ci, scrupuleusement respectueux de sa méditation, largement accoudé à la table, légèrement avachi, ne quittait pas du regard son nouvel ami.

Michel, repu et réchauffé, en était à boire délicatement son café, les deux mains en coquille de chaque côté du bol, lorsqu'il réalisa le temps qui s'était écoulé sans que Gustave n'émît un son ou le quittât des yeux. C'est qu'il avait une bonne tête, ce Gustave, avec son air de chien fidèle un peu rigolard, toujours prêt à la blague ou au geste qui fait plaisir.

Il eut tout à coup l'envie d'aller plus loin dans cette amitié naissante comme dans les mystères ombreux qu'il sentait planer autour de l'homme aux longues moustaches des deux cadres.

— Il faut voir, dit-il.

— C'est tout vu, dit posément Gustave en commençant à ranger la table du petit déjeuner de son ami.

— Comment ça ?

— T'inquiète, va. Tu as tout ce qu'il faut ici pour t'installer tranquillement. Tu as juste un bon petit coup de nettoyage à faire. Pour le reste, tu n'as pas à t'en faire. J'habite en face, de l'autre côté de la rue. T'as qu'à demander. Sûr, tu verras, qu'on fera une bonne paire. Et, dans la vie, c'est tout ce qui compte.

7

Le ciel s'était dégagé dans la nuit. Lorsque Gustave mit le nez dehors, l'obscurité scintillait déjà du jour qui allait naître. Debout sur l'étroit perron de sa maison, il boutonna sa veste en aspirant l'air vif du matin à pleins poumons. Il gelait. Une de ces premières gelées d'automne, encore modestes, presque timides qui ne font que blanchir les prés sans mordre réellement.

L'Ouasse venait de jaillir de l'étable où il prenait ses quartiers nocturnes. Et, comme tous les matins, il s'était jeté dans les jambes de son maître en frétillant d'aise et en quémandant la première caresse du matin. Gustave y consentit. Il se baissa et fourragea doucement d'une main distraite dans le pelage hirsute et grisonnant d'un barbet sans beaucoup d'allure dont le seul regard, sous des sourcils broussailleux, trahissait tout l'amour qu'il lui portait.

A vrai dire, il ne le lui avait pourtant guère demandé. Le chiot qu'un ami lui avait donné, il y avait de ça près de deux ans, en croyant lui faire plaisir, n'avait pas été trop bien accueilli. Gustave ne parvenait pas à voir comment cette infime boule de poils vagissante pourrait, un jour, prétendre remplacer utilement l'ultime descendant d'une longue lignée de fidèles gardiens qui venait de mourir.

Juliette, qui pleurait le vieux chien au moins

autant que son mari, s'était tout de suite prise d'aversion pour cette petite chose qui se traînait sur le carreau de la salle en pleurnichant et ne faisait que lui rappeler douloureusement le vieux compagnon qui s'était pris d'affection pour elle, à qui elle passait tout et dont le tapis restait tristement vide, au coin de la cuisinière.

Gustave avait défendu mollement le nouveau venu. Et les enfants n'y avaient rien pu. Sur décision sans appel de leur mère, il avait été proprement jeté dehors et relégué dans un coin de l'étable, sur quelques brassées de paille. Il n'avait pas paru s'en formaliser. Et lorsque Gustave était apparu, le lendemain matin, pour soigner ses bêtes, le chiot était sorti paisiblement de son trou, il s'était longuement étiré en bâillant copieusement et il était venu découvrir avec le plus grand intérêt ce qu'étaient les litières et l'affouragement d'un troupeau.

Une fois pour toutes, et sans lui demander son avis, il s'était attaché aux pas de Gustave et ne l'avait plus quitté. Amusé par le manège du chiot, il avait accepté sa compagnie, et avait longtemps cherché le nom qu'il pourrait bien lui donner. Il s'énervait même de ne rien trouver qui lui convienne. Jusqu'au soir de printemps où un concert de cris, de jacassements et de jappements furieux l'avait tout à coup tiré de son travail.

Se précipitant dans la cour, il n'avait d'abord rien vu. Il avait fallu qu'il se guide sur le tintamarre pour trouver Julie et Hervé, derrière la grange, au milieu des quelques vieux pommiers qu'il entretenait là, hurlant à qui mieux mieux devant un spectacle peu ordinaire. Le chiot, au pied d'un des pommiers, était proprement en train de se battre avec une pie. Une jeune pie, probablement partie depuis peu à la découverte du vaste monde, et qui avait eu le goût douteux, du point de vue du chien, de venir picorer à quelques pas de lui. Il s'était rué. Elle n'avait pas prétendu en démordre. Et, l'une voletant en jacassant, l'autre bondissant en aboyant, ils en étaient à régler leurs comptes.

Inquiet pour les yeux du chiot que l'oiseau visait sans scrupule, Gustave était intervenu. La pie était allée se percher hors de leur atteinte et avait continué d'insulter copieusement son jeune agresseur qu'il avait fallu calmer. On avait bien ri de l'aventure. Le chien y avait gagné encore un peu plus d'estime des enfants et de leur père. Mais il avait surtout trouvé son nom.

— L'Ouasse, papa ! On n'a qu'à l'appeler l'Ouasse ! avait braillé Hervé.

Pour la forme, Gustave avait froncé les sourcils.

— Où t'as vu qu'on parle morvandiau, ici ? avait-il prétendu gronder. Une pie, c'est une pie, pas une ouasse.

Le gamin avait paru interloqué. Son idée lui plaisait pourtant bien.

— Ouais, mais là… avait-il plaidé.

Et la fine mouche de Julie qui n'ignorait pas que son père ne savait pas lui résister :

— C'est la mode, maintenant, de parler le morvandiau. Et puis, pour un nom de chien…

L'Ouasse ! Pourquoi pas ? Gustave avait considéré le chiot d'un œil amusé. Assis à deux pas d'eux, comprenant très bien qu'il était question de lui, il les considérait tous les trois avec beaucoup d'intérêt.

— Allons, va pour l'Ouasse !

Depuis, le chien avait équitablement partagé ses manifestations débordantes d'amour entre Gustave et les enfants. Et il ne quittait guère la compagnie du premier que pour aller quémander jeux et caresses aux seconds dès qu'il leur arrivait de paraître dans la cour.

Quant à Juliette, que rien, et surtout pas le trop grand attachement du chien aux pas de Gustave, n'avait pu faire revenir de ses premières préventions, il lui manifestait une indifférence polie et se gardait bien de revendiquer quelque droit que ce soit à pénétrer dans le lieu où il avait le plus de chance de la rencontrer, la salle dont il avait bien fallu que disparaisse le tapis du chien.

En se redressant, Gustave eut un regard rapide vers la fenêtre éclairée derrière laquelle Juliette en était encore à s'activer sans bruit, ménageant le dernier sommeil des enfants. Puis, l'Ouasse sur les talons, il fila dans la nuit. Quelques broutards encore au pré justifiaient son absence de la cour. Dans quelques jours, il faudrait bien les rentrer, comme les autres. Et il serait alors temps de trouver un autre alibi.

Mais on n'en était pas là. « A chaque jour suffit sa peine », pensa sentencieusement Gustave en atteignant la rue. Il n'était évidemment pas du genre bilieux et se trouvait fort bien de vivre au jour le jour sans se brouiller les sangs, comme la Juliette, avec des préoccupations dont il avait depuis longtemps constaté qu'elles trouvaient toujours, ou presque, leur solution en temps et en heure. Alors, pourquoi se faire de la bile ?

La Grande Cheintre était bien sûr totalement fermée et silencieuse. Il ne s'en étonna pas mais fut tout de même surpris de ne plus voir la voiture de Michel dans la cour.

« Ce serait-y qu'il a déjà trouvé le moyen de la garer dans la grange ? Il ne chôme pas, le petit homme. »

Sa réflexion n'alla pas plus loin. Il avait, pour l'heure, d'autres chats à fouetter. Il dépassa les fermes et le halo du dernier lampadaire qui baignait la rue de sa lueur jaune. De l'ombre, dans laquelle il se fondit, commençaient de naître, dès que l'œil s'y était accoutumé, les lignes familières des haies et le velours plus sombre, au lointain, des collines coiffées de forêts.

Gustave eut un dernier coup d'œil prudent derrière lui. Personne, bien sûr, ne le suivait. Mais sait-on jamais ? Est-on jamais assez prudent ? Rassuré, le chien sur les talons, il bifurqua vivement dans un infime sentier qui longeait l'ouche de la Grande Cheintre. Ils furent presque instantanément avalés par le fouillis ombreux des brosses depuis trop long-temps sans taille des haies qui le bordaient.

Lorsqu'il revint, la Grande Cheintre dormait tou-jours. « Crénom, grommela-t-il, pas matinal, le Michel. » Mais il fronça tout de même les sourcils, habité d'un curieux pressentiment. Juliette était par-tie depuis longtemps. Il passa le nez à la porte de la salle. Tout allait bien. Il lui fallait se résoudre à aller s'attaquer à son pansage. Il eut tout de même un der-nier regard pour la Grande Cheintre toujours aussi silencieuse.

« Bof ! » fit-il sans rien en penser.

A mi-course, il abandonna son travail pour aller jeter un coup d'œil. Toujours rien. Cette fois, il estima pouvoir commencer à se faire du souci.

— Ça va, les enfants ? demanda-t-il, du coin de la porte, en passant.

— Ça va. On est bientôt prêts.

— Dépêchez-vous. Vous allez être en retard.

— Mais non. Ne t'inquiète pas.

Son inquiétude était ailleurs. Il rejoignit sa fourche et sa brouette et s'astreignit à ne plus les quitter jusqu'à ce qu'il en ait fini de sa corvée hiver-nale et matinale. Enfin, les bêtes furent approvi-sionnées pour la journée. L'étable était aussi propre que possible. Les enfants étaient à l'école depuis longtemps. Gustave était maître de sa journée. Ordi-nairement, il allait nourrir la cuisinière de quelques bûches, sortait du placard et du frigidaire de quoi apaiser la grande faim qui le tenait et s'attablait, le dos agréablement rôti par la chaleur du foyer.

Cette fois, l'air résolu et au plus grand étonnement

de l'Ouasse, il passa tout droit devant la maison sans s'arrêter, traversa la rue et pénétra dans la cour de la Grande Cheintre toujours aussi morne, froide et silencieuse. Pris d'une sorte d'étonnante timidité, il hésita pourtant à cogner à l'huis comme le geste qu'il avait ébauché en avait trahi la première intention. Il enfouit les mains au fond des poches de sa veste d'un geste rageur et vint précautionneusement, mais sans illusion, coller un œil à l'interstice du volet.

Bien sûr, il ne vit rien.

Il fallait se rendre à l'évidence : Michel Grollier avait pris la poudre d'escampette. Il ne parvenait pourtant pas à l'admettre. Lentement, le sourcil froncé, il défila devant les volets de la maison, espérant encore, contre toute attente, y trouver une trace de vie.

« Et les clefs ? » grogna-t-il lorsque finit de trembloter en lui la toute petite flamme de son dernier espoir. « Qu'est-ce qu'il a bien pu faire des clefs ? J'ai l'air malin, moi, maintenant, à ne même plus pouvoir entrer chez l'Octave. »

Curieusement, l'idée ne lui vint pas un instant que Michel pourrait revenir. Qu'il ne lui ait pas rendu les clefs en était pourtant un signe. Il n'y vit qu'une désertion brouillonne et bien embarrassante. Il s'était fait rouler. C'était bien fait pour lui. A trop vouloir profiter de l'aubaine pour embrouiller les cartes des cousins, c'était celle qu'il avait cru futé de jouer qui lui faisait faux bond.

« Ça m'apprendra », maugréa-t-il.

L'air penaud, les épaules basses, les mains toujours au fond des poches, oubliant même son casse-croûte matinal, cette fois il prit pour de bon le chemin des prés où ses broutards passaient leurs derniers jours de liberté.

Avec le jour était montée une brume diaphane dont le paysage semblait se parer, sous les rayons d'un soleil encore chaud. Ils parvenaient sans trop de mal à traverser les longs voiles blanchâtres qui rôdaient sur les vallons, s'insinuaient au long des haies, flânaient sur les lisières au-dessus desquelles les frondaisons rousses et mauves des hêtraies apparaissaient parfois, dans une déchirure, avec une froide netteté.

Au fond de la vallée que dominait le village, le pré des broutards était traversé d'un ruisseau dont Gustave, sans trop y prendre garde, perçut la chanson bien avant de l'atteindre. Le brouillard semblait naître de l'eau. Il s'étalait là en épaisses nappes grises sur tout le fond de vallée. De la route qu'il suivait à grandes enjambées, laissant la pente l'entraîner, Gustave eut l'impression qu'il allait s'y immerger. Le soleil disparut. En trois pas, il fut pris par une semi-obscurité glaciale et un peu poisseuse. Il n'y avait pas là de quoi arranger son humeur.

Les huit jeunes bêtes s'étaient groupées dans un coin du pré et, bien serrées pour se tenir chaud, le dos rond, elles ruminaient. Il franchit le *sautou* aménagé à côté de la porte et vint jusqu'à elles. Sans bouger, elles le regardaient venir de leurs gros yeux un peu globuleux et plus tristes que jamais.

« Faudra pas les laisser là trop longtemps », estima-t-il en les examinant sans trop s'approcher. Il ne voulait pas les déranger. « Si ce temps-là continue, elles vont souffrir. » Il aurait pu prendre la décision immédiate de les rentrer. Là-haut, derrière la ferme, la stabulation libre, qu'il avait aménagée dans un hangar en tôles, les attendait.

Mais il avait l'esprit ailleurs. Sans insister, il fit demi-tour et reprit le chemin du village.

8

— Fait pas chaud, hein ?

Marcel, debout derrière son bar, essuyait machinalement des verres. Gustave prit soin de bien refermer la porte derrière lui.

— Temps de saison, grogna-t-il. T'es tout seul ?

— Tu vois.

Décidément, ce matin, rien ne voulait lui sourire.

— T'as pas vu le Michel ?

— Ça ne risque pas, vu qu'il est parti.

— Parti ? Quand ça ?

— T'es pas au courant ? Il est passé hier soir, sur le coup des six ou sept heures, je ne sais plus très bien. Il a pris un café. Je ne lui ai rien demandé. Mais il m'a dit comme ça qu'il en aurait bien besoin vu qu'il en avait pour quatre ou cinq heures de route. Et puis il est parti. Je croyais que tu savais, moi.

Non, Gustave ne savait pas. Et que ce soit la bouche de Marcel qui lui serve cette nouvelle n'était évidemment pas pour arranger son humeur.

— Qu'est-ce que je te sers ?

Il eut un coup d'œil noir pour le cafetier qui était là, à l'observer et à attendre qu'il parle. Comme s'il y avait à parler.

— Comme d'habitude.

Et il lui tourna le dos.

De quoi avait-il l'air ? Il était dans de beaux draps,

maintenant. Non seulement il ne savait toujours rien de ce qui s'était passé chez le notaire, mais il avait même perdu le fragile pouvoir que lui conférait la détention des clefs de la Grande Cheintre.

Et si on venait à les lui demander ? Lui qui se voyait déjà maître, à force d'habiles manœuvres, des terres de l'Octave qu'il convoitait, il risquait tout simplement de se retrouver pris à ne pas savoir quoi répondre, comme un gosse en faute.

Toujours adossé au bar, il but son apéritif en attendant. Personne ne vint. Où étaient-ils donc tous passés ? Surveillant la porte du coin de l'œil, il patienta encore une bonne vingtaine de minutes. Mais non, décidément, l'heure de l'apéritif était passée sans qu'aucun de ses habituels comparses ait la bonne idée de venir en faire durer le plaisir. Mieux valait renoncer. Il paya et partit sans un mot, sous le regard évidemment réprobateur de Marcel.

C'était le moindre de ses soucis.

La grande salle de la maison était glacée. Il dut rallumer la cuisinière en maugréant. Ce midi, Juliette ne rentrait pas. Elle déjeunait d'un sandwich dans l'arrière-boutique de son magasin de la ville en vingt minutes de temps. Lui s'attarda. Il attendit que la pièce se soit réchauffée en regardant les informations de la télévision. Puis, sans se presser, il fit chauffer le déjeuner qu'elle lui avait préparé et laissé dans le réfrigérateur. Il mangea sans quitter le petit écran des yeux mais sans attacher trop d'importance aux images qui défilaient.

Il y en eut tout de même quelques-unes qui attirèrent son attention. Un péroreur, comme il les avait en horreur et dont il ne savait déjà plus comment ni pourquoi il était arrivé là, marchait au long d'un chemin délicatement herbeux, sous les frondaisons arborescentes d'un quelconque pays de cocagne au-dessus duquel régnait en maître absolu un ciel d'une pureté et d'une profondeur incommensurables. On devinait, artistement évoquée par le cadreur, au-delà de l'épais rideau de la végétation, la blondeur d'une plage de sable fin que battait doucement un ressac de turquoise et d'argent.

« C'est pas vrai que ça existe pour de bon ? » se demanda Gustave qu'ennuyait profondément le baratin inextinguible du quidam dont même la présence, dans ce décor de rêve, l'exaspérait. Ce fut plus fort que lui, il eut un regard rapide vers la fenêtre. Encore, aujourd'hui, le soleil faisait-il un effort.

L'envie, fugace, de tout abandonner, de renoncer, de partir à l'aventure…

« Et puis après ? Qu'est-ce que j'aurais de plus ? Est-ce qu'ils le voient encore, que c'est beau, les gens qui sont nés là-bas et qui y vivent ? Peut-être bien qu'ils y crèvent de faim, sous leur soleil ? Et nous, ici, à longueur d'été qu'ils nous le répètent, les touristes, qu'on en a de la chance, de vivre dans un beau pays comme ça. Est-ce qu'on sait ? Peut-être… Peut-être bien qu'il avait déjà le mal du pays, le Michel… Va savoir. »

Il rêva encore quelques instants devant les images enchanteresses. Puis il brandit devant lui, comme une arme, le petit boîtier noir de la télécommande et appuya sur le bouton. Le mirage s'effaça.

« Bon, c'est pas tout ça, décida-t-il en se levant, mais j'ai du bois à livrer, moi. » Il ne lui déplaisait pas de se jeter à corps perdu dans un gros travail. Rien de mieux pour dissiper les rêves et pour faire oublier les préoccupations.

Il alla atteler son tracteur à la rustique remorque qui lui servait à débarder son bois. Comme toutes les fermes de la région, la sienne comptait quelques hectares de taillis dont il sortait, chaque année, une bonne centaine de stères de bois de chauffage. Ils n'en gardaient qu'une petite vingtaine pour leur usage personnel. Et Gustave passait de nombreuses journées d'automne à charger sa remorque au fond de la forêt, puis à la décharger dans la cour de ses clients.

C'était là un petit revenu complémentaire qu'il dédaignait d'autant moins qu'il aimait le travail rude et solitaire du bois. Il abattait les arbres, les débitait et rangeait les bûches d'un mètre en longs tas bien réguliers durant l'hiver. Elles avaient toute la belle saison pour sécher. Puis, l'automne venu, il les reprenait pour les livrer. La plupart de ses clients les stockaient encore toute une année, soigneusement couvertes, avant de les débiter, de les fendre et de ranger soigneusement tout ce combustible dans leurs appentis. Il arrivait qu'on lui demandât de se charger de tout ce travail. Le prix, bien sûr, n'était plus le même. Et Gustave acceptait avec empressement. Mais la tradition du chauffage au bois était si forte, dans le pays, que bien rares étaient ses clients qui n'auraient pas estimé déchoir à ne pas « faire » eux-mêmes leur bois.

La coupe se situait au flanc escarpé d'une colline qu'escaladait laborieusement un vieux chemin aux ornières cahoteuses. La remorque vide, sur le plateau de laquelle l'Ouasse se cramponnait vaillamment, bondissait derrière le tracteur dont Gustave, au pied de la pente, avait embrayé le pont avant. Il montait sans se presser, comme il convenait à l'ambiance du bois.

Il lui fallut encore rétrograder pour quitter le chemin par un impressionnant raidillon qui fit se cabrer devant lui le long capot du tracteur. Puis, à vitesse réduite, en luttant contre la pente qui voulait l'entraîner, il entreprit de slalomer entre les arbres et les souches jusqu'à un long replat sur lequel, l'hiver précédent, il avait stocké son bois.

La remorque rangée bien parallèlement au tas dont ne le séparait que l'espace nécessaire à ses mouvements, Gustave tomba la veste et la suspendit à l'aile de son tracteur. Puis il se saisit d'une bûche et, d'un balancement bien calculé, la fit glisser juste au bon endroit, sur la remorque. Une à une, à gestes posés mais d'une régularité de métronome, il en fit passer ainsi cinq stères du tas au chargement dont pas un instant il ne perdait de vue l'équilibre. Il ne s'agissait pas qu'il vînt à basculer dans les cahots du chemin.

Sinon périlleuse, encore qu'on ait vu plus d'un tracteur se retourner à cet exercice et écraser son chauffeur sous sa masse, la descente était délicate. Gustave savait s'y prendre. Il avait de l'expérience. Mais il restait tout de même extrêmement prudent et très attentif à la façon dont son lourd attelage abordait chacune des difficultés.

La remorque, dans son dos, émettait de longues plaintes et craquait de toutes ses jointures au rythme des inégalités du terrain qui reportaient brutalement le poids du chargement sur un côté, puis sur l'autre. Mais pas une bûche ne glissa. Emboîtées l'une dans l'autre, elles semblaient former un bloc totalement homogène qui suivait sans broncher les mouvements lents et amples qu'imposaient au charroi les nombreux obstacles.

Imperturbable, depuis son siège, Gustave ne concédait que le minimum à la pente. Puis il lui fallut y engager franchement son attelage pour rejoindre le chemin. Conduisant d'une main, il s'arc-boutait sur son siège pour tendre aussi fort qu'il le pouvait la corde qui le reliait au frein de la remorque. Un bref instant, ses roues se bloquèrent et commencèrent à glisser sur le couvert épais de feuilles mortes. Gustave relâcha très légèrement son effort. Les roues reprirent leur mouvement, rendant sa stabilité à la remorque mais la faisant pousser bien plus lourdement sur le tracteur. Bien droit dans l'axe de la pente, celui-ci parut agripper encore un peu plus fort ses quatre gros pneus à crampons dans l'humus.

Il atteignit le chemin. Gustave, toujours attelé à sa corde, braqua à fond. Infiniment lentement, l'attelage s'aligna sur les profondes ornières qu'il devait suivre comme des rails mais dont les inégalités faisaient geindre encore un peu plus fort le châssis malmené de la remorque.

Gustave lâcha sa corde. Maintenant, le tracteur pouvait retenir seul le lourd chargement dans la pente. Malgré l'habitude, il eut un profond soupir de soulagement et s'essuya machinalement le front.

Les deux mains bien à plat sur le volant, sans plus se préoccuper de ses cinq stères de bois dont il ne doutait pas qu'ils ne pouvaient plus que suivre, il se laissa même aller à ne plus refouler les images qui, malgré lui, continuaient de défiler dans sa tête. Comme une rengaine dont on ne parvient pas à se détacher, il avait toujours devant les yeux ces paysages d'îles lointaines entrevus sur l'écran de la télévision, pendant qu'il déjeunait.

Bien malgré lui, il lui semblait que ces images le concernaient. Et il en était d'autant plus mal à l'aise qu'il professait ordinairement une paisible indifférence à toutes ces tentations que suggérait trop facilement le petit écran. Alors, pourquoi celles-là, à peine entrevues, continuaient-elles, de façon un peu obsédante, à lui trotter dans la tête ?

« Ce qu'on est bête, grogna-t-il. On n'est pas fichu de se contenter de ce qu'on a. Faut toujours qu'on rêve de plus ou de mieux. »

Et, tout de suite, sans complaisance pour lui-même, il sourit. C'était donc ça ! Il y en a qui rêvent des tropiques. Et d'autres des champs qui, du moins le croient-ils, vont leur permettre de changer de vie.

Il est des rêves qui obsèdent, des jours durant, d'autres qui s'oublient, d'autres qui tombent à plat, qui se dégonflent, comme une vieille baudruche.

« Et moi, je suis une vieille bête », dit Gustave à haute voix, dans le grondement du moteur du tracteur et les gémissements de la remorque qui eurent le bon goût d'avaler ses paroles. « Je me croyais déjà plus malin. Me voilà bien. Comme si je pouvais y changer quelque chose, à mon tracteur, à ma femme, à mes vaches et à ma famille. Faudra faire avec, voilà tout. »

L'Ouasse, qui avait trouvé refuge sur l'aile du tracteur, un instant surpris par cet étonnant discours, s'en détourna ostensiblement et reporta toute sa vigilante attention sur le chemin que descendait lentement l'attelage.

9

Il eut beau faire, il ne parvint pas à se résigner.

Les images entrevues durant son déjeuner n'étaient que l'annonce d'un reportage bien plus complet programmé pour la soirée. Bien sûr, alors que, travail fini, dans son fauteuil, au fond de la salle, il se laissait aller à la douce torpeur d'un repos bien gagné, les enfants s'y collèrent. Et quelle ne fut pas leur stupéfaction d'entendre tout à coup leur père pousser des cris de paon.

— Ah non, rugit-il. Pas ça. Regardez ce que vous voulez, mais pas ça.

Une réaction absurde qu'il regretta aussitôt que formulée. D'autant plus que trois regards réprobateurs s'étaient braqués sur lui.

— Ben quoi, fit Hervé. Pour une fois que c'est pas des bêtises. C'est intéressant. C'est de la géographie.

Empêtré dans ses remords, Gustave ne sut pas faire machine arrière.

— C'est justement, dit-il bêtement.

Juliette, depuis son évier où elle finissait la vaisselle, voulut défendre les enfants.

— Pourquoi tu ne veux pas qu'ils regardent ? C'est pas encore l'heure qu'ils aillent se coucher. Je préfère qu'ils regardent ça plutôt que les âneries habituelles.

Raison de plus pour ne pas céder.

— Ah, bien sûr, quand je dis blanc, il faut que tu dises noir, s'enferra-t-il. Ça m'aurait étonné. J'ai dit que je ne voulais pas voir ça. C'est clair, non ? Passez sur une autre chaîne ou allez vous coucher tout de suite.

En pénitence, il dut subir un jeu idiot dont il se reprocha de l'avoir imposé à ses enfants.

« Fichue télévision, engin maudit, maugréa-t-il en silence et avec la plus parfaite mauvaise foi. Tout juste bon à semer la brouille dans les familles. »

Et longtemps il se demanda ce qui l'avait si violemment poussé à refuser de voir ce reportage.

Toutes les bêtes étaient désormais rentrées. Chaque matin et chaque soir, Gustave passait de longues heures à les nourrir et à nettoyer ses étables. Travail solitaire et qui aurait été fastidieux s'il n'avait pas aimé la compagnie de son troupeau.

Confirmant une fois de plus sa philosophie qui voulait qu'il ne servît à rien de se tracasser trop vite, il avait trouvé un bon moyen de préserver ses escapades matinales en arguant de l'exiguïté de ses étables pour en louer une, dans le village, à un Parisien qui n'en avait que faire. Invariablement escorté de l'Ouasse, il commençait donc ses journées en allant panser les génisses qu'il y avait logées et il ne revenait à la ferme que bien après que Juliette en était partie.

Il s'attardait plus particulièrement dans la grande étable où les mères ruminaient paisiblement en longue rangée au bout de laquelle le taureau ne manquait jamais, lorsque Gustave entrait, de tourner lentement sa lourde tête un peu crépue et de poser sur son maître un regard grave.

« Tout va bien, semblait-il dire. J'y veille. »

Souvent, Gustave venait jusqu'à lui et le taureau

baissait légèrement la tête, attendant la main qui allait lui flatter le chanfrein.

Puis il lui fallait aller s'occuper des jeunes bêtes, dans le bâtiment de tôles qu'il avait construit derrière la ferme. Les abords en étaient tellement boueux qu'il n'y accédait guère qu'en tracteur. D'ailleurs, là, tout ou presque se faisait depuis le siège de l'engin. Il lui fallait d'abord aller charger sa benne au silo d'ensilage qui s'allongeait en bas de la cour, sous sa bâche de plastique noir maintenue en place par de vieux pneus. Puis l'Ouasse grimpait prestement sur l'aile du tracteur que Gustave venait ranger au plus près de la longue mangeoire courant devant les petits parcs où les animaux évoluaient en liberté sur une épaisse litière. A force d'acrobaties pour ne pas trop patauger dans la boue glacée, sous l'œil vigilant du chien qui se gardait bien de quitter son poste d'observation au sec, il répartissait à la fourche la nourriture sous les naseaux fumants des bêtes qui se bousculaient de l'autre côté de la barrière de tubes.

Pendant qu'elles étaient occupées à manger, sur la fourche hydraulique qui équipait l'avant de son tracteur, il transportait dans les parcs les ballots de paille. Il les répartissait en une nouvelle couche de litière qui s'ajoutait au fumier des jours précédents.

Il y avait encore le cochon dont il fallait préparer la soupe et nettoyer la soue. Ce n'était pas là le travail qu'il préférait. Mais cela faisait partie des gestes incontournables de la journée, devenus presque instinctifs à force d'être répétés. Les quelques poules qu'il persistait à entretenir dans un petit enclos sur le côté de la maison lui demandaient moins de temps. Il leur jetait rapidement leur grain, à larges poignées dispersées sur le sol qu'elles s'affairaient à gratter pendant qu'il remplissait leurs abreuvoirs et faisait le tour des pondoirs. Sa fragile récolte tenait en général sur sa large main, délicatement serrée contre la veste.

Il lui restait à l'emporter à la maison où il profitait de son passage pour réveiller un peu la cuisinière et s'attabler quelques minutes devant un rapide casse-croûte.

A vrai dire, celui-ci durait plus ou moins longtemps selon le temps qu'il faisait. S'il pleuvait, Gustave s'attardait. Rien ne pressait. Les multiples petits travaux que l'on mettait de côté, à longueur d'année, en prévision de ces jours-là, avaient bien attendu jusque-là. Ça pouvait encore durer un peu ! Par contre, s'il faisait beau, il ne traînait pas à la douce chaleur de la salle.

Tant qu'il ne gelait pas, il y avait les clôtures à réparer. Inépuisable corvée ! Il avait beau faire, il y avait toujours quelques vieux piquets d'acacia qui rendaient l'âme et des fils de fer barbelé tellement rouillés qu'ils cassaient comme du verre à la moindre poussée du bétail.

Alors Gustave chargeait ses rouleaux de barbelés neufs, quelques piquets d'acacia fraîchement taillés, son seau de clous et une barre à mine dans la benne, à l'arrière du tracteur. Il y ajoutait l'inévitable croissant et parfois même la tronçonneuse, et il partait en expédition après que l'Ouasse, d'un bond, fut venu chercher sa place dans la benne, au milieu de tout ce matériel.

Gustave n'aimait rien tant que ces heures de travail au milieu de la nature. Et s'il n'y avait pas eu les ronces à vaincre et ces maudits barbelés qui lui déchiraient les mains, il aurait bien entrepris pour le seul plaisir le remplacement complet de toutes les clôtures de ses prés.

En fait, l'attention qu'il leur portait et l'importance des réfections qu'il entreprenait répondaient à une subtile distinction qu'il faisait entre les prés qui lui appartenaient en propre, ceux qui lui venaient de Juliette et ceux qu'Octave avait consenti à lui confier. Les clôtures de ceux-là, dont il n'avait qu'une jouissance tout à fait précaire, ne bénéficiaient, au mieux, que de rafistolages rapides. Ceux dont les parents de Juliette avaient bien veillé, chez le notaire, avant leur mariage, à ce qu'ils restent la propriété de leur fille avaient vu, au fil des ans, l'attention portée à leur état aller en décroissant.

— T'as qu'à y aller toi-même, n'hésitait-il plus à lui répliquer lorsque, non sans raison, elle lui faisait remarquer les touffes de ronces, les pieds d'aubépine ou, plus grave encore, les taches de fougères qui commençaient à les encombrer.

Les siens, par contre, avaient droit à tous les égards. Non seulement il leur consacrait de longues heures, chaque année, de révision totale et minutieuse des clôtures qu'aucune ronce n'encombrait, mais il prenait encore le temps, en septembre et en mai, de les parcourir avec son tracteur attelé d'un broyeur auquel ne résistait ni une ronce ni une fougère.

Mais Gustave préférait les jours de gel. Dans la benne du tracteur, point de barbelés dont l'Ouasse redoutait les pointes acérées. Juste la tronçonneuse, le croissant, le merlin, les coins et la musette du casse-croûte. Et l'équipage ainsi constitué s'enfonçait au plus profond des bois, jusqu'à de sauvages coupes où, à longueur de journée, Gustave, heureux comme un roi, pouvait en toute quiétude se colleter avec son rude travail de bûcheron.

D'autres, dans la région, s'étaient lancés dans la production hautement saisonnière des sapins de Noël. Malgré les reproches de Juliette revenant chaque année à pareille époque, lui n'avait pas pu s'y résoudre. Gâcher quelques-uns de ses champs, même parmi les plus mauvaises terres, pour y cultiver ces ridicules petits épicéas qui partaient par camions entiers, dès le mois de novembre, pour aller sécher dans les appartements surchauffés des HLM lui paraissait tellement dénué de sens qu'il n'avait même pas voulu s'arrêter aux bénéfices mirobolants qu'on leur en promettait.

— Gustave, il n'est pas comme les autres. Il n'aime pas les sous, se plaisaient à le taquiner ses amis.

Mais il n'en avait cure. Il n'en faisait qu'à sa tête et s'y obstinait d'autant plus que Juliette se faisait acrimonieuse et amère.

— On n'a jamais un sou devant nous, se plaignait-elle. Et monsieur fait le difficile. Parce qu'il n'aime pas les « noëls », il refuse de gagner des mille et des cents. Et c'est nous, ce sont ses enfants qui doivent se serrer la ceinture.

Gustave se butait. Il haussait les épaules.

— Cause toujours, grognait-il. Tu verras qui c'est qui a raison.

Et les cours chutèrent. Une première année, on voulut se rassurer en mettant ça sur le compte d'une production pléthorique. Et l'on arrêta de planter. Mais comme il faut cinq ans de soins attentifs et onéreux pour faire un « noël », les prix eurent tout le temps qu'il leur fallait pour s'effondrer avant que, tout à coup, sous l'œil goguenard de Gustave, on vînt à manquer de tous les petits épicéas à qui la panique initiale avait évité de finir, tout secs et déplumés, dans la benne des camions à ordure des grandes cités.

Devant la pénurie, dont on se persuada qu'elle n'allait pas manquer de faire flamber les prix, on se remit à planter à tour de bras. Las… Les prix restèrent ce qu'ils étaient. Et lorsque, cinq ans plus tard, il fallut se rendre à l'évidence, la pléthore revenue n'engendra guère autre chose que de grandes colonnes de fumée grise, triste et odorante, montant, dans le ciel d'automne, des tas de sapins de Noël qui n'avaient pas trouvé preneur.

Le marché, trop longtemps resté vacant, avait simplement glissé vers quelques pays de l'Est pour qui les prix de misère que refusaient les morvandiaux étaient encore pain béni.

Gustave, tout à son bois de chauffage qu'il débitait en solitaire au fond des bois, eut le triomphe modeste. Sauf pour Juliette à qui il proposa de planter ses prés en « noëls ». Elle se contenta de hausser les épaules et de lui tourner le dos.

Il était habitué.

Lancée avec adresse, la dernière bûche de la journée vint se loger juste à la place qui lui était destinée sur le tas qui accusait bien cinq ou six mètres de long.

Gustave se redressa et s'étira en se massant les reins. Dans un froid vif et sous un ciel si limpide que les cimes dénudées des arbres semblaient déjà perdues dans l'infini de sa profondeur, la journée avait été rude. Juste comme il les aimait.

C'est à peine s'il avait dételé durant une petite demi-heure, à midi, pour casser la croûte assis sur sa pile de bois. Un bon verre de rouge là-dessus, un café versé dans le couvercle du thermos, et il s'était remis au travail avec acharnement.

Il ne s'était pas arrêté de tout l'après-midi. Il y avait dans ses gestes une sorte d'obstination un peu rageuse. Suant à grosses gouttes, il avait abattu bien plus de travail qu'il n'en avait jamais réalisé dans le même temps. Et pourtant, il sentait toujours la même insatisfaction brûler en lui.

Il alla ranger ses outils dans la benne du tracteur qui l'attendait en bas de la coupe. Puis, à lentes enjambées, les mains au fond des poches et le regard perdu dans le fouillis du sous-bois, il remonta jusqu'au long tas de bûches et vint s'y adosser.

Il n'en pouvait plus. Il souffrait moins de ne pas savoir que de devoir attendre sans rien pouvoir faire. Bien sûr, aucun des cousins ne s'était manifesté. Et Gustave, qui culpabilisait, n'osait pas appeler le notaire. Que lui aurait-il dit, d'ailleurs ? Qu'ils avaient pris connaissance du testament ? Et après ? Ça, il le savait. Mais qu'avaient-ils décidé ? Même si leur décision était déjà prise, ce qui était bien peu probable, il y avait tout à parier qu'ils n'en avaient pas soufflé mot devant le notaire.

Et s'ils allaient trouver un agriculteur prêt à tout reprendre ? On avait déjà vu plus drôle, même par les temps qui couraient et qui, dans une pareille région, faisaient que de tels oiseaux finissaient par devenir suspects d'inconséquence ou, pire, d'incompétence. Mais sait-on jamais ? Il en suffisait d'un. Et qu'il leur tombe dans les pattes.

Et lui qui croyait déjà les avoir tous roulés avec ce cousin de la vingt-cinquième heure ! Maintenant, il n'espérait plus le revoir et souriait avec un brin de nostalgie à l'idée du plan complètement farfelu qu'il avait imaginé.

En fait, que Michel Grollier se trouve être ou pas un cousin suffisamment proche pour pouvoir faire valoir ses droits à sa part de succession de l'Octave lui importait peu. De toute façon, il était persuadé que ce grand type, aussi sympathique qu'il ait été, ne serait pas resté à la Grande Cheintre. Qu'aurait-il fait de cette grande baraque et de toutes ces terres, avec ses mains bien trop fines, bien trop blanches pour savoir empoigner comme il l'aurait fallu tout l'énorme travail que nécessiterait la remise en état du domaine ?

Mais là n'était pas l'essentiel. Gustave avait rêvé retenir Michel Grollier à la Grande Cheintre assez longtemps pour faire croire au cousin reprenant le tout « pour de bon ». Six mois, huit mois, un an à la rigueur, le temps, pour lui, d'embrouiller les choses à un tel point que tous les autres, depuis leurs villes lointaines, et malgré leurs airs très importants, n'y auraient plus rien compris. Le temps, surtout, qu'il mette la main sur les meilleures terres de la Grande Cheintre que ce vieux grigou d'Octave avait laissées prendre en friche plutôt que d'accepter de les lui louer.

Il se faisait fort, bien sûr, d'y parvenir. Seulement, voilà…

Oh ! Dame, c'est qu'il y aurait eu du travail, sur ces terres-là, pour les remettre en état. Rien que pour essarter, il comptait bien une année sans chômer. Et puis, après, il aurait encore fallu dessoucher, brûler tout ça, défoncer, accepter une saison ou deux de récoltes insignifiantes, juste pour rendre à la terre le bon pli, la dompter à nouveau, la rendre aussi docile qu'un cheval au travail, lui redonner le goût de produire. Ça ne lui faisait pas peur, à Gustave, tout ce travail. Bien au contraire. Il s'y voyait déjà et ses petits yeux malins se plissaient d'aise à la seule évocation de tout le plaisir qu'il aurait eu à un tel ouvrage.

Au lieu de ça, il ne savait toujours pas ce qui allait advenir de la Grande Cheintre dont il ne détenait même plus les clefs. Tout lui avait échappé.

Dépouillé même de ses rêves, il n'était plus rien que le tout petit exploitant d'une toute petite ferme, réduit à subir sans broncher ses sales petites brouilles avec sa femme. Et le plus infime espoir d'y changer quelque chose lui avait été enlevé. Sans la moindre révolte possible — contre qui ? contre quoi ? —, il n'avait plus qu'à se résigner.

Mais ce n'était pas dans le caractère de Gustave Grollier, de se résigner.

Alors, il faisait le gros dos. Il se persuadait qu'un jour, il se passerait quelque chose, qu'une occasion se présenterait qu'il lui faudrait saisir sur l'instant, sans hésiter. En attendant, il devait accepter sans broncher de continuer à jouer le rôle de sa vie passée, celle-là même qu'il avait tant espéré pouvoir changer.

Pour tenir le coup, il fallait qu'il refuse obstinément tout ce qui pouvait venir l'en distraire.

« Pardi, grogna-t-il. Les mauvaises idées, ça vient si vite. Et avec ça, ils auraient voulu que je le regarde sans broncher, leur maudit film, l'autre soir ? »

Le soir tombait. Le ciel, gris anthracite, se piquetait déjà des infimes pépites d'or des étoiles. Dans l'ombre qui avait gagné le sous-bois, les troncs et les branches nues brillaient doucement comme s'il leur restait un peu de la lueur du jour.

Sombre, il rejoignit son tracteur, le mit en marche, alluma ses phares. Leur double pinceau de lumière trop vive rejeta tout ce qu'il n'atteignait pas dans l'encre d'une obscurité fuligineuse. A ses lisières, naquirent, dès qu'il eut démarré, les formes simiesques des arbres dénudés entre lesquels il faufilait son lourd engin. Des portions de troncs scintillant doucement, des branches dont le tronc restait perdu dans l'ombre, dans l'éclairage violent qui dansait devant lui au rythme des cahots, semblaient se précipiter à sa rencontre comme des spectres nés de la nuit, lui jetant à la face l'appel désespéré de leurs formes tourmentées et désincarnées par ce choix arbitraire d'un éclairage trop violent les extirpant du néant. Puis, soudain apaisés, ils défilaient lentement de part et d'autre de la cabine du tracteur, gardant encore, l'espace d'un instant, quelques reflets de ces lueurs un peu jaunes, avant de se fondre à nouveau dans l'oubli nocturne.

Gustave tapa du poing sur son volant. Pourquoi, à ces rudes visions d'un soir automnal dans cette forêt qu'il aimait tant, fallait-il que se superpose l'image idiote, entrevue, l'autre midi, à l'écran de cette télévision plus bête encore, d'un ciel trop bleu et d'une nature trop verdoyante pour être tout à fait réels ?

10

— Toi, tu restes là, dit Gustave à l'Ouasse.

Le chien, qui savait très bien qu'il n'avait pas le droit d'entrer chez Marcel avec son maître, se contenta de s'asseoir sur son cul devant la porte du café et d'attendre son prochain mouvement. Il se glisserait alors en douce dans la pièce bien chaude et, sans se faire remarquer, irait s'installer au coin du feu. La double satisfaction lui serait alors donnée de pouvoir profiter de la bonne chaleur et de ne pas perdre de vue son maître, pérorant au bar et riant fort, entre quelques amis.

Pas dupe, c'est d'ailleurs là que Gustave viendrait le chercher quand il serait temps de rentrer à la maison. Pour l'heure, il était à son affaire, le Flûtot. Pour une fois, ils étaient là, les copains. Quand il était arrivé, Fernand Dessorle était déjà accoudé devant un apéritif, l'air morose. Mais sa face poupine et un peu couperosée s'était instantanément éclairée d'un large sourire en le voyant entrer.

— J'allais renoncer, dit-il.

— Oh ! Hier, j'ai bien attendu pour rien, moi.

— Arrête. C'était lundi. Jour de consigne, tu sais bien.

— Vous me faites rigoler, tous autant que vous êtes. Je lui demande la permission, moi, à mon gouvernement ?

— Ah, mon petit vieux, il faut ce qu'il faut. Si on veut encore avoir quelques gâteries, à nos âges, il faut savoir les prendre dans le sens du poil.

— Des gâteries… des gâteries. Il y a belle lurette que je les lui ai rendues, ses gâteries, à la Juliette. Je vais me servir ailleurs. Allez, Marcel, c'est pas tout ça. Tu lui remets la même chose. Pour moi, ce sera comme d'habitude.

Fernand avait pouffé d'un grand rire un peu forcé.

— Tu ne manques pas de souffle, tout de même, estima-t-il. Et si elle savait ?

— Et après ? Elle veut se casser ? C'est pas moi qui la retiendrai. Je garde juste les prés. Ça me suffira bien.

Il en rajoutait tout de même un peu, le Gustave.

— Oh, le Flûtot, t'as pas l'air bien gracieux, ce matin. C'est-y que ça n'irait pas fort ?

Gustave haussa les épaules. Le fait était qu'il ne se sentait guère l'humeur à rire.

— Bof, fit-il, ni plus ni moins.

La porte, en s'ouvrant, l'exonéra de plus d'explications.

— Ah ben, encore un peu et on ne vous attendait plus. Marcel, tu perds pas la main. Tu leur mets comme d'habitude.

Ils étaient deux. Il y avait Désiré Boillard, un grand sifflet dégingandé, le cheveu rare, la face en lame de couteau, les joues un peu creuses. Il posa sur le bar, entre la fontaine à bière et lui, sa casquette de préposé de la poste. Et puis, le suivant, il y avait Bertrand Triffaut. Celui-là était petit, râblé, tout en muscles. Sous d'épais sourcils noirs et dans un visage semblant inscrit dans un carré, tant la mâchoire était puissante, il portait sur le monde un regard inquisiteur qui semblait tout vouloir comprendre et être perpétuellement à la recherche d'une occasion d'en rire. Madré et roublard, il était craint comme la peste par les propriétaires forestiers et les agents de l'État pour qui il effectuait des chantiers en forêt et débardait le bois.

Il arriva en regardant ses pieds et en gesticulant comme s'il craignait de perdre l'équilibre.

— Ton clebs ! grogna-t-il. J'ai failli me foutre la gueule par terre à cause de lui.

— Laisse mon clebs tranquille, tu veux.

Fernand, dans le dos de Gustave, leur faisait des signes désespérés.

— Faites pas attention, les gars, finit-il par prévenir, face à l'incompréhension évidente des deux arrivants. Notre Flûtot, il est de mauvais poil, aujourd'hui. C'est des choses qui arrivent, non ?

Gustave commença par prendre un air particulièrement lassé en poussant un gros soupir. Puis il prit son verre et fit mine de s'éloigner.

— Écoutez, les gars, vous êtes bien gentils, je vous aime bien. Mais si vous avez décidé de tous vous y mettre pour m'emmerder, je vais m'installer dans mon coin. Au moins, j'aurai la paix.

Ils s'empressèrent, hilares.

— Flûtot ! Allons.

— Plus un mot, c'est promis.

— Tu vas pas nous faire ça, à nous, tes vieux copains ?

Lorsqu'une voix s'éleva du fond du café.

— Viens donc là, le Flûtot. Laisse dire. C'est là des pas grand-chose qui t'entourent. Viens donc causer avec moi. J'aurais peut-être bien deux ou trois choses à voir avec toi.

Gustave, sidéré, son verre toujours à la main, se penchait légèrement en avant comme pour s'assurer que cette voix-là n'appartenait pas à un revenant.

— Ah ben, ça alors, si on m'avait dit ! Le père Fossurier. C'est pas Dieu possible.

— Laisse donc Dieu où il est et viens t'asseoir là.

Il n'eut qu'un bref regard d'excuse pour ses amis interloqués. Aucun d'eux ne pensa à le retenir lorsqu'il traversa la salle pour répondre, avec un empressement évident, à l'invitation qui lui était ainsi faite. L'Ouasse, au coin de son feu, leva la tête et suivit des yeux le déplacement de son maître. Il lui fallut changer de position pour pouvoir à nouveau exposer à la douce chaleur du feu la plus grande surface possible de sa toison hirsute sans pour autant le perdre de vue, entre les pieds de tables et de chaises.

— Toi, ça va, lui dit Gustave en l'entendant pousser un profond soupir. Je ne t'ai pas demandé ton avis.

— C'est à toi, ce chien ?

— Il paraît. A moins que ce soit moi qui sois à lui. Allez savoir : il me suit partout.

— C'est bien, fit le vieux.

Les deux mains appuyées sur le pommeau de sa canne qu'il tenait entre ses jambes, il était installé seul dans un coin d'ombre. Sur la table, devant lui, un verre vide trahissait la longue attente.

— Je savais bien que tu viendrais, dit-il.

Sous la casquette portée bas sur le front, le regard sombre avait gardé toute son autorité. Mais Gustave était fasciné par l'étonnant réseau de rides que l'âge avait creusées en tous sens sur le visage du vieil homme. Depuis tant d'années qu'ils ne s'étaient plus rencontrés ! C'est qu'il ne sortait plus souvent, le vieux. Les sourcils et la moustache étaient poivre et sel, comme les cheveux, autant qu'il put en juger par ce qu'en laissait voir la casquette.

« Ça lui va bien, pensa-t-il. Le père Fossurier est un beau vieillard. »

— Depuis le temps, dit-il. Et alors, qu'est-ce que vous devenez ?

Le vieux eut un geste d'indifférence et sa main retomba aussitôt sur l'autre, toujours posée sur le pommeau de la canne.

— On t'appelle donc « le Flûtot », comme ton grand-père ? demanda-t-il en ignorant la question de Gustave.

— C'est de famille. Mais je crains bien d'être le dernier.

— T'as un gars, pourtant ?

— Vous êtes bien renseigné.

— Marche. Quand le père Fossurier ne se tiendra plus au courant de ce qui se dit et de ce qui se fait, c'est qu'il sera bien près de sa fin. Et alors, comme ça, ton gars, on ne l'appellera pas « le Flûtot » ?

— Qui ? demanda Gustave gravement. Il a beau être né ici, c'est pas quand il sera à la ville, dans leurs bureaux, qu'on se souviendra de la famille des Flûtot.

— Il ne reprendra pas ?

— Vous voulez rire !

— Je disais ça… Mais, au fond, je me doutais bien.

Dans le silence qu'ils laissèrent s'établir, ils remuaient les mêmes sombres idées.

— Quand vous veniez voir le père, dit enfin Gustave. C'était quelque chose, tout de même…

Une main, toujours la même, quitta vivement le pommeau de la canne pour un geste énergique de dénégation.

— Un autre temps, mon gars. La roue tourne. Toi-même, il a bien fallu que tu y passes, à vendre tes bêtes à leurs groupements de malheur. Et même au marché au cadran. Ne me dis pas le contraire : je sais que tu y vas. C'est comme ça. Qu'est-ce que tu veux y faire ?

C'était un ancien maquignon, un de la vieille école, un de ceux qui passaient leurs journées à marchander, sou par sou, dans les salles de ferme, autour d'un verre de rouge, et qui finissaient par connaître plus de monde, dans les circonscriptions, que le député lui-même. D'ailleurs, ils lui servaient bien parfois d'agents électoraux. Et ils étaient de tant de poids, dans les campagnes de ces temps-là, que malheur à celui qui ne savait pas se concilier leurs bonnes grâces. Il avait bien peu de chance d'être élu.

A pérorer ainsi de choses et d'autres, assis aux grandes tables des fermes, pendant que le paysan n'avait en tête que le prix qu'il entendait tirer de ses bêtes, eux avaient l'art consommé de tourner autour du pot, d'enchaîner un sujet à l'autre, mine de rien. Pendant que leur hôte ne savait plus quoi faire pour se les concilier, pendant qu'il décrochait le jambon et sortait les rillettes, eux vidaient leur verre d'un coup sec et, sous prétexte de faire durer le plaisir, faisaient la pluie et le beau temps des opinions de leur clientèle.

— Vrai qu'on était les rois, en ce temps-là, admit tout de même le père Fossurier. Mais, qu'est-ce que tu veux, il faut bien laisser la place aux jeunes, non ? Tu verras, ton tour viendra plus vite que tu le crois.

Que dire à ça ? Gustave dut admettre.

— Et alors, dit-il en préférant changer de sujet, vous vouliez me voir ?

Le vieux le considéra gravement avec, dans les yeux, un air de profond reproche. Ces jeunes, décidément, n'avaient plus de savoir-vivre. A-t-on idée de venir comme ça, brutalement, au fond du sujet ? Il fallait donc toujours qu'ils soient pressés.

— Tu prendras bien quelque chose ?

— Laissez, c'est moi, s'empressa Gustave tout à coup conscient de sa maladresse.

Le père Fossurier ébaucha un demi-sourire et n'émit aucune objection. Il attendit que Marcel ait déposé les verres devant eux et la carafe d'eau au milieu. Alors, puisqu'il fallait y aller, il attaqua.

— Et la Grande Cheintre, dit-il, qu'est-ce que ça va devenir ?

Gustave, prudent, se contenta d'une moue dubitative.

— Ce que j'en sais, moi...

— Tu dois tout de même bien avoir une idée. Le notaire, qu'est-ce qu'il a dit ?

Gêné, Gustave se trémoussa sur sa chaise. Il dut avouer.

— J'y étais pas.

Il n'y eut qu'un très léger plissement des rides, au coin des yeux du vieux.

— T'y étais pas, t'y étais pas. Moi je veux bien. Mais si tu n'y es pas allé, c'est que tu savais.

Que répondre à ça ? Gustave baissa les yeux vers son verre qu'il malaxait de ses grosses mains, mal à l'aise.

— Je savais… Je me doutais, quoi.

— Et tu te doutais de quoi ?

— Qu'il n'y aurait rien pour moi, voilà tout.

— Ça, fallait pas être trop malin pour s'en douter. Tu n'as jamais su t'y prendre, avec ce vieux fou d'Octave. Mais ça ne me dit toujours pas ce que va devenir la Grande Cheintre.

Ça lui tenait à cœur, au vieux, c'était visible. Et ça devait surtout lui faire malice d'imaginer que le grand domaine n'allait pas revivre. Pouvait-il y avoir plus grande douleur, pour un homme qui avait tenu dans ses mains la vie d'un pays, des années durant, que de le voir mourir ?

— Alors ? insista-t-il. Vous vendez ?

Sans quitter son verre des yeux, Gustave prit le temps de la réflexion. Il l'aimait bien, le père Fossurier. Mais pourquoi trop en dire ?

— Je ne pense pas, concéda-t-il enfin.

— L'indivision ?

— Peut-être bien.

Le vieux hocha gravement la tête.

— Autant dire la mort, quoi. Les terres en sapins et la ruine pour les bâtiments. Si c'est pas un malheur. Et toi, le Flûtot, tu vas laisser faire ?

— Quoi dire ?

Ils se turent, longuement, comme si l'affaire était entendue.

— A moins…

Le père Fossurier avait laissé tomber ces deux mots comme ça, comme si de rien n'était, sans que la moindre lueur éveille son regard. Gustave était déjà aux aguets.

— A moins que quoi ?

— Si t'étais allé chez le notaire, t'aurais pu poser la question. Mais là…

— Quelle question ?

— C'est vrai qu'il aurait fallu que tu saches. Pourquoi que t'es pas venu me voir avant ? Et ton père ? Il ne t'a jamais rien dit ? Si ça tombe, il ne savait rien lui-même.

Pour le coup, Gustave, sidéré, roulait de gros yeux éberlués en contemplant le vieux. Mais il se gardait bien de questionner. Il savait que ça allait venir tout seul. Le père Fossurier vida posément son verre.

— Marcel, appela-t-il. Tu nous remettras la même chose.

Il fallut attendre que la tournée soit sur la table et qu'il ait réglé en tirant pièce à pièce le montant dû d'un vieux porte-monnaie qu'il tenait dans le creux de sa main comme un trésor. Enfin, Marcel s'éloigna. Ils trinquèrent, burent une première et parcimonieuse gorgée, reposèrent leurs verres. Le vieux tira de sa poche un grand mouchoir à carreaux bleus et s'en essuya soigneusement la moustache. Il eut encore un hochement de tête entendu, puis, estimant le cérémonial suffisamment respecté, il consentit à parler.

— J'te parle d'un temps… J'étais gamin. J'avais quoi ? Dix-huit, dix-neuf ans, pas plus. C'est mon père qui m'a dit. Il n'était pourtant pas trop causant, le vieux, surtout avec ses enfants. Il estimait qu'on n'avait qu'à écouter et à suivre, sans commentaires. Ma foi, peut-être bien qu'il n'avait pas tout à fait tort.

» Toujours est-il que ce jour-là il m'a parlé. A quelle occasion ? Sous quel prétexte ? Je n'en sais même plus rien. J'ai toujours pensé qu'il avait une idée derrière la tête. Il ne parlait jamais gratuitement, le vieux. Et s'il m'a dit tout ça, c'était pas pour rien.

Peut-être parce qu'il avait peur que ça se perde après lui. Va savoir. C'était par là vers la fin de la guerre. Ça bardait pas mal, dans le pays. Alors, est-ce qu'on sait ?

» Tout ce dont je me souviens, c'est qu'on sortait de chez l'Honorine. Tout un après-midi, qu'il avait fallu discuter pour avoir deux ou trois génisses. Une tête, l'Honorine... Une tête de cochon, oui ! Têtue comme une mule. Mais comme le vieux ne valait pas mieux, il leur avait fallu tout ce temps-là pour tomber d'accord.

» Bref, nous voilà repartis. On allait dans une grande charrette anglaise tirée par un bidet du Charolais que les Boches nous avaient laissé sous prétexte qu'il était borgne. Marche que ça ne l'empêchait pas d'avancer !

» Et voilà mon père qui me raconte cette affaire-là. Il me raconte ce que c'était que la Grande Cheintre avant la guerre, l'autre, bien sûr, la grande, celle qu'il a faite d'un bout à l'autre. Même qu'il n'y en a pas beaucoup de sa classe qui ont eu la chance d'en revenir comme lui. Le Fernand, justement, le mari de l'Honorine. Il n'en est pas revenu, lui.

» Mais ce n'était pas de lui qu'il voulait me parler, mon père. C'était de l'aîné. Ludovic, qu'il s'appelait, celui-là. En ce temps-là, le maître de la Grande Cheintre, le père de ces deux-là, c'était un peu comme qui dirait le maître du Crot-Peuriau. Il y en avait trop qui dépendaient de lui. Sans lui et sans ses bœufs qu'il envoyait à la galvache, c'était la misère dans trop de chaumières. A ce que me disait mon père, c'était un homme terrible, dur à la tâche pour lui comme pour les autres. Rien ni personne ne devait lui résister. Il était dur, sévère, sans la moindre fantaisie. Pas trop aimé, pour tout dire. Plutôt redouté. Mais quoi faire ? C'était le maître, voilà tout.

» Qu'est-ce qui s'est passé à la Grande Cheintre ? Quelle mouche les a piqués ? Voilà qu'un beau jour, à ce qu'on en disait, ils se sont mis à se chamailler là-dedans comme des chiffonniers. Ce que j'en pense, moi, c'est que les fils grandissaient. Bon chien chasse de race. Ils étaient au moins aussi rudes et cabochards que le père. Et voilà qu'un jour ils se sont dressés contre lui. Les deux ? Je ne sais pas. Mais le Ludovic, l'aîné, sûr. Est-ce qu'il a pris la défense de la mère dont on disait que le vieux la battait ? Est-ce qu'il a refusé d'être plus longtemps le valet ? Est-ce qu'il a osé parler de ce qui lui était dû ? Va savoir.

» Toujours est-il que ça s'est vite connu dans le pays. Tu penses ! Il n'y avait plus un maître, à la Grande Cheintre. Il y en avait deux. Donc, un de trop. Ça ne pouvait pas durer. A ce que se souvenait mon père, ça a tout de même duré près d'un an. Un an d'enfer où plus rien n'allait droit, ni à la ferme, ni dans le pays. On ne savait plus si c'était au père ou au fils qu'il fallait adresser les courbettes. Quand l'un disait blanc, l'autre disait noir. Alors, on a essayé d'en tirer bénéfice. C'étaient des manigances à n'en plus finir. Et, pour en finir, il n'y avait plus rien qui allait droit.

» Jusqu'au jour où… plus rien. Le calme revenu. Le père maître à nouveau. Le Ludovic, disparu, envolé. Plus jamais personne n'a entendu parler de lui. Et si, dans la famille, on a su ce qu'il était devenu, je peux te dire que le secret a été bien gardé.

» Voilà l'affaire. Tu n'étais pas au courant ?

— Non, fit Gustave, l'air perplexe.

Il ne voyait pas du tout où voulait en venir le père Fossurier. Mais l'autre, très content de son récit, ne semblait pas vouloir en rajouter.

— Ça change quoi, tout ça ? dut demander Gustave.

La question ne surprit pas le vieux. Il avait sorti sa blague à tabac et s'était mis en devoir de se rouler une cigarette. Il porta la plus grande attention à l'opération, lécha soigneusement le bord du papier, tapota doucement sur la table chaque bout du maigre cylindre obtenu et dut encore battre un antique briquet à essence pour en enflammer un bout en prenant bien soin de ne pas griller sa moustache dans l'opération.

— Ce que ça change ? reprit-il en fixant sur Gustave, au travers d'un nuage de fumée bleutée, un regard pétillant de malice, c'est que tout ce que je viens de te raconter, c'est du sûr, c'est de l'histoire, quoi. Ce que je vais te dire maintenant, disons que c'est plutôt des suppositions. Qu'est-ce que tu veux, le fond de l'affaire, on ne le connaît pas. Alors, il faut bien imaginer, déduire.

» Une fois le Ludovic parti, qu'est-ce que tu crois qu'il a voulu faire, le vieux, son père ? L'exproprier, bien sûr. Or, d'après ce que me disait mon père, il n'a pas pu. Pourquoi ? C'est fort simple : la Grande Cheintre n'était pas à lui. Elle était à sa femme. Lui, à l'origine, il n'était qu'un commis. Il avait su s'y prendre, il avait bien mené son affaire et il avait épousé la fille du patron. Fort bien. Après la mort de celui-là, il était devenu le maître. Mais ce n'était pas parce qu'il flanquait des trempes à sa femme que ça lui donnait le droit de décider du bien. Et elle, malgré les trempes ou peut-être à cause d'elles, elle aurait tenu bon. Le Ludovic, c'était son préféré. Et elle comptait toujours le voir revenir.

» Seulement voilà, le vieux est mort. Le Ludovic n'est pas revenu. C'est le Fernand qui a pris les rênes à la Grande Cheintre. Tu sais qu'il n'est pas rentré de la Grande Guerre. Or, la vieille s'entendait très bien avec l'Honorine. Et puis, bien sûr, elle est morte à son tour, quelques années après la guerre. Le Ludovic n'était toujours pas là. Mais elle avait bien dû laisser quelque chose chez le notaire. Et c'est peut-être ça que tu aurais dû demander à voir. Parce que, t'as peut-être bien remarqué, jamais on n'a fait le partage. Tu saurais me dire pourquoi, toi ? »

Cette fois, Gustave ouvrait de grands yeux effarés.

— Vous voulez dire... bredouilla-t-il.

— Je veux dire que de deux choses l'une : ou bien, à l'époque, la vieille s'est débrouillée pour que tout reste à l'Honorine qui l'a légué à l'Octave — et là, il n'y a plus rien à dire ; ou bien rien n'a été fait. Et la Grande Cheintre, elle n'était pas plus à l'Octave qu'à toi ou à un autre. Et alors là, son testament...

Et le père Fossurier eut un large geste de la main comme pour semer au vent tous ces mots qui ne voulaient plus rien dire. Gustave, bouche bée, dut s'accorder un long moment de réflexion silencieuse pour parvenir à assimiler l'effarante suggestion.

— Attendez voir, dit-il enfin en posant les deux mains bien à plat sur la table. Vous êtes là en train de me dire que l'Honorine a roulé ma grand-mère Pauline en s'accaparant le tout ou bien qu'elle n'était propriétaire de rien. C'est bien ça ?

— Tout juste, fit le père Fossurier en écrasant dans le cendrier un infime mégot. Et si tu veux que je te dise, ta grand-mère Pauline, je l'ai bien connue, moi. Elle avait de qui tenir, la bougresse. Et c'est bien pour ça que je pencherais plutôt pour la seconde solution. Si ton arrière-grand-mère et l'Honorine avaient trop fricoté ensemble, sûr qu'elle aurait réagi, la Pauline. Or, elle n'a jamais rien dit. Juste, elle refusait de parler de tout ça. J'ai bien essayé des fois, quand je venais pour des bêtes. Il n'y a jamais rien eu à faire. Pas un mot. Comme s'il y avait là-dessous quelque chose qu'on ne devait pas dire.

— Quoi ? s'étonna Gustave. Elle pouvait le demander, elle, le partage. Elle y avait tout intérêt.

— Seulement voilà : elle ne l'a pas demandé.

— Et pourquoi ?

Le vieux eut un regard acéré pour Gustave. Il aurait préféré que l'autre trouve lui-même. Mais puisqu'il fallait lui mettre les points sur les i...

— Le Ludovic, dit-il simplement.

— Quoi, le Ludovic ? grogna Gustave dont toute cette affaire mettait l'esprit à l'envers. Il n'était plus là, celui-là.

— C'est justement. M'est avis que ta grand-mère Pauline, elle avait elle aussi un petit faible pour son frère aîné. Et jusqu'au bout, elle et l'Honorine, elles ont cru qu'il reviendrait. Est-ce qu'elles avaient des raisons pour ça ? Je n'en sais rien. Mais elles ont tout fait pour que la Grande Cheintre lui reste. Puis l'Honorine est morte. Ta grand-mère a dû espérer encore longtemps. Le temps a passé. Et puis voilà. Elle est morte à son tour sans avoir rien voulu dire. Tu sais ce que c'est, les vieux. Ils ont des secrets, comme ça, ils y tiennent. Et puis les choses se sont oubliées. Et voilà où on en est.

— Et pourquoi vous me dites tout ça aujourd'hui ? s'étonna tout à coup Gustave.

Le père Fossurier parut se tasser sur sa chaise. Longtemps, en silence, il considéra Gustave avec, dans les yeux, une sorte de grave nostalgie.

— Ta femme te dira. Quand elle était gamine, elle m'appelait « mon oncle ». En ce temps-là, j'ai tout fait pour que le pays vive. Aujourd'hui, peut-être bien qu'elle ne me reconnaîtrait plus, la Juliette. Et pour que le pays ne meure pas tout à fait, je n'ai plus que des mots. Alors, je te les donne. Fais-en bon usage. Si tu peux.

11

En ouvrant la porte, à la nuit encore noire pour longtemps, Gustave avait été surpris par la neige. Elle tombait dru, formant comme un mur scintillant dans le coup de pinceau lumineux que la lampe de la salle jetait sur le perron, par la porte ouverte. Bien sûr, ce n'était qu'une première neige de novembre, à gros flocons épais, gorgés d'eau. Mais il en était déjà assez tombé, dans la nuit, pour qu'elle parvînt à former un épais manteau dont les contours n'avaient pas encore cette perfection des lignes quasi aérienne qui fait la beauté d'une neige de janvier.

L'Ouasse sortit de son étable en pataugeant et en faisant de grands bonds de joie.

— T'excite pas, gamin, dit Gustave en dispensant la première caresse matinale. D'ici à midi, il n'y aura plus rien que de la boue.

La perspective de devoir subir toute la journée l'humidité froide qu'allait nécessairement faire naître cette neige fondante lui fit froncer les sourcils. Il éteignit dans la salle où n'était pas encore descendue Juliette, ferma la porte et resta encore un instant sous la marquise qui la protégeait. Il ferma soigneusement son blouson.

« Allons », fit-il en se jetant sous l'averse épaisse et obstinée. Déjà, il sentait sous ses bottes de caoutchouc le chuintement mou de l'eau que rendait la neige écrasée par ses pas.

Lorsqu'il parvint à l'étable du village où l'attendaient ses génisses, deux heures s'étaient écoulées. Le jour était une lueur blafarde semblant émaner de l'énorme grisaille dont tout le pays était englué et dont continuait de naître l'épais rideau des flocons voletant doucement dans une atmosphère aux effluves encore trop doux pour qu'on prenne vraiment tout cela au sérieux.

L'Ouasse s'ébroua, porta sur son maître un regard plein d'amour et alla se rouler avec volupté dans les deux fourchées de paille que Gustave avait disposées à son intention dans un coin de l'étable.

Il prit sa fourche, son balai et sa brouette et se mit au travail.

Réveillées par la perspective du foin qui allait leur être servi, les jeunes bêtes s'agitaient. Par bonds brusques et imprévisibles, l'une après l'autre, elles simulaient de rudes attaques à leurs voisines, emplissant l'étable des sons joyeux des ébats de leurs jeunes corps et des tintements métalliques de leurs chaînes.

A vrai dire, Gustave n'y prêtait guère attention. Il lui suffisait qu'existe, autour de lui, la chaude ambiance de vie à laquelle il était tant habitué pour que les gestes de son travail s'accomplissent sans qu'il ait à y réfléchir et que son esprit puisse s'évader vers tous ses rêves et l'univers complexe de ses préoccupations.

Pour l'heure, à vrai dire, il était bien plus occupé par ces dernières que de ses utopies coutumières. Les mots du père Fossurier continuaient inlassablement de creuser en lui le gouffre du doute. Comme s'il ne lui suffisait pas d'avoir vu ses plans s'effondrer, avec le départ précipité de Michel, il fallait encore qu'il se demande, par-dessus le marché, si le testament de l'Octave, sur la foi duquel il avait tout imaginé, n'était pas qu'un simple bout de papier sans la moindre valeur.

Il s'y perdait, le Gustave, dans tout cet imbroglio.

Et puis, si c'était vrai qu'il n'avait aucun droit, le vieux bougre, à dicter ses volontés sur le devenir de la Grande Cheintre, qui pourrait dire où était le véritable héritier du domaine ? Ah ! C'était vrai, ça, après tout : qui ?

Et ce pauvre Flûtot de se maltraiter les méninges à tenter de trouver l'ombre d'une réponse à cette question fondamentale. Elle le travaillait tellement qu'il craignait d'en dépérir. Car, de tout cela, ce qu'il retenait de plus clair, ce dont il n'arrivait pas à sortir, quoi qu'il fasse, c'était bien que ses chances à lui, Gustave Grollier, seul agriculteur subsistant au Crot-Peuriau, de mettre la main sur les prés et les champs de la Grande Cheintre s'étaient encore faites plus minces que lorsque le vieux Octave avait décidé de ne rien lui laisser.

Allez garder le moral, avec des idées pareilles. Ses amis, chez le Marcel, s'alarmaient.

— Oh, le Flûtot, s'inquiétaient-ils. T'es pas avec nous. Qu'est-ce qui t'arrive ? T'es malade ? Tu t'es encore avoiné avec la Juliette ?

Il les faisait taire d'une boutade. Mais le cœur n'y était pas. Et, sans cesse, il s'inquiétait de savoir ce qui avivait le plus la blessure qu'il avait en lui, de la déception de voir lui échapper les terres ou de devoir renoncer à la liberté si longtemps escomptée.

Lorsqu'il eut fini son pansage, alors que le manteau de neige immaculé de l'aube se marbrait déjà de grandes taches livides qui s'effondraient, par places, sur le miroir glauque des flaques d'eau, dans le chant affairé de toutes les gouttières débordant de l'eau des toits, il vint tourner dans l'appentis qui lui servait d'atelier. Il y avait là, accumulé par strates tout au long de l'année, plus d'ouvrage qu'il n'en fallait pour occuper toutes les heures des jours de trop mauvais temps. Mais il n'y avait pas le cœur.

L'inaction lui étant tout aussi insupportable, il allait et venait, se saisissait d'une pelle démanchée, prétendait la réparer, ne trouvait évidemment pas la tenaille nécessaire à arracher le trognon de manche subsistant, pestait, ne parvenait pas à se souvenir où il avait bien pu laisser traîner l'outil et finissait par reposer la pelle sur l'établi, toujours manchote. D'un ongle faussement intéressé, il grattait la blessure légèrement oxydée d'une pièce à ressouder, considérait sans enthousiasme le poste de soudure dont il fallait changer l'électrode, renonçait encore.

— Zut ! finit-il par marmonner.

Les mains au fond des poches, il vint se planter dans la porte du petit atelier. Avec l'heure du jour qui avançait, la neige s'était transformée en une épaisse averse de soupe glacée et triste. Le plafond des nuages était toujours si bas que le coq du clocher de l'église n'était pas visible.

— Putain de temps, dit-il pour rien.

L'Ouasse, assis bien au sec entre l'enclume et un bâti de porte de pré à peine ébauché, ne quittait pas son maître des yeux. Il était en attente de ce qui allait se passer et s'impatientait. Il émit un doux gémissement. Gustave se tourna vers lui.

— Tu t'embêtes, hein ? Et moi ? Tu crois pas que je préférerais me décider ?

Il parlait à voix haute et le chien, la tête légèrement penchée, semblait l'écouter avec le plus grand intérêt.

— Si seulement on pouvait aller au bois, continuait Gustave. Mais par ce temps-là… J'ai besoin de me changer les idées, vois-tu. Et c'est pas toutes ces bricoles qui vont m'y aider.

Il fit encore face quelques instants au déluge glacé qui lui ôtait le peu de moral restant.

— Allez, viens, se décida-t-il enfin. On va chez

le Marcel. Je te laisserai entrer. Au moins, on sera au chaud.

Il atteignait la rue quand un bruit de moteur et de boue qui giclait sous les roues le fit s'arrêter.

— Attends donc qu'elle soit passée, dit-il en se penchant vers son chien et en le retenant. Elle va nous rhabiller de gadoue.

Elle ne passa pas. C'était un break d'un modèle déjà ancien dont le moteur diesel claquait sèchement lorsque le chauffeur lâchait l'accélérateur. A la grande surprise de Gustave, il le vit ralentir et venir se garer devant la grille de la Grande Cheintre.

— C'est qui encore, celui-là ? grogna-t-il. M..., c'est pas possible : Michel !

C'était bien la longue et mince silhouette de Michel qui était apparue entre la grille et la voiture.

— Tu parles d'une route !

Gustave en resta bouche bée.

— Tu disparais quinze jours sans dire oui ou m… Tu nous fais faire un sang d'encre. Et c'est tout ce que tu trouves à dire ?

Michel, souriant, paraissait parfaitement à l'aise.

— Et qu'est-ce que tu veux que je te dise ? Tu n'avais qu'à pas te tracasser pour rien, voilà tout.

— Pour rien, qu'il dit, lui !

Gustave s'était approché et, d'un air détaché, auscultait la voiture et ce qu'il voyait par les vitres de son contenu.

— On s'est tout de même demandé ce que tu étais devenu.

— Qui, on ?

— Ben…

— Ben toi tout seul, quoi ?

Gustave dut admettre.

— Remarque, c'est sympa de t'être inquiété pour moi. Mais il ne fallait pas.

— Il fallait pas, il fallait pas… T'en as de bonnes, toi. T'avais rien dit. Même les clefs, je ne savais pas ce qu'elles étaient devenues…

Michel éclata de rire.

— Dis plutôt que tu t'es inquiété pour les clefs, pas pour moi.

— Mais si, mais si, se défendit mollement Gustave.

— Allez, va. Paye-moi donc plutôt un café chez toi. J'en ai besoin pour me réveiller et pour me réchauffer.

Gustave ne se fit pas prier. Il était bien trop content de voir réapparaître ce cousin providentiel autour duquel il était déjà fermement décidé à rebâtir tous ses rêves de stratégie. Et peu lui importait de savoir que le testament d'Octave n'était peut-être qu'un inutile bout de papier. D'ailleurs, il n'avait pas le choix. Que pouvait-il faire d'autre que d'occuper les lieux ? Quoi qu'il ressorte de tout ça et même si les choses tournaient mal pour lui, il faudrait encore le faire évacuer. Et il y avait peut-être encore là quelques belles cartes à tenter. Sait-on jamais ? Il n'y a que celui qui n'essaie rien qui n'a rien. Et que pouvait-il essayer d'autre que cette voie si tortueuse qu'il était bien le seul à avoir pu imaginer ?

Il lui avait suffi de traverser la cour devant son ami retrouvé pour arrêter tout ça. Il poussa la porte de la salle et s'écarta pour le laisser passer.

— Rentre donc.

L'Ouasse, sans attendre qu'on le lui dise, avait pris le chemin de l'étable. Par un temps pareil, c'était encore là qu'il serait le mieux.

— T'es revenu pour de bon, cette fois ? s'inquiéta tout de même Gustave.

— Pour de bon... On verra, dit prudemment Michel. Pour quelques mois, en tous les cas.

Gustave déjà se rembrunissait. Occupé à se frotter énergiquement les pieds sur le paillasson, il ne vit pas le temps d'arrêt que Michel, qui entrait pour la première fois dans la salle, marqua devant le vieux buffet sans beaucoup de style qui occupait une bonne partie du mur, en face de la porte. Il se pencha vivement, parut ausculter de près quelque chose sur le meuble, puis se redressa tout aussi prestement et s'en détourna.

— Tu ne vas tout de même pas nous refaire le coup de disparaître sans laisser d'adresse? insista Gustave qui avait de la suite dans les idées.

— Ne t'inquiète donc pas. Si je repars, je te les laisserai, tes clefs. Tu aurais pourtant dû te douter. Si je ne te les ai pas rendues, c'était que j'allais revenir. Tu n'étais pas là quand je suis parti. J'avais ma route à faire. J'ai roulé.

— C'est bon, c'est bon, fit Gustave, conciliant. On n'en parle plus. Mais maintenant, qu'est-ce que tu vas faire?

Michel prit un air très détaché. Il haussa les épaules.

— On va voir, dit-il. J'ai réglé mes affaires là-haut. Je suis libre.

— T'as bien de la veine.

— Faut vouloir, mon vieux.

Gustave grogna.

— Est-ce que je peux?

— C'est à toi de voir. Remarque, j'aurai encore à y retourner pour les formalités du divorce. Ça ne se fait pas comme ça, ces affaires-là. Mais pour le reste, ma foi, ça pourrait être pire.

— Alors, tu t'installes?

— Oh! C'est une idée fixe, chez toi? Je m'installe… Faut voir. Peut-être, si ça marche.

— Ça marche quoi? Tu t'installes. Sinon, t'aurais pas tout ton déménagement, dans ta bagnole. J'ai vu que tu as même ta télé.

Michel éclata de rire.

— Tu as vite vu, toi! Mais tu n'as pas bien vu. Ce n'est pas une télé. C'est l'écran de mon ordinateur. J'ai trouvé du boulot.

— Où? Ici? Ce serait bien rare.

— Pas ici, mais c'est tout comme. En tous les cas, je le ferai ici. Une annonce que j'avais vue. Une boîte de Paris qui cherchait des gens pouvant travailler à domicile sur des programmes informatiques. Comme je me défends pas mal, j'ai tenté le coup. Et ça a marché. Ce n'est pas que ce soit trop payé. Mais enfin… J'ai tout liquidé, même ma voiture. Tu as vu. J'ai acheté celle-là d'occasion. Un vieux tas mais, pour ce qu'elle me servira, ici, elle durera bien encore un bout de temps. Après, on verra.

Il y avait là bon nombre de choses trop difficiles à concevoir pour Gustave. Il attendit en silence que le café ait fini de couler. Debout devant l'appareil qui gargouillait activement, il tentait vainement de discerner ce qu'il pouvait y avoir de cohérent entre ces programmes informatiques, dont parlait Michel, et leur trou perdu où il n'avait jamais vu d'autre écran que celui de la télévision ou du Minitel qui trônait derrière le bar de Marcel.

— Attends voir, dit-il en apportant le pot de café fumant. «Pour de bon», qu'il a dit, l'Octave. Comment tu veux t'installer pour de bon si tu fais de l'ordinateur à Paris ou je ne sais où ?

— Tu n'as rien compris, estima Michel en sucrant son café. «A domicile», je t'ai dit. C'est un travail que je vais faire à domicile. On appelle ça le télétravail. Je le fais ici et je l'envoie à Paris. Ce n'est pas plus compliqué.

Mais Gustave n'en démordait pas. Tout cela était si peu concevable qu'il le rejetait en bloc et ne voulait retenir que la totale et parfaite incompatibilité qui avait toujours existé, pour lui, entre quelque travail de bureau que ce soit et celui de la terre. Or, au Crot-Peuriau, que pouvait-on concevoir d'autre que le second ?

— Tu me chantes là une belle ritournelle, dit-il, au bord de la colère. Mais moi je ne vois qu'une chose : ça ne marche plus notre affaire. T'as beau me parler de tous tes machins et tes trucs, mais qui c'est qui va faire vivre la Grande Cheintre ? T'es pas plus malin qu'un autre. Et je n'en ai jamais vu un qui arrivait à être à la fois dans un bureau et au cul des vaches.

Michel ne se formalisa pas. Il se contenta d'un petit sourire entendu.

— C'est pourtant bien ce que je compte faire, ou presque. Les vaches, c'est pas mon affaire. Moi, ce sera les moutons. D'ailleurs, d'après ce que tu m'as dit de l'état des prés, je crois que ça vaudra mieux.

— Tu vas élever des moutons ?

Cette fois, Gustave n'y comprenait plus rien.

— Tu as quelque chose contre ? Dis, c'est bien toi qui m'as lancé dans cette affaire-là ? Si tu estimes que je ne remplis plus les conditions, il suffit que tu le dises. Je trouverai bien autre chose ailleurs.

Et puis, après tout, qu'est-ce que ça pouvait bien lui faire à lui, Gustave, que Michel perde son temps sur sa machine plutôt que de s'occuper de la Grande Cheintre ? Pour le peu de temps qu'il lui donnait à tenir, ça ne changerait pas grand-chose.

— C'est bon, dit-il. Tu feras bien comme tu voudras, du moment que t'es là pour de bon.

12

Sur la nature encore à peine réveillée, un beau soleil d'avril coulait à pleines brassées des effluves chargés tout à la fois de l'infinie douceur de ses premières caresses et de toute la force de la résurrection qu'il annonçait.

Les bruns, les mauves et les gris des futaies encore dénudées commençaient à peine à laisser poindre l'infime moisissure vert tendre des bourgeons qui osaient s'entrouvrir depuis deux ou trois jours. Les prés étaient déjà marbrés de grandes écharpes vertes s'alanguissant de part et d'autre du moindre des petits ruisseaux gorgés de toutes les eaux folles de l'hiver finissant. Elles élargissaient de jour en jour le manteau épais de leur jeune herbe gorgée d'eau. Les coteaux, plus secs et plus froids, étalaient encore, en grandes landes tristes, la lèpre fanée et jaunâtre des pelouses mangées de gel.

Dans la porte d'un pré dont il venait réviser la clôture, Gustave, sidéré, avait si brutalement arrêté son tracteur que l'Ouasse s'en était fait des bosses dans la benne et avait émis quelques gémissements de protestation.

Ils se trouvaient au bord d'un vallon aux pentes si abruptes que Gustave avait depuis longtemps renoncé à lutter contre les fougères et les ronces dont les plaques se faisaient de plus en plus envahissantes. Il n'avait pas froid aux yeux, mais engager son tracteur dans de tels dévers comportait tout de même trop de risques.

Ces prés étaient de ceux qu'Octave avait consenti à lui passer, au terme de longues tractations. Mais comme il n'avait jamais voulu entendre parler de bail, même oral, Gustave savait très bien qu'il pouvait en être éjecté du jour au lendemain. Tout ça, outre le danger, ne l'incitait guère à se montrer trop zélé dans l'entretien de ces parcelles-là.

Les terres de la Grande Cheintre se prolongeaient loin en amont et sur l'autre versant, tout aussi raide, du vallon. Mais, celles-là, bien qu'Octave n'en fasse plus rien depuis longtemps, Gustave n'avait jamais pu le décider à les lui passer. Et il s'était résigné à voir les genêts les coloniser chaque année un peu plus.

En débouchant d'entre les haies, pour cette première visite qu'il faisait à ses prés, au sortir de l'hiver, il avait tout de suite eu le regard attiré par les taches blanches qui parsemaient le coteau, juste en face de lui, de l'autre côté de la rivière, au milieu des genêts et des grandes taches rousses laissées par les fougères brûlées par le gel de l'année précédente. Au plus grand mépris des jérémiades de l'Ouasse, il avait stoppé net son engin et, accoudé à son volant, n'en croyant pas ses yeux, il parvenait lentement à se persuader qu'il n'avait pas rêvé. C'étaient bien des moutons qui évoluaient en face de lui, à la recherche d'une maigre pitance. A vue de nez, il y en avait bien une soixantaine.

« Mince alors, grommela-t-il. Si j'avais cru... »

Toujours sourd aux protestations de son chien qu'il ballottait dans tous les sens, il fit faire une rapide marche arrière à son tracteur et s'engagea à nouveau dans le chemin qui descendait vers le ruisseau et le franchissait à gué. Laissé au même abandon que les prés, il était encombré de ronces et de branches basses qui fouettaient la cabine du lourd engin dont les roues s'enfonçaient à moitié dans une boue glauque et marbrée de reflets ferrugineux. Les fossés, obstrués depuis longtemps, avaient répandu l'eau de multiples ruisselets convergents sur toute sa largeur. Ils y avaient établi sans vergogne leur lit. Une vague trace attestait pourtant d'un passage récent.

« Ma parole, il les a fait descendre par là, continuait de soliloquer Gustave au comble de la stupéfaction. Vrai, c'est des moutons amphibies, qu'il nous a dénichés là ! »

Il franchit le ruisseau. Et, une dizaine de mètres plus loin, il trouva ce qu'il cherchait. A grands coups de débroussailleuse, Michel avait dégagé l'entrée de ce qui avait été un pré. Puis, toujours avec son engin dont les traces étaient bien visibles, il avait entrepris de suivre les vestiges de sa clôture, déterminant une étroite bande de terrain à peu près propre tout au long de laquelle il avait tendu un filet à moutons.

Avec l'Ouasse pas mécontent de se dérouiller les jambes, oubliant le travail qu'il était venu faire, Gustave entreprit de suivre la nouvelle clôture. A sa plus grande surprise, il fit ainsi le tour complet du vaste pré.

Revenu à son travail, de toute la matinée il ne parvint pourtant pas à s'y consacrer avec l'enthousiasme qu'il y mettait ordinairement. Il y avait ces moutons qui, enfermés qu'ils étaient derrière leur longue clôture en filet, risquaient moins de se sauver que d'avoir faim à brève échéance.

« Des ronces, des fougères et des genêts… grommelait-il, de méchante humeur. Avec ça, il va les graisser, sûr, ses moutons ! »

Mais ce n'était là que l'écume de ses préoccupations, l'aspect le plus facilement abordable, celui auquel il lui paraissait évident que l'incompétence de Michel devrait vite se rendre aux évidentes raisons que lui exposerait sa longue expérience. Ce qui, en fait, le tracassait au point de le rendre inattentif à son travail, qui le faisait parfois s'immobiliser entre deux gestes, rester songeur quelques instants, puis hocher la tête d'un air perplexe, c'était la question de savoir le sens qu'il fallait donner à l'activité débordante, parfaitement inattendue et apparemment inépuisable de ce cousin qu'il avait lui-même installé à la Grande Cheintre.

Pour dire vrai, une fois de plus, ce pauvre Flûtot se sentait complètement dépassé par les événements. On en avait pourtant déjà vu, au Crot-Peuriau, de ces gars de la ville qui décidaient que la vie à la campagne était tellement plus facile que celle de la ville. Ils arrivaient en général au printemps, des projets plein la tête et la bouche, faisaient semblant de s'installer durant l'été, commençaient à changer de mine en novembre et ne s'obstinaient guère plus loin que la Chandeleur… quand ils y arrivaient.

Le plus souvent, on retrouvait un beau matin la maison soigneusement close et il n'était pas rare qu'elle s'orne d'un beau panneau « à vendre » avant même que le printemps soit là.

L'écriteau de l'agence immobilière en moins, bien sûr, c'était sur un déroulement comparable des événements que Gustave avait misé. Mais il lui avait fallu déchanter. A la Chandeleur, Michel en finissait avec les peintures de la maison, l'astiquage des meubles et le nettoyage des abords. La cour était propre comme un sou neuf. Les granges abritaient en bon ordre ce qu'il avait pu récupérer du matériel, sauf une qui avait été promue au rang de garage pour sa voiture. Il avait commandé à Gustave un stock respectable de bois. Et lorsque son ami et voisin lui avait proposé de le débiter, il s'était entendu répondre qu'il était bien assez grand pour s'en charger lui-même.

— Et, dans l'avenir, je compte bien faire mon bois moi-même, avait ajouté Michel sans se préoccuper du sourire mi-narquois, mi-perplexe de Gustave.

Outre celui qui était déjà passé dans la cuisinière, le bois était désormais bien rangé, en piles rectilignes, au fond du bûcher. Et comme si tout cela ne suffisait à signifier à qui voulait l'entendre qu'il n'avait pas l'intention de déguerpir de sitôt, Michel avait adopté un chat qui se prélassait maintenant sur ses coussins dans une salle avenante et proprette qui devait faire se retourner l'Octave dans sa tombe.

Gustave ne savait plus que penser. Certes, il avait réussi au-delà de toute espérance à occuper les lieux. Et, jusqu'à ce qu'il trouve les moutons installés sur leur friche, il pouvait continuer à nourrir l'illusion que tout cela l'amènerait bien à mettre la main sur les terres dont il rêvait.

Mais le pire était que, six mois après la mort d'Octave, il ne savait toujours pas très bien où en était la succession de la Grande Cheintre.

Prudemment interrogé, le notaire s'était montré évasif, ne mettant guère en avant qu'une première et néanmoins rondelette évaluation des droits que chacun pourrait bien avoir à payer. Il y avait là amplement de quoi refroidir l'ardeur des questionneurs ! Le notaire le savait et en jouait sans scrupule !

Et l'autre s'installait. Sans même savoir s'il était bien leur cousin, il réalisait ses projets les plus fous, se montrait chaque jour un peu plus chez lui sans avoir eu à payer un sou et sans que la manœuvre qu'avait cru bon de monter Gustave lui rapporte quoi que ce soit.

« Faut-il que tu sois bête, se morigénait-il bien inutilement. La première idée qui te passe par la tête, même si tu es soûl comme un cochon, il faut que tu t'y lances sans réfléchir. Te voilà plus avancé, maintenant. »

Fallait-il encore espérer quelque chose de tout ça ou valait-il mieux flanquer Michel dehors ? Et puis d'ailleurs, maintenant qu'il l'avait mis dans la place, quel argument avait-il pour changer ainsi d'avis et en venir à une telle extrémité ? Comment expliquerait-il cette étrange manœuvre à tous ces cousins inconnus ?

Et puis après tout, que pouvait-il reprocher d'autre à Michel que de l'avoir sous-estimé ? Était-ce une faute que d'être débrouillard et capable de traverser sans dommage un hiver morvandiau ? Le bougre n'y avait même pas perdu ses capacités à bien se tenir en compagnie. Il avait amplement gagné son droit de cité parmi la bande de joyeux lurons que Gustave retrouvait régulièrement chez Marcel ou ailleurs.

Alors ? Ce n'était tout de même pas pour quelques moutons errant dans une friche qu'ils allaient se brouiller. Pour le reste… Advienne que pourra ! Il serait bien temps de s'inquiéter lorsque monterait l'orage.

C'est sur cette bouffée soudaine d'optimisme que Gustave estima qu'il avait suffisamment rafistolé la clôture à laquelle il ne parvenait pas à s'intéresser depuis le matin. Il eut largement le temps de ranger ses outils avant de voir réapparaître l'Ouasse pourtant plusieurs fois hélé. Un quelconque terrier, au plus profond d'un roncier, avait dû l'occuper toute la matinée.

— Ben mon cochon. T'as vu comme t'es arrangé ?

La boue qui le couvrait jusqu'au bout des oreilles ne gêna en rien le chien qui bondit dans la benne sans même ralentir. Il en frétillait encore d'excitation.

— Ferait beau voir que tu entres chez le Marcel.

La langue pendante, le souffle court et l'œil malicieux, du fond de la benne où il s'était installé, il semblait se moquer ouvertement de Gustave.

— Que je t'y prenne ! tenta ce dernier sans conviction.

110

D'ailleurs, le souci de l'état du carreau de chez Marcel l'habitait fort peu. Ayant gendarmé pour le respect de la forme, il s'installa à son volant et ne se soucia plus de son chien que les cahots du chemin auraient pu débarrasser de la boue qui le couvrait si elle n'avait pas été si collante.

Gustave ne s'arrêta même pas chez lui. Sans ralentir il fila jusqu'à la place et gara son tracteur devant le café.

L'Ouasse eut le temps, par la porte brièvement ouverte, de voir qu'ils arrivaient un peu tard pour ses affaires. Ils étaient déjà tous installés devant leurs apéros. Bien rare serait maintenant l'occasion qui s'offrirait à lui d'aller transformer en poussière, au coin du feu de Marcel, toute cette boue qui le couvrait. Il prit son mal en patience.

Gustave, lui, était déjà les coudes au zinc.

— Comme d'habitude, Marcel.

— Tu étais donc perdu, au fond de tes bois, le Flûtot, pour arriver seulement ?

Parle toujours, Fernand. C'est pas de ça qu'il s'agit. Il répondit d'une vague boutade sans y prêter attention. Michel était là, son verre à la main, rigolant dans son coin avec Désiré Boillard, le facteur. Ces deux-là, ils s'entendaient comme cul et chemise. Un peu trop, même. Ça exaspérait Gustave sans trop qu'il sache pourquoi. Il lui fallut pourtant attendre que s'épuisent les gaudrioles d'usage et que se soient apaisés les remous de son arrivée pour qu'il puisse attaquer sans trop en avoir l'air.

— Alors, ils sont là, tes moutons ? demanda-t-il sur un ton presque indifférent.

— Tu les as vus ?

Cette question ! Est-ce qu'il en parlerait s'il ne les avait pas vus ?

— Sûr. J'ai même vu par où tu les as fait passer. Tu n'as pas peur.

Michel eut un geste d'impuissance.

— Je n'avais pas le choix. Mais dis, puisque tu m'en parles. J'ai un service à te demander.

Gustave parvint à ne pas se montrer trop vivement intéressé. Depuis le temps qu'il le lui avait proposé, il était vrai que Michel n'en avait pas abusé. Au point que ça ennuyait bien un peu le Flûtot de ne même pas avoir ce prétexte pour se mêler de ses affaires.

— Dis toujours.

— J'ai une mangeoire à leur emmener. Il me faudrait ton tracteur.

— Si ce n'est que ça ! Parce que tu comptes les laisser longtemps, là-haut ?

— Jusqu'à l'herbe. En les complémentant, ça tiendra bien jusque-là, affirma Michel avec aplomb.

— T'as intérêt à bien complémenter.

— Bien sûr. Mais ils sont mieux là qu'enfermés. Le coteau est bien ensoleillé. Ils ont de l'abri. Et, au moins, ils ont un parcours. Si je leur fournis l'essentiel, le reste, ce sera autant de pris sur la broussaille.

— Ah bon, fit Gustave que désarçonnait tant d'assurance. Puisque tu le dis. Et c'est moi qui leur emmènerai à bouffer tous les matins ?

— Tu vois comme t'es ! Tu t'inquiètes tout de suite. Non. Je te demande pour la mangeoire parce que je ne peux pas faire autrement. Mais j'attends un tracteur. Moi aussi, je m'équipe !

— Un… un tracteur !

Il s'en fallut de peu que Gustave ne s'étrangle dans son apéritif. Les autres écoutaient en rigolant doucement. Un vrai et un faux paysans qui parlent métier, allez savoir pourquoi, ça fait toujours rire bêtement ceux qui ne sont pas de la partie. On voulut tapoter dans le dos de Gustave, le remettre de son émotion.

— Ben quoi, un tracteur, c'est normal. Il

s'équipe. Il a raison, le petit. Il ne peut pas toujours dépendre de toi.

Qu'y comprenaient-ils, ces ignares ? Un tracteur ! Un tracteur dans la cour de la Grande Cheintre ! Plus que toute autre chose, c'était le symbole même d'une solide installation. S'il achetait un tracteur, cette fois, il n'y avait plus de doute, c'était bien qu'il avait pris au sérieux le « pour de bon » de l'Octave.

— Et... tu as pris quelque chose de gros ?

— Penses-tu ! Pas comme le tien. Oh ! je ne suis pas Crésus, moi. J'ai trouvé un petit Renault d'occase qui me dépannera. En attendant de pouvoir faire mieux.

En attendant de pouvoir faire mieux ! Et il fallait qu'il lui assène ça, là, en public, chez le Marcel, au milieu des copains qui n'y comprenaient rien et qui ricanaient comme des andouilles ! Et lui, le Gustave, le Flûtot, qui s'était cru si malin, et qui devait garder une contenance, ne rien montrer de son affolement.

On trinqua à la mangeoire, on trinqua aux moutons, on trinqua au tracteur. Et l'Ouasse, qui avait pu enfin profiter d'une occasion pour se glisser jusqu'au feu, comme à son habitude, put tout à loisir prendre la mesure de la bonne humeur que chaque tournée faisait monter d'un cran. Seul son maître, pourtant, le chagrinait. Les autres n'y voyaient rien. Le chien, lui, ne s'y trompait pas. Il se forçait, le Flûtot, c'était évident. Il riait fort, blaguait, tapait dans le dos. Mais avec un rien de contrainte, l'ombre d'un décalage que seul un chien pouvait mesurer.

Lorsque Gustave consentit enfin à l'appeler, il n'en laissa pas moins une grande tache de poussière brunâtre sur le carrelage.

— Oh, le chien, c'est l'heure. Faudrait peut-être voir à aller casser la croûte, non ?

Au vu des dégâts, ses yeux s'arrondirent de stupeur inquiète. Il eut un coup d'œil furtif vers

Marcel. Trop occupé derrière son bar, il n'avait rien vu. C'était l'essentiel.

— Allez, on taille la route, glissa-t-il. S'il râle, la prochaine fois, on pourra toujours dire que c'était pas toi !

— Oh, Gustave, tu me remmènes ?

Michel avait renoncé, lui aussi, et les suivait.

— Monte donc dans la benne, avec le chien.

Sans façon, il se fit un trou entre les outils, prit l'Ouasse sur ses genoux et se laissa ballotter jusqu'à la Grande Cheintre au gré des irrégularités de la route. Gustave marqua un temps d'arrêt à l'entrée de sa ferme. Michel sauta lestement de son siège rustique, fit le geste de traverser la route en remerciant le Flûtot d'un grand geste de la main, et bifurqua tout à coup à gauche.

— Tiens, la Sylvie est rentrée. Je vais lui dire bonjour. Tu viens avec moi ? Elle nous paiera bien l'apéro.

Gustave fit un rapide geste de dénégation et embraya trop sec. Le tracteur fit un bond brutal en avant. Cette fois, c'était plus qu'il n'en pouvait supporter.

« La Sylvie est rentrée. Elle nous paiera bien l'apéro », répéta-t-il rageusement en singeant Michel. « Et puis quoi encore ? Il ne manquait plus que ça. Il nous prendra donc tout, cet étranger-là. »

13

Michel n'avait rien remarqué. D'un pas guilleret, il remonta la rue.

Au-delà du jardin de la Grande Cheintre qu'il avait débroussaillé et commencé de bêcher, s'étendait la cour proprette et ceinte de murets d'une petite maison basse au toit d'ardoises. Les volets de bois, la grande porte de la grange et celle de ce qui avait été l'étable étaient peints du même vert vif qui posait sur l'ensemble, probablement sans âge, une touche de fraîcheur avenante.

Sans façon, il poussa le portillon, vint frapper à la porte et attendit à peine qu'on lui ait répondu.

— Tiens, le Michel ! Entre donc. J'arrive à peine.

Il vint à elle, la prit dans ses bras et l'embrassa tendrement.

— Toi, dit-elle, sans le repousser, tu sors de chez le Marcel.

— Comment tu le sais ?

— Tu empestes le pastis à une lieue à la ronde.

Elle était d'un beau blond doré et le sourire perpétuel de son regard bleu convenait bien à l'élégance d'une silhouette à laquelle il aurait fallu être de marbre pour rester indifférent.

Michel, manifestement, n'était pas de marbre. Il faisait durer l'étreinte. C'est elle qui finit par s'en dégager doucement.

— Je t'en sers un autre ?

— Ben… Tu crois que c'est raisonnable ?

Elle se contenta d'en rire. Et l'envie le prit à nouveau de l'étreindre.

— Assieds-toi donc.

A regret, il obtempéra et se laissa tomber dans les coussins d'un canapé bon marché qui, avec une table en bois blanc et un buffet sans style, faisait l'essentiel de l'ameublement de la pièce. C'était d'une simplicité presque ascétique que tempéraient tout de même une infinité de petits détails comme seule une femme peut en inventer. La broderie d'un coussin ; un bouquet de fleurs séchées dans un pot en grès posé à même le sol ; dans un rayon de lumière, une cascade de petits cadres contenant des photos d'animaux, d'enfants ou de personnes âgées qui devaient être ses parents. Tout cela était d'autant plus chaud que dépouillé, réduit à l'essentiel et dénué de la moindre ostentation.

Elle servit deux apéritifs, ajouta une assiette avec quelques gâteaux salés et vint s'asseoir à côté de lui. Il glissa sa main derrière sa nuque et la caressa doucement. Elle s'y appuya.

— Alors ? demanda-t-elle. Raconte. Tu en es où ?

Il haussa les épaules.

— Si je le savais… J'ai mes moutons. Ils sont sur le pré du Pradet. Dans trois ou quatre jours, j'aurai un tracteur. Un vieux coucou, mais il m'aidera bien le temps qu'il faudra.

— Qu'il faudra pour quoi ?

Elle rit du regard perplexe qu'il posait sur elle. Il l'embrassa sur la joue.

— Je ne sais pas, reprit-il. Qu'il faudra pour que je me réveille de ce rêve. Qu'il faudra pour que Gustave comprenne que je ne lui suis utile à rien et qu'il me foute dehors. Qu'il faudra pour que tous ses cousins s'en mêlent et me fassent le même sort…

Il marqua un temps d'arrêt, puis osa :

— Qu'il faudra, peut-être, pour que tout ça réussisse et que je puisse m'en payer un neuf… Sait-on jamais ?

— Tu vois que tu espères tout de même.

— Bien sûr que j'espère. J'espère surtout ne plus avoir à m'éloigner de toi. Maintenant que je t'ai trouvée…

Elle eut un petit rire gêné.

— Ne dis pas de bêtises.

Lui était très grave.

— Je ne dis pas de bêtises, tu le sais bien. On a eu le temps d'apprendre à se connaître, tout au long de cet hiver, tu ne crois pas ?

— Et alors ?

— Et alors, et alors ! On prend plaisir à se retrouver, non ? On aurait pu rester de simples voisins. Bonjour, bonsoir, voilà tout. Peut-être bien qu'il y a un peu plus, entre nous, un attachement, un lien qui dépasse largement la seule amitié.

— Ne parle pas de lien.

— Et pourtant, c'est quoi ? On a une chance inouïe, en fin de compte. Il y avait une possibilité sur des millions pour qu'on se rencontre. Et elle se réalise. Et on se trouve, on se reconnaît. Bien sûr qu'il y a un lien qui s'est créé entre nous. Mais toi, tout de suite, tu crains la dépendance.

— J'ai payé, merci.

— Tu étais dépendante. Tu as su te libérer. C'est très bien. Et tu crois que moi, je n'étais pas dépendant ? D'une femme avec qui je ne m'entendais plus, comme toi avec ton mari, de mon boulot, des traites de la bagnole, du frigidaire, de la maison… C'est pas de la dépendance, ça ? On a su s'en libérer, l'un comme l'autre. Ce n'est pas pour retomber dedans aussitôt, c'est évident.

— Tu vois. Tu es bien d'accord avec moi.

— Non. Parce que toi, tu parles de dépendance. Moi je parle d'attachement. C'est tout de même différent, non ? Il y a un lien d'attachement entre toi et moi. Tu ne peux pas le nier. Et ce n'est pas parce qu'on est très attachés l'un à l'autre qu'on va empiéter nécessairement sur la liberté de l'autre. C'est notre chance, Sylvie. On habite à trois pas l'un de l'autre. Chacun mène sa vie comme il l'entend. Et nous pouvons nous retrouver quasiment quand nous le voulons. Tu n'as pas envie de la jouer, cette chance-là ?

— Arrête, tu veux ? Tu rêves. Et si j'étais nommée ailleurs ?

— Tu penses ! Institutrice remplaçante et, pardessus le marché, faisant fonction de secrétaire de mairie, tu es inamovible. Ou alors, c'est que tu l'auras cherché.

— Et toi. Si tu dois partir ?

— Je resterai.

— Tu vois que tu rêves.

— Et alors ? C'est interdit ?

— Tu ferais mieux de t'occuper sérieusement de toute cette affaire. Tu es son cousin ou pas ? Tu peux prétendre à la succession d'Octave ou pas ? Il faut que tu saches, que tu fasses des recherches.

— Des recherches ? Quelles recherches ?

— Enfin, si ton père disait que votre famille était originaire du Crot-Peuriau, ça ne doit tout de même pas remonter à si longtemps que ça. Il suffit d'aller à l'état civil. Tu verras bien où est né ton grand-père. Et, si ce n'est pas lui, ton arrière-grand-père.

Il eut un geste vague de la main, comme si tout cela était bien trop flou, trop lointain, trop compliqué pour lui. Mais il y avait dans son regard une petite flamme de jubilation qui surprit Sylvie.

— Tu t'es déjà renseigné ?

Il fit non de la tête.

— Ce n'est pourtant pas difficile.

Il n'eut pas l'air convaincu.

— Peut-être que si.

— Qu'est-ce qui te fait dire ça ? Toi, tu sais quelque chose et tu ne veux pas le dire.

Elle s'était légèrement tournée vers lui et avait

appuyé sa joue sur sa main. Sans la bouger, il pivota juste assez sur les coussins du canapé pour lui faire face. Une profonde émotion assombrissait son regard. Il semblait qu'un violent débat, au plus profond de lui-même, lui coupait le souffle et l'empêchait de trouver ses mots. Elle respecta son silence. Il s'éternisa sans que, les yeux dans les yeux, ils ne cessent de scruter mutuellement leurs pensées. Puis la tension parut céder quelque peu. Et Michel put se lancer.

— C'est une histoire de fous, dit-il. Une histoire complètement rocambolesque.

Et il parla des cadres. Longtemps, sans omettre un détail, il décrivit celui de la chambre, dans la poussière, à l'étage de la Grande Cheintre, avec sa rose des sables et cet homme aux longues moustaches épointées, en tenue saharienne. Puis il parla de celui qu'il avait retrouvé, au cours de son voyage dans le Nord, dans le grenier de la petite maison familiale. L'œuf en plâtre y était toujours, aux côtés du même homme, des mêmes moustaches, mais qui, en sabots, pantalons rayés, gilet noir et chapeau à large bord, appuyait cette fois une main nonchalante au joug d'un bœuf.

— Je te les montrerai, dit-il.

— Tu vois ! conclut un peu vite Sylvie.

Michel ne bougea pas. La profonde concentration de son regard ne vacilla même pas.

— Ce n'est pas tout, reprit-il. Quand je suis revenu, Gustave m'a offert un café chez lui. C'était la première fois que j'y entrais. Tu es déjà entrée dans leur salle ?

— Ça ne risque pas.

Il eut l'air surpris.

— Pourquoi ?

Elle éluda.

— Pour rien. Continue. Je t'ai interrompu.

Il parut faire un gros effort pour chasser de son esprit tout ce qui n'était pas son propos.

— Dans leur salle, continua-t-il, il y a un vieux buffet. Tu sais, ces vieux meubles qui font comme une commode en bas et un vaisselier en haut. Entre les deux, sur le dessus de la commode, en dessous du vaisselier, ça forme comme une étagère où l'on entasse toujours des tas de bibelots, des bricoles, des cendriers avec des vis dedans, des images pieuses, des statuettes en plâtre gagnées à la kermesse. Là, c'est un peu comme ça, sauf les images pieuses, bien sûr. Il n'y a pas de statuette non plus. Mais, à la place, tu ne devineras jamais.

— L'homme aux moustaches ?

Il eut l'air parfaitement sidéré.

— Comment tu as deviné ?

— Il ne faut pas être sorcier.

Il dut admettre. Lui-même avait connu un tel choc en trouvant là ce troisième cadre qu'il aurait voulu que Sylvie ressente le même étonnement. Mais elle était dans la logique de l'histoire qu'il lui racontait.

— Et il est en quelle tenue, celui-là ? En Saharien ou en bouvier ?

Michel secoua doucement la tête de droite à gauche.

— Ni l'une ni l'autre. Il est en tenue de marin, se tenant de la main aux haubans d'un navire probablement à voiles.

— Et à côté du cadre ? Il y a quelque chose ?

— Une bouteille couchée sur un petit berceau de croisillons. Et, dans cette bouteille, la miniature d'un superbe trois-mâts.

— Tu es sûr que c'est le même homme ?

— Certain.

— Alors ? Tu vois. C'est tout de même la preuve qu'il y a quelque chose entre vous. C'est un lien.

Il n'avait pas l'air convaincu.

— Écoute, insista-t-elle, pourquoi veux-tu que la photo de cet homme se trouve à la fois chez Octave, chez Gustave et chez tes parents ? C'est que vous êtes de la même famille. Reste à savoir comment.

Ce n'est pas si compliqué. Tu n'as qu'à demander à Gustave. Il doit savoir, lui.

De la tête, il eut un lent mouvement de dénégation.

— Non, dit-il. Je ne lui demanderai pas.

— Et pourquoi donc ?

Il haussa les épaules.

— Je ne sais pas. Je crois que je n'oserais pas. Peut-être que j'ai peur de savoir.

— Peur ? Pourquoi aurais-tu peur ?

Il réédita le même haussement d'épaules, comme s'il n'y avait plus en lui que le doute.

— Je ne sais pas, répéta-t-il. J'ai l'impression de toucher à quelque chose d'énorme, de fantastique, qui me dépasse. Tu vois, cet œuf, celui qui est près de la photo du bouvier, celle que j'ai rapportée de chez mes parents, il m'intriguait quand j'étais petit. J'ai rêvé des heures durant, au sujet de cet œuf. Je lui ai trouvé mille raisons d'être plus saugrenues les unes que les autres. Il appartient au rêve, cet œuf-là. J'ai peur de l'en faire sortir. J'ai peur de la réalité.

Il y avait, dans ces paroles-là, une telle sincérité qu'elle émut Sylvie. Mais elle se garda bien de le montrer.

— Tu es drôle, se contenta-t-elle de remarquer. Au contraire, moi, je crois que je chercherais à savoir.

Le haussement d'épaules, cette fois, fut fataliste.

— Je suis comme ça, que veux-tu. J'ai renoncé à tout, là-haut, dans le Nord, même à mes enfants, parce que je suis comme ça. J'ai toujours un peu peur de ce qu'il y a devant moi. Il a suffi que ça devienne difficile, avec ma femme, avec mon boulot perdu, avec toutes ces traites. J'ai préféré me sauver. Et, ici, par miracle, je trouve un perchoir étonnant. Je n'ai rien eu à faire, rien à décider. Il m'a suffi de m'installer. Et j'y suis bien. Et tu es là, à côté de moi. J'ai l'impression d'un équilibre infiniment délicat, fragile. Je sais qu'il peut se rompre, d'un moment à l'autre. Je sais qu'il faudrait que je me batte pour tenter de le rendre solide, définitif. Mais j'ai surtout peur de ne pas savoir faire, de tout casser par maladresse. Alors, je préfère attendre.

— Quoi ?

Nouveau haussement d'épaules.

— J'sais pas.

— Et s'ils en profitent pour te jeter dehors ?

Il fronça les sourcils.

— Tu vois toujours les choses en noir.

— J'essaie d'être réaliste.

— C'est bien ce que je dis. Moi, je rêve. C'est mieux.

— Et tu rêveras s'ils te foutent dehors ? Qu'est-ce que tu feras de ton ordinateur ?

Il eut un sourire espiègle en même temps que vaguement contrit.

— Il y a de la place, ici. Je viendrai m'installer. On vivra ensemble. Ce serait bien, non ?

— Eh ben, tiens ! T'as trouvé tout seul, toi !

Imperceptiblement, elle s'était raidie.

— Pourquoi pas ? tenta-t-il encore.

La main s'était faite plus ferme sur la nuque de la jeune femme qu'il attira à lui. Brièvement, elle se laissa faire, le temps qu'il lui dépose un long baiser sur la tempe. Puis, fermement, elle se dégagea de son étreinte et se redressa.

— Gamin ! dit-elle sans se départir de son doux sourire.

— Je suis sérieux, insista-t-il.

— Je n'en doute pas.

— Pourquoi tu ne veux pas ?

Cette fois le regard de Sylvie s'assombrit et parut se perdre dans la mélancolie d'un lourd songe intérieur.

— Parce que.

— Ce n'est pas une réponse.

Vivement, entre le pouce et l'index, elle lui prit le menton. Elle avait retrouvé un semblant de sourire que voilait encore, malgré tout, l'espèce de regret qu'il y discernait souvent.

— Si, dit-elle fermement. C'est la seule que j'ai. Tu dois t'en contenter.

— Facile, fit-il, presque agressif.

Elle se radoucit.

— Non, dit-elle. Ne crois pas ça. Les choses ne sont pas telles que ton esprit de rêveur voudrait qu'elles soient. C'est tout. Il faut que tu l'admettes.

Elle se leva. Il resta seul sur le canapé, dans la position où elle l'avait laissé, comme s'il cherchait encore le contact de sa main, la présence de son corps.

— Allons, dit-elle. Il faut encore que je mange. On se reverra demain ?

— Pourquoi pas ce soir ?

— Ce soir si tu veux. Mais pas longtemps.

— Je t'invite à dîner.

Avec un sourire navré, elle fit non de la tête.

— Pourquoi ? répéta-t-il sur un ton éploré. Dîner avec moi, c'est compromettant ?

Elle préféra ne pas relever.

— L'apéro, ça suffira bien, va. Allez, à ce soir.

Sur le pas de la porte, il la prit encore dans ses bras. Elle accepta mais repoussa de la main le battant déjà ouvert. Il osa la couvrir de brefs baisers dont elle ne dissimula pas le plaisir qu'elle avait à les recevoir. Mais elle s'écarta lorsqu'il voulut prendre ses lèvres.

— Stop ! dit-elle en le repoussant doucement.

Un long moment, leurs regards restèrent plantés l'un dans l'autre.

— Mon mystère, dit-il doucement.

— Eh oui, admit-elle avec un bref haussement d'épaules.

— Enfin !

Il savait qu'il fallait rompre.

— A ce soir, hein ? Sans faute ?

— Bien sûr.

Rapidement, il lui vola encore un baiser. Puis il lui tendit la joue.

— A moi, dit-il.

Sans rechigner, elle lui offrit un long baiser claquant.

— A ce soir, ne put-il s'empêcher de répéter en franchissant la porte.

Elle attendit qu'il eût atteint le portillon pour lui adresser un dernier signe de la main.

En marchant vers chez lui, la tête basse et les mains au fond des poches, Michel cherchait à comprendre. Mais son rêve était le plus fort. Il continuait, malgré tout, d'espérer.

14

Michel écarta le rideau de la salle. A l'est, sur un ciel d'opale et d'or en fusion, de longues écharpes de nuages gris s'irisaient de feu dans la naissance du jour. Le soleil n'avait pas encore émergé de derrière les monts au faîte desquels l'embrasement avant-coureur de sa gloire quotidienne tressait des ombres chinoises de sapins, de hêtres, de bouleaux et de chênes.

Devant ses yeux, le lilas qu'il avait nettoyé, contre le muret du jardin, parut naître de l'ombre. Il frissonna. Le vent était à l'est. Il ferait donc beau aujourd'hui.

Michel lâcha son rideau et revint vite à son petit déjeuner dont la cafetière toussotait et gargouillait sur le buffet. C'était un moment qu'il aimait entre tous. Dans la lumière très douce de la salle aux angles les plus lointains de laquelle il avait su respecter de mouvantes et suggestives zones d'ombre, encore à l'abri des rideaux tirés et dans le doux cocon de chaleur qui montait de la cuisinière à peine réveillée et déjà ronflante, il lui suffisait de ce rapide coup d'œil sur le ciel matinal pour connaître sa journée.

Si les perspectives étaient mauvaises, si la pluie ou la neige battaient le carreau, le plus urgent était d'aller allumer le poêle de la petite chambre du premier dont il avait fait son bureau. Comme les autres, il avait eu toutes les peines du monde à la débarrasser pour de bon de sa gangue de poussière. Et, comme pour les autres, il s'était surtout acharné à rendre tout leur lustre aux très beaux meubles qu'il y avait trouvés.

C'était fou ce qu'il y avait de beaux meubles, dans cette maison. Certains, et pas toujours parmi les plus imposants, avaient littéralement captivé Michel lorsqu'il avait découvert, sous le chiffon dont il avait dû longtemps les astiquer, la beauté du bois dont ils étaient faits, la finesse du travail de l'ébéniste et la délicatesse de leurs décorations. A coup sûr, il y avait eu là une ou plusieurs générations de Grollier dont le bon goût avait heureusement coïncidé avec les moyens pécuniaires sans lesquels il n'est que vain point de vue.

Toute cette maison restait profondément marquée par un temps où, telle la bogue des châtaignes dont vivaient, à l'époque, bon nombre de ceux qui avaient le commerce avec elle, ses dehors se devaient d'apparaître d'autant plus rudes et rustiques que l'intérieur était douillet et d'une élégance fort peu de mise dans la région.

Seule la grande salle avait été dispensée de ces meubles dont le raffinement aurait pu heurter le sens commun des commis bouviers, des marchands de bestiaux et des bûcherons qu'on y recevait couramment. Une fois débarrassés de l'énorme désordre qui les dissimulait, nettoyés et cirés, le grand bahut et le corps marqueté de l'horloge qui faisaient l'essentiel de son ameublement, autour de la longue table de chêne qu'encadraient deux bancs, affichaient tout de même une opulence cossue qui avait dû en imposer à plus d'un.

Michel avait cherché, dans la mesure du possible, à ne rien changer à l'ordonnancement de la vieille maison. Il y avait juste cette petite chambre, au bout du couloir, au premier étage, dont il avait monté le lit au grenier. Il l'avait remplacé par une solide table en chêne dont la beauté venait avant tout de l'extrême simplicité de ses lignes. Il en avait fait son bureau et, pour qu'il soit bien dit qu'il en était ainsi, il avait posé devant elle un de ces fauteuils au siège de bois étroit, au dossier d'une verticalité impraticable et aux accoudoirs si fuyants qu'ils étaient à l'évidence faits pour qu'on ne s'en serve pas. A chaque bout de la table, il avait posé un des cadres de l'homme à la moustache épointée. A gauche, le Saharien et sa rose des sables ; à droite, le bouvier et son œuf mystérieux. Et c'était comme si la place s'était créée d'elle-même, au milieu de la table, pour le troisième cadre, celui du marin et de son trois-mâts dans sa bouteille, dont il était évident qu'il viendrait bien, un jour, retrouver ses deux frères.

Aux premières heures de quelque matin particulièrement frisquet, durant tout le temps qu'il avait fallu à son feu pour penser à se réchauffer lui-même avant que l'idée lui vînt qu'il pouvait dispenser un peu de chaleur aux autres, Michel, enfoui sous plusieurs couches de laine, les fesses à l'étroit sur son banc de neuvaine, craignant toujours que son ordinateur en vînt lui aussi à refuser tout service dans de pareilles conditions, se demandait en souriant quelles profondes raisons le poussaient à s'infliger pareille pénitence. Lui, son ordinateur et son chat auraient été bien mieux installés dans la bonne chaleur que distillait sans compter la cuisinière de la salle.

Mais non. Peut-être parce que le chat, en endurant le froid avec le même stoïcisme que lui, semblait entériner son choix, pour ne pas abandonner les grands meubles de merisier et de châtaignier, leurs chantournures et les motifs soigneusement ciselés de leurs larges portes, il préférait affronter les fleurs de givre dont il arrivait que se parent les vitres. Les blondeurs des uns et les reflets auburn des autres dispensaient une chaleur sans le moindre rapport avec la température de la pièce. Elle était néanmoins devenue indispensable à ses yeux pour qu'il parvienne à travailler dans de bonnes conditions.

Car Gustave n'avait pas totalement tort. Certes, son point de vue était dicté par des considérations plus physiques qu'intellectuelles. Il n'en était pas moins vrai que, même envisagé sous cet angle-là, la gymnastique qui consistait à passer de la gestion d'un tout nouveau troupeau d'une cinquantaine de moutons de race mérinos, installés de façon bien précaire dans des friches morvandelles, à l'élaboration de programmes informatiques destinés à répondre aux préoccupations d'une entreprise de textile du Sud-Ouest demandait un entraînement intensif dont la rigueur était apparue à Michel dans toute son étendue.

Il s'y faisait pourtant. Si le temps était par trop maussade, il consacrait presque toute sa journée à ses travaux de bureaucrate, n'en distrayant que le strict nécessaire qu'il consacrait à ses incontournables corvées extérieures.

Si le temps était suffisamment clément, il filait de bon matin vers les mille travaux que requérait sa nouvelle installation, dans les bâtiments comme dans les prés. Depuis quelques jours d'ailleurs, depuis que les moutons établissaient sur lui la tyrannie des soins quotidiens qu'il leur devait, son appréciation de la notion de beau ou de mauvais temps avait dû s'adapter sérieusement aux nécessités du moment. En fait, qu'il pleuve, qu'il vente ou qu'un beau soleil s'annonce, il lui fallait bien, chaque matin, prendre le chemin de son pré pour aller ravitailler son petit monde.

A vrai dire, depuis qu'il avait pris livraison de son tracteur, l'opération l'amusait plus qu'autre chose. Il lui semblait qu'à manipuler ainsi un engin dont c'était là la destination essentielle, un engin lui appartenant, pour aller soigner et nourrir un troupeau de moutons, certes encore modeste, mais dont il était le maître légitime, il acquérait une importance nouvelle. Et il aimait à s'en parer.

Combien dérisoire lui apparaissait, en comparaison, l'autorité dont il fallait bien qu'il se drape, lorsque, dans son Nord natal, il était cadre dirigeant d'une petite entreprise. « J'aboyais pour le patron », se disait-il, non sans une pointe d'amertume, en se délectant comme un enfant du plaisir sans cesse renouvelé de ne plus avoir à aboyer et de n'en être pas moins maître et responsable incontesté de ses actes, de leur cause et de leurs moyens.

Les premiers rayons du soleil versaient à foison leur or sur les genêts du Pradet lorsque le vieux tracteur de Michel apparut au sommet de l'autre versant. A dire vrai, Gustave, qui n'avait pu s'empêcher de venir bricoler par là, l'avait entendu venir de loin tant il pétaradait et tant devait être troué son pot d'échappement.

— Au moins, comme ça, on saura où il est, dit-il à l'Ouasse que le tintamarre avait réveillé et qui portait sur son maître un regard aussi ensommeillé que surpris. Profite donc du soleil, mon gamin, fit encore Gustave en rigolant doucement. Marche, il sera bien temps d'aller voir quand il reviendra… s'il arrive à traverser le ruisseau.

Il y parvint, bien sûr. Et Gustave, tranquillement embossé dans l'ombre tenace d'une crique au couchant, invisible, le dos à un talus dominé d'une haie, put tout à loisir assister à ce rare spectacle d'un tout nouveau paysan armé d'un vieux tracteur venant ravitailler cinquante moutons tirant des bords dans un océan de genêts.

— Je ne sais pas ce qu'il leur donne là, regretta-t-il. Mais ça a l'air de leur plaire. Ça doit coûter bonbon. Vieux, pour les tenir là-dedans, il aura intérêt à la remplir souvent, sa mangeoire. Il faut qu'il en ait, des sous, pour payer tout ça.

Il vit encore Michel, une fois ses moutons attablés en deux rangs mouvants et ondoyants devant leur mangeoire, se saisir de sa débroussailleuse et partir droit devant lui, dans le grand moutonnement des genêts. Il laissait ainsi derrière lui un étroit sillage bien tracé, vert pâle, qui fit vite une nouvelle diagonale aux formes vaguement géométriques que ses allées et venues avaient déjà tracées de la même façon.

— Vrai, vieux gars, grommela Gustave, s'il veut tout faire comme ça, il n'a pas fini.

Mais, à l'évidence, Michel n'avait pas l'intention de tout débroussailler avec son petit engin qu'il portait à l'épaule. Revenu près de son tracteur, il y rangea ses outils et fit demi-tour.

— A nous deux l'Ouasse, glapit Gustave en se précipitant. A nous de jouer.

Le chien vit un jeu dans la soudaine impatience de son maître. Il se précipita en aboyant, tournoyant autour du Flûtot et bondissant en cabrioles désordonnées.

— Allez, hop ! Dans la benne.

L'Ouasse eut un bref instant d'hésitation. Déjà dans la benne ? A cette heure-ci ?

— Alors ? Tu te presses ?

Le tracteur démarrant éteignit les dernières hésitations du chien. Sans plus réfléchir, il sauta à sa place habituelle. Si le patron le voulait…

Le patron, sans hésitation, fit faire demi-tour à son engin, et toujours avec aussi peu de considération pour les os de son chien, qu'il finirait bien par rompre à les secouer à ce point, il fila jusqu'au chemin et s'y engagea à la descente, en direction du Pradet.

Il n'avait pas fait vingt mètres que jaillissait devant lui, de la broussaille et de la boue, le capot un peu bosselé, un peu rouillé, du tracteur de Michel.

— Holà ! Vieux gars ! cria Gustave lorsque les deux engins se furent arrêtés, nez à nez. J'allais justement chez toi.

— Chez moi ? fit Michel étonné.

— Sûr, enchaîna Gustave, vers tes moutons, quoi. J'étais venu voir si je pouvais commencer à espérer mettre quelques bêtes par ici. Je me suis dit comme ça : tiens, je vais aller voir comment vont les moutons à Michel.

— Bien. Ma foi, ils vont bien.

— Ah bon. Alors, c'est bien. Attends voir que je recule pour te laisser passer.

Gustave eut tôt fait de faire disparaître son tracteur dans l'entrée de son pré. Mais Michel, qui connaissait les usages, ne dépassa pas cette dernière. Il s'arrêta, descendit du tracteur et vint au-devant de Gustave qui commençait déjà à se rouler une cigarette, appuyé à la roue avant du sien.

— Tu as vu mon outil ? demanda-t-il, triomphant.

— Sûr que je l'ai vu. Je l'ai surtout entendu, fit Gustave, impitoyable.

— Oh ! Un pot d'échappement, c'est quoi ? L'essentiel c'est qu'il tourne rond. Tu as entendu comme il tourne rond ?

— Puisque je te le dis. Il claque bien un petit peu. Mais, à son âge, c'est pas étonnant.

— Et puis, alors, pas une goutte d'huile, qu'il consomme.

Michel, visiblement, aurait bien voulu convaincre. Mais l'autre n'avait aucune indulgence.

— Il fume pourtant bien noir. Question de réglage, peut-être bien.

— Si ce n'est que ça…

— Ajouté au pot, vieux, tu vas le sentir passer. Bientôt il y en aura pour plus cher que tout le tracteur. Et les pneus ? Ils sont comment, les pneus ?

— Pas tout neufs, bien sûr. Mais ils ont encore du chemin à faire.

— Du chemin peut-être. Mais pas plus. Attention, dans les prés. Ça glisse. Tu ne serais pas le premier à te faire prendre dessous. C'est dangereux, tu sais, ces trucs-là. Et la cabine, elle a un arceau, la cabine ?

— Tu penses ! fit Michel un peu vexé.

Il lui cassait son plaisir, cet animal de Gustave, avec toutes ses critiques.

— Eh ben, gamin, si tu veux mon avis, au pot d'échappement et au réglage des injecteurs, tu ajoutes l'investissement d'un arceau de sécurité. Tu ne connais pas le pays. Tes pneus sont plus que justes. Ta vieille cabine sans arceau, c'est un vrai piège si tu te fais prendre, si ton tracteur se retourne. Alors, si tu as encore envie d'aller voir les filles…

Michel s'esclaffa, mais sans joie. Il sentait le plaisir malsain et mesquin que Gustave prenait à additionner ainsi toutes les évidentes faiblesses de son équipement dont il était pourtant si fier. Et il se sentait d'autant plus désarmé, incapable de lui répondre sur le même ton, qu'il se trouvait totalement pris au dépourvu par cet étonnant comportement.

— Marche, voulut-il tout de même blaguer, mon tracteur, elles le remarqueront, les filles. Des comme celui-là, il n'y en a pas deux.

— Pour sûr ! Elle a tout de même dû être étonnée, la Sylvie, si tu lui as montré.

— Je n'ai pas eu besoin. Elle a dû entendre.

— Parce que tu n'es pas allé lui montrer ?

Rien de plus exaspérant que cette ironie facile et vaguement infantile. Michel dévisagea Gustave avec insistance pour essayer de comprendre.

— Tu n'y es pas allé ? insista pourtant le Flûtot.

— Évidemment pas.

— Ah, j'aurais cru…

— T'aurais cru quoi ?

Tout à coup, le ton était monté. Michel le regrettait déjà. Mais comment l'éviter ? Gustave, pourtant, toujours installé d'une fesse sur la roue avant de son tracteur, son mégot à la lèvre, semblait ne rien avoir changé à sa gouaille la plus ordinaire.

— J'aurais cru… J'aurais cru… J'sais pas trop ce que j'aurais cru. C'est que vous avez l'air bien, tous les deux, la Sylvie et toi. Pas vrai que vous êtes bien ?

Michel aurait dû rompre, changer de sujet, prétexter quelque travail ne supportant pas de délai. Mais il ne voyait pas le piège. Où pouvait-il bien être ? C'était vrai qu'il était un peu lourdaud, parfois, le Gustave. Mais que pouvait-il y changer ? Il fallait bien qu'il l'accepte tel qu'il était, avec ses lourdeurs comme avec son cœur sur la main. Il voulut blaguer.

— Ce n'est pas tout de le dire, qu'on est bien. Il faut le voir ! Cul et chemise, sans mauvais jeu de mots. Peut-être qu'on se mariera, un jour. Peut-être pas. C'est selon. Peut-être que ce ne sera pas nécessaire. On s'entend trop bien. Pourquoi raconter tout ça au maire ?

Appuyé d'une épaule à la calandre du tracteur, il disait tout ça sans trop y réfléchir, un peu en déclamant, en regardant loin devant lui, comme pour prendre à témoin l'infini des collines et des forêts que mangeait, très loin au sud, une fine brume légèrement laiteuse. Il ne vit évidemment pas l'œil féroce que Gustave leva brièvement du paquet de tabac gris dont il s'était mis en devoir de tirer de quoi se rouler une nouvelle cigarette.

— Sûr, fit le Flûtot qui s'était déjà repris et affichait un sourire parfaitement serein. Pourquoi tu lui raconterais tout ça, au maire ? C'est ton affaire, non ? Votre affaire. Ça ne regarde que vous.

Michel acquiesça gravement. Il avait plaisir à retrouver enfin un ton et des mots du Gustave comme il les aimait.

— Que nous, reprit-il sans y prendre garde.

— T'as tout de même de la veine, toi.

Gustave le surveillait du coin de l'œil tout en passant une langue rapide, aller et retour, sur le bord du papier de sa cigarette qu'il tenait à deux mains, entre pouces et index, à la hauteur de sa moustache.

— Pourquoi ? fit Michel ingénument.

— Mince ! Tu demandes encore pourquoi ? Tu arrives ici juste à temps pour hériter de la plus belle ferme du pays. Le premier que tu rencontres, c'est un bon bougre comme moi qui t'explique tout et qui t'installe là où tu aurais bien pu passer à côté et ne voir que du feu. Et, par-dessus le marché, tu trouves le grand amour à ta porte. Et tu cherches encore ta chance ?

— Non, bien sûr. Je sais que j'ai eu de la chance en arrivant ici. Mais c'est pas ce que tu crois...

Michel était perplexe, au bord de la gêne. Il sentait, derrière les paroles de Gustave, comme une tension, des ironies qu'il pressentait mais dont il ne parvenait pas à saisir le sens.

— Je ne crois rien du tout. C'est toi qui me dis, reprenait Gustave à la volée.

— Oh ! Je n'ai rien dit du tout, moi, voulut se défendre Michel.

— Bon, admettons. Tu n'as rien dit. Mais tu ne dis pas le contraire non plus. Sylvie et toi... Sacré Michel !

A bout de bras, depuis son siège improvisé qu'il n'avait toujours pas quitté, il expédia une bourrade dans les côtes de Michel. Celui-ci ne savait plus quelle contenance prendre. Pour un peu il en aurait rougi.

— Non, se défendit-il encore. Je te dis, ce n'est pas ce que tu crois. Bien sûr qu'on est bons amis, Sylvie et moi. Mais pas plus.

— Oh !

— Non, je te dis. Pas plus. Remarque bien : c'est pas que je dirais non. Mais c'est pas comme ça, que veux-tu. Peut-être, plus tard. On verra bien.

Comment dire ? Il s'étonnait lui-même de ce qu'il n'arrivait pas à s'expliquer. Alors comment exprimer toute la joie qu'il avait à évoquer Sylvie en même temps que toute l'ambiguïté de leurs rapports ?

Il n'y avait vraiment rien entre eux qu'ils aient à cacher. Et pourtant, parce qu'ils n'étaient déjà plus tout à fait de simples amis et pas encore des amants, il devait taire la folle envie qui le tenaillait de dire tout le plaisir qu'il avait à la prendre dans ses bras. Il s'étonnait de l'intensité de la souffrance que cette attente faisait monter en lui. Elle le brûlait littéralement. Il ne pouvait rien en dire et ne parvenait pas à comprendre pourquoi Sylvie lui échappait toujours, inévitablement, lorsque leurs gestes comme leurs mots venaient buter douloureusement contre cette digue épaisse, infranchissable, qu'elle avait érigée en un point précis de ce qui aurait dû rester le cours bien lisse, bien régulier de ce qui est toujours allé, depuis que le monde est monde, de l'amitié à l'amour.

— Tu veux que je te dise ? fit Gustave sur le ton de la confidence.

Que pouvait-il savoir de tout cela, ce pauvre Flûtot déjà bien embarrassé de ses propres problèmes mi-conjugaux, mi-fonciers ?

— Dis toujours.

— Tu vois, gars, si tu veux que je te dise, m'est avis que la Sylvie, eh ben, sans t'offusquer, t'es pas son genre. C'est ça qu'il y a.

Un bref instant, Michel eut la tentation de répondre. Mais Gustave l'en dispensa. Il se redressa vivement.

— Pas de tout ça, dit-il. Mais il y a de l'ouvrage. Sûr qu'il ne se fera pas tout seul.

Les deux tracteurs démarrèrent ensemble et, ensemble, reprirent le chemin du Crot-Peuriau.

15

Michel fronça les sourcils. Dans le paquet de courrier essentiellement composé de publicités qu'il ne feuilletterait même pas, du premier coup d'œil, il avait localisé une enveloppe qui ne lui plaisait pas. Elle avait la discrétion polie des plis qui n'ont rien à vendre. Une longue enveloppe d'un beau blanc crémeux qui prétendait déjà à elle seule qu'on était entre gens de bonne compagnie et qu'on n'allait pas se chamailler pour si peu.

En entrant chez lui, il la tournait en tous sens et n'osait pas l'ouvrir du doigt négligent et déchireur auquel, ordinairement, ne résistait aucune de ses pareilles.

Parti de bon matin au volant de son tracteur désormais incontournable, il était allé nourrir ses moutons, puis il avait rejoint la plus grande des terres de la Grande Cheintre. Le Haut-Foron était un vaste plateau qui dominait le Crot-Peuriau. Il était dominé, au levant, par les solides et rustiques épaulements du Grand Montot que rendaient plus froid, plus solitaire et plus sauvage encore les tristes sapins de Douglas dont on l'avait planté.

Mais le Haut-Foron semblait n'en avoir cure. De là, il s'élançait à la fois dans la grande clarté du ciel, et dans l'éclatante luminosité semblant monter des deux vallées qu'il dominait et dont le séparait le fouillis inextricable de prés en mouchoirs de poche, de boqueteaux et de haies hirsutes dont on avait laissé s'habiller ses abrupts versants.

Ainsi les grands espaces de son faîte apparaissaient comme isolés, superbement tenus à l'écart du commun des champs et des prés de la vallée tant par ces sortes de remparts naturels, dont la nature avait doté ses coteaux, que par sa propre luminosité.

Michel, qui découvrait les terres de sa propriété au fur et à mesure qu'il les localisait sur le plan cadastral, avait été captivé par le site dès qu'il l'avait atteint.

Il fallait pour cela se hasarder sur un chemin jadis probablement carrossable. Mais il y avait belle lurette que les attentions des cantonniers locaux s'en étaient détournées. Seuls l'orage et les pluies diluviennes du printemps lui avaient montré quelque intérêt dont il se serait bien passé.

La vieille voiture de Michel avait laborieusement rebondi de caniveaux en nids-de-poule et de nids-de-poule en éboulements. Mais elle avait tout de même réussi à se hisser jusqu'au bord du plateau. Les chasseurs avaient aménagé là une grande aire qui leur servait de lieu de rendez-vous. Au-delà, le chemin devenait plus hasardeux encore.

Michel avait garé sa voiture. Et le simple fait de se dresser près d'elle lui avait permis d'envisager d'un seul regard cette sorte de long épaulement, cette puissante croupe séparant deux vallées, où le temps n'effacerait probablement jamais la totalité des marques laissées par tout l'amour que l'homme avait porté à cette terre-là.

Un amour absolu, total, jusque dans l'absurde, jusqu'à vouloir l'entraîner dans la même mort qui frappait l'agriculture morvandelle. Jamais Octave n'avait voulu entendre parler du tracteur de Gustave sur le Haut-Foron. Jamais lui-même, pourtant, n'y avait remis les pieds depuis la mort de l'Honorine.

— Elle m'y a assez fait trimer, avait-il décidé une fois pour toutes au lendemain de la mort de sa mère.

Et il avait abandonné la meilleure terre du Crot-Peuriau à la ronce, à la fougère et aux genêts à balais.

A dire vrai, c'était sur celle-là, bien sûr, que Gustave portait les regards les plus intéressés. S'il récupérait le Haut-Foron, il pouvait se permettre de rendre à la Juliette les prés et les champs que son père avait mis dans la corbeille de mariage. Et, pendant qu'il y serait, il lui rendrait bien la corbeille avec, ou du moins ce qu'il en restait !

Il en rêvait, le Gustave. Mais, pour l'heure, c'était Michel qui croyait rêver en découvrant les quelque quinze hectares d'un seul tenant du plateau.

— Tu te rends compte ? avait-il dit à Sylvie, enthousiasmé, en en redescendant. Une telle terre ! Et si loin de tout. On la dirait plantée dans le ciel. Rien que pour ça, tu vois, je m'y accrocherai, à la Grande Cheintre.

Sans un mot, elle lui avait adressé un regard tellement chargé d'ironie qu'il s'était arrêté net. Il avait compris juste à temps.

— Après toi, bien sûr, s'était-il repris. Bien sûr que tu es ma première raison de rester ici. Toi, là-haut, ce serait le paradis !

Elle avait éclaté de rire.

— Eh bien, merci. Tu ne crois tout de même pas que tu vas m'y enfermer, dans ton paradis ?

— Mais non, bien sûr, ce n'est pas ce que j'ai voulu dire. Mais tu connais, là-haut ? Non ? Eh bien, je t'y emmènerai, un jour. Et tu verras si je n'ai pas raison.

Il lui avait proposé à plusieurs reprises d'entreprendre l'expédition. Mais, sans qu'il parvienne à comprendre pourquoi, elle s'était toujours défilée.

Lui, pourtant, y était souvent remonté. Malgré l'énormité de la tâche, il s'était attelé au débroussaillage du Haut-Foron. A chaque fois qu'il le pouvait, il engageait son vieux tracteur dans le chemin défoncé qui escaladait le flanc du plateau.

Il avait traîné jusque là-haut une antique faucheuse tractée qu'il avait trouvée dans le matériel abandonné à la broussaille par Octave. Comme il avait également découvert, sur les étagères poussiéreuses de ce qui avait été une sorte de petit atelier, un stock considérable de sections du type convenant à cette pièce de musée, il ne craignait pas de l'édenter quelque peu sur la broussaille qu'il prétendait lui faire faucher.

En fait, sans le moindre souci de nettoyage systématique, il avait commencé par tracer un vague passage tout autour du plateau, au plus près possible de ses limites. Puis il s'était lancé dans ses diagonales, traçant d'étonnants chemins dont les détours n'étaient dictés par rien d'autre que l'épaisseur des troncs d'églantiers, d'aubépines ou même de genêts dont il préférait tout de même éviter le choc à sa vieille faucheuse.

Quant au dessous de son tracteur, à force de se faire raboter par les vagues épaisses des broussailles qu'il écrasait en cahotant, il n'avait jamais été aussi propre ! Gustave n'avait évidemment pas manqué de le lui faire remarquer en public, un jour qu'il avait garé son engin sur la place du pays à l'heure de l'apéritif.

— Vieux, c'est pour tâcher de le rendre plus neuf que tu lui astiques le ventre ? avait-il ironisé lorsque Michel était venu rejoindre la bande des habitués de chez Marcel.

Il n'avait même pas relevé. Gustave, depuis quelque temps, semblait trouver un malin plaisir à manier à son égard un humour un peu grinçant et quelque peu méprisant dont Michel ne comprenait pas les raisons. Mais il se gardait bien, évidemment, de se formaliser.

— Oh, les gars ! préféra-t-il répondre, rigolez

pas : encore un effort et je pose le filet à moutons tout autour du Haut-Foron. Avec tout ce que j'ai coupé de broussailles, ça laissera venir assez d'herbe pour mes cinquante bestiaux. A l'automne, à ce rythme-là, j'en aurai refait un pré. C'est pas beau, ça ?

Gustave acquiesça énergiquement, plus encore peut-être que les autres. Car il n'en démordait pas. Il espérait bien être le bénéficiaire final de cette étonnante énergie que Michel dépensait sans compter à remettre en état les bâtiments et les terres de la Grande Cheintre.

Encore qu'il commençait tout de même à se poser des questions. L'autre y mettait tant d'ardeur et y réussissait si bien qu'il fallait qu'il y ait une bonne raison. On ne se dépense pas comme ça pour rien et surtout pas pour le bien des autres. Il fallait qu'il y ait, là derrière, quelque chose de caché. Mais quoi ?

Gustave avait sa petite idée. Mais il ne pouvait pas croire que tout cela n'ait pas encore conduit Michel dans le bureau du notaire. Entreprendre tout ce travail, y mettre tant d'ardeur, y dépenser tant d'argent sans prendre la précaution élémentaire de s'assurer qu'on ne le fait pas pour les autres lui paraissait totalement inconcevable. Ou alors, il fallait que Michel soit particulièrement sûr de lui.

Que ce soit en fait l'inverse et que Michel n'ait rien entrepris d'officiel de peur de voir s'effondrer son rêve était évidemment de nature bien trop abstraite et irréaliste pour que la seule idée puisse en venir à l'esprit très pragmatique de Gustave. Lui en tenait pour un document, une preuve quelconque que Michel avait pu découvrir soit chez lui, dans le Nord, soit dans la maison même de l'Octave.

Et cette seule idée mettait Gustave en transe. « Si ça tombe, se morigénait-il, c'est moi qui ai mis le loup dans la bergerie. » Et, bien sûr, il s'en faisait un monde, se reprochait amèrement sa légèreté, devenait méfiant et s'ingéniait à ne pas trop le montrer.

Il était partagé entre le fol espoir, qui continuait à le tenir, de voir sa manœuvre réussir et l'angoisse que vienne à poindre le jour où tout cela s'effondrerait.

Ce n'était pourtant pas lui qui avait trouvé dans sa boîte aux lettres, ce matin-là, un pli trop poli pour être tout à fait honnête.

Michel prit tout de même le temps de ranger son matériel. Il gara son tracteur près de sa voiture, dans l'aire de grange, et revint prendre son courrier sur le muret où il l'avait posé. Au passage, il jeta les publicités dans la poubelle. Puis il lui fallut bien se résoudre à entrer chez lui.

— Mais oui, j'arrive. Je t'ouvre, dit-il à son chat qui se frottait à ses jambes en réclamant énergiquement qu'il lui livre accès à ses coussins et à ses croquettes.

Il entra devant lui, très digne, la queue très droite, et alla tout droit à son bol.

— Toi, dit Michel pour se donner une contenance, il n'y a vraiment que la gueule qui compte !

Il cherchait un couteau dans le tiroir du buffet. Il alla encore allumer la lampe au-dessus de la table et se résolut enfin à introduire la pointe de la lame dans l'angle de l'enveloppe. Un fin copeau de papier se détacha, lorsqu'il l'ouvrit, en s'enroulant élégamment sur lui-même.

Il posa méthodiquement le couteau sur la table, devant lui, la pointe vers le fond de la pièce, écarta les bords de l'enveloppe et examina ce qu'il voyait de son contenu en fronçant les sourcils.

— Mince, le notaire, dit-il d'une voix égale dont il parvint à chasser le moindre signe d'affolement.

En fait, il était glacé d'angoisse. « Pourvu que Sylvie soit là », ne put-il s'empêcher de penser comme si la feuille, qu'il faisait lentement glisser hors de l'enveloppe, eût été à elle seule le naufrage à l'instant duquel on s'inquiète de l'existence du gilet de sauvetage.

Toujours à gestes très précis, méticuleux, il posa l'enveloppe bien à plat sur la table, parallèlement au couteau. Et il déplia lentement la feuille de couché coquille d'œuf pâle en haut et à gauche de laquelle, en sobres caractères d'imprimerie, s'étalaient le nom et l'adresse du notaire.

Un long moment, il parvint à considérer l'ensemble de la lettre et sa présentation irréprochablement équilibrée sans se laisser distraire par le moindre détail. Il admira la signature, un trait, un seul, mais ainsi tourné qu'il devait être impossible à reproduire.

Puis, d'un seul coup, après avoir pris une grande inspiration, il se jeta à l'eau.

« Monsieur, lut-il, veuillez je vous prie fournir à mon étude sous un délai de trois jours tous les éléments de nature à justifier de votre droit à occuper et à exploiter le domaine indivis de la Grande Cheintre, sis sur la commune du Crot-Peuriau.

» En l'absence, vous voudrez bien quitter les lieux et en remettre les clefs à mon étude sous un délai de cinq jours au-delà duquel nous serions au regret de devoir faire valoir les droits des indivis Grollier par voie de justice.

» Croyez, Monsieur, je vous prie… »

— Je m'en fous… dit Michel en posant la lettre sur la table, à côté de l'enveloppe et du couteau.

Ce n'était que pour se donner une contenance, car il n'en pensait rien.

Très raide, il pivota sur ses talons et vit le chat, au coin de la cuisinière, qui se régalait de ses croquettes.

— Hein, le chat, qu'on s'en fout ? dit-il.

Le chat se détourna un instant de son repas, considéra son maître d'un air étonné. Estimant sans doute qu'il n'y pourrait rien changer, il choisit de ne plus s'en inquiéter et plongea à nouveau son fin museau dans les croquettes.

Michel, qui, tendu comme une corde, s'efforçait de penser le plus intensément possible mais en évitant soigneusement tout emballement, eut de la main un bref geste énergique qu'il ponctua d'un claquement des doigts.

— Pas si mal, dit-il tout haut. Ils doutent. Sinon j'aurais déjà les flics.

Mais il eut aussitôt l'air très ennuyé.

— Oui mais… Il va falloir prouver. Que c'est embêtant de prouver…

Il se gratta le cuir chevelu en pivotant à nouveau sur lui-même pour faire face à la table sur laquelle, bien à plat, à côté de l'enveloppe et du couteau, trônait cette lettre d'autant plus ennuyeuse qu'elle fixait des délais. Et qu'il ne pouvait plus faire comme si elle et le reste n'existaient pas.

Il la prit, la relut rapidement, la reposa exactement au même endroit, bien parallèle à l'enveloppe, elle-même parfaitement alignée sur le couteau.

— L'œuf, dit-il. Il faut percer le mystère de l'œuf. La clef du problème est dans la raison d'être de cet œuf.

Puis il ajouta :

— Sylvie… C'est Sylvie qui va m'aider.

16

Depuis deux jours, les moutons étaient au Haut-
Foron. Et le délai fixé par le notaire n'avait plus que
trois jours à courir.

Comme par un fait exprès, Sylvie était rentrée
trop tard, la veille au soir. Michel était resté seul
avec la lettre du notaire qu'il avait peut-être relue à
cinquante reprises. A chaque fois, il l'avait reposée
sur la table avec une moue de satisfaction. Après
tout, s'ils lui demandaient de justifier de son droit à
occuper et à exploiter la Grande Cheintre, c'était
bien qu'ils n'excluaient pas que ce droit puisse exister. Sinon, auraient-ils pris la peine de lui poser de
telles questions ?

Oui, mais il y avait ce délai de cinq jours qu'on
lui laissait pour évacuer les lieux. Et celui-là le pani-
quait. Bien sûr qu'il croyait confusément à ses droits
à rester là. Mais comment en faire état ? Où étaient-
ils, ces droits-là ? L'état civil, avait dit Sylvie. Peut-
être. Mais comment aborder ce monde à la fois glacé
et touffu dont Michel n'avait jamais voulu se soucier ?

Et puis, après tout, puisqu'ils semblaient douter
eux-mêmes de leur droit à le mettre dehors de la
Grande Cheintre, n'était-ce pas à eux de produire les
pièces qui l'établissaient ? Pourquoi fallait-il que le
point de départ soit nécessairement l'obligation dans

laquelle on voulait qu'il soit de prouver son droit ? Pourquoi ne pas poser dès le départ que c'était à eux à démontrer l'inverse ?

Tout ça, à vrai dire, l'ennuyait profondément. D'autant plus qu'il lui semblait que le droit essentiel, primordial, quasi unique qu'il aurait voulu se voir reconnaître, c'était tout simplement la capacité qu'il revendiquait à être heureux en un lieu où personne d'autre que lui ne semblait avoir eu cette idée.

Puisque personne n'en voulait, de la Grande Cheintre, que venaient-ils l'ennuyer avec toutes leurs questions et leurs délais dont il était pourtant évident qu'ils n'intéressaient personne ? « Cinq jours pour fermer à tout jamais cette maison… » se désolait Michel sans pourtant parvenir à trouver au fond de lui le ressort qui l'aurait fait réagir.

Il avait mal dormi et s'était néanmoins levé, ce matin-là, de très bonne heure. Le nez passé au coin du rideau lui avait confirmé que le ciel, encore velouté de nuit, ne brandissait aucune menace de pluie.

« Tant pis pour l'ordinateur, pensa-t-il. Ça peut attendre. Aujourd'hui, je m'offre une journée complète là-haut. Le reste… »

Il ne parvenait plus à se passer du Haut-Foron. C'était comme une drogue. Il lui fallait chaque jour sa dose d'immensité, de lumière et de solitude. Il lui fallait la proximité de son troupeau qu'il sentait heureux, là-haut. La veille, il lui avait fallu chercher durant plus d'une heure pour parvenir à localiser ses bêtes dans l'immensité broussailleuse.

« Un jour, s'était-il dit, j'aurai un chien. » Comme si c'était encore un pas prodigieux à accomplir vers son intégration complète à cette nouvelle vie.

« Et dans trois jours, qu'est-ce que j'en ferai, de mon chien ? » ne put-il s'empêcher de penser en poussant doucement son chat dehors, avant de refermer la porte sur lui.

Sur les collines et la forêt de velours noir, le ciel était bleu pétrole. De l'orient déjà poudré d'or, une étonnante lueur coulait et se diluait sur tout le ciel, allumant, encore loin au-dessus de la terre, le resplendissant manteau de l'aube.

Le chat se frottait obstinément à ses jambes. Michel baissa les yeux.

— Toi, dit-il, tu n'es pas content parce que je t'ai réveillé. Allez, viens. Je sais où tu la finis, ta nuit, va. Je vais t'y emmener.

Il le prit dans ses bras. Le chat, il le savait, se réfugiait, à chaque fois qu'il le réveillait ainsi, sur une étagère de la cabane à outils où, de quelques vieux sacs, il s'était fait un coussin sur lequel il pouvait encore se prélasser quelques bonnes heures.

Il traversa la cour et, le chat bien installé contre son épaule, allait pousser la porte du jardin lorsque, devant lui, quelque chose bougea. D'instinct, il s'immobilisa. Il avait senti ce mouvement plus qu'il ne l'avait vraiment vu. Et il lui fallut quelques instants pour bien le localiser.

De l'autre côté de son potager, dans l'ombre du mur de la maison de Sylvie, il n'aurait peut-être rien remarqué si la vitre de la porte de derrière, que l'on refermait doucement, n'avait pas accroché un reflet de cette belle lumière sidérale.

Surpris, son chat toujours sur les bras, Michel traversa le jardin en quelques enjambées et fut vite à quelques pas de la porte. Elle semblait close et il fut bien près de croire qu'il avait rêvé. Il allait faire demi-tour et s'éloigner lorsque son chat, sur son épaule, se raidit tout à coup et se mit à grogner sourdement.

— Qu'est-ce qui t'arrive ?

Intrigué, Michel fit encore un pas vers la porte. Devant elle, quelque chose brillait très légèrement et par intermittence. Il se pencha. Son chat, cette fois complètement affolé, lui échappa en crachant toutes les injures de son répertoire. Et il reçut en pleine figure une haleine éminemment aimante mais légèrement putride dont il était évident qu'elle ne pouvait appartenir qu'à l'Ouasse.

— Qu'est-ce que tu fais là, toi?

Michel chuchotait. Il s'agenouilla devant le chien et le caressa. L'autre, fermement assis devant la porte, lui manifestait toute sa sympathie habituelle mais ne semblait nullement décidé à s'écarter du poste de garde qu'on avait dû lui assigner.

«C'est quoi, ça?» se demanda bêtement Michel en se redressant.

Tout son être en était encore à lutter avec la force du désespoir contre la brutale évidence qui distillait lentement son poison en lui.

«C'est pas possible, ça ne peut pas être», voulut-il encore se persuader en fixant désespérément la vitre derrière laquelle la maison baignait dans une ombre épaisse. La folle tentation le prit d'entrer à son tour. Il fit un pas en avant, dut contourner l'Ouasse qui geignait doucement, mal à l'aise, osa poser la main sur le bec-de-cane. Il s'abaissa presque de lui-même, mais la porte ne céda pas. Michel poussa un peu plus fort. Il n'y avait pas de doute: elle était bien verrouillée de l'intérieur.

— Je n'ai pourtant pas rêvé, dit-il à voix basse au chien qui haletait sans le quitter des yeux.

Abasourdi, refusant encore obstinément d'admettre l'affolante réalité de la seule hypothèse qui se formait en lui, il resta un long moment planté devant l'Ouasse qui continuait de le fixer.

— C'est bon, murmura-t-il enfin. C'est bon...

Puis il recula de quelques pas, fit prestement demi-tour et retraversa vite son jardin, le dos voûté, comme s'il avait craint d'y être surpris.

17

Lorsque Michel arrêta son tracteur devant la porte de son pré, sur le Haut-Foron, le jour était établi. Un jour net, encore trop dur, trop ignorant des nuances. Le soleil n'avait pas encore jailli de derrière les lointaines collines de l'Auxois qu'il embrasait. Et chaque chose, dans cet ordre provisoire intermédiaire entre la nuit et le grand jour, se dressait dans l'éther avec une netteté trop brute. Pour que s'établisse la subtile harmonie des haies, des sous-bois, de la friche ou des lointaines lisières, il manquait encore que naissent les ombres et que monte de la terre le voile infime de la brume qui dilue et fusionne.

Michel abandonna son tracteur où il l'avait arrêté, le nez presque contre le filet de la clôture. Il entra dans le pré et partit droit devant lui, à grandes enjambées.

Son esprit se refusait tout bonnement à la moindre réflexion un peu logique et réaliste. C'était comme s'il s'était volontairement immergé dans une sorte d'épais brouillard de coton opaque. Et il lui semblait qu'il planait vaguement là-dedans sans parvenir à établir ni vouloir la moindre cohérence dans ses pensées.

Il allait à grands pas, cherchant distraitement, dans les allées que sa vieille faucheuse avait dessinées dans la broussaille ambiante, de part et d'autre du chemin qu'il avait nettoyé, sa cinquantaine de moutons qui les parcouraient à longueur de journée, à la recherche de la maigre pitance qu'avril pouvait leur proposer.

Sans réfléchir, surtout, il lui suffisait de marcher, droit devant, pour entretenir l'illusion que ne brûlait pas en lui le gigantesque incendie dont l'Ouasse, seul, de garde devant la porte de Sylvie, ne pouvait pas savoir qu'il l'avait allumé. Michel allait à trop grands pas, à trop grande allure, à trop fausse détermination, pour s'interdire d'admettre ce qui pourtant était en lui. Il ne lui fallait surtout pas écouter la voix de l'évidence trop paisible et trop raisonnable, trop raisonneuse. Il lui fallait à tout prix persister à croire qu'aucune ruine ne s'amoncelait dans son esprit.

Il lui fallait tout à la fois garder les yeux grands ouverts mais ne rien voir. Alors, le regard planté droit dans le néant, il allait à grands pas sous prétexte de visite à ses moutons.

Au milieu du plateau du Haut-Foron ou presque, une légère dépression dessinait un petit vallon tout en haut duquel s'épanchait une source. Michel aimait entre tous cet endroit paisible qu'il avait découvert au hasard de ses allées et venues, du haut de son tracteur se raclant le ventre sur les broussailles et tractant la vieille et bruyante faucheuse qui n'en finissait pas de casser ses sections sur les nœuds de ronce ou les pieds trop solides de verne, d'églantier ou d'aubépine.

Il s'était pourtant acharné et avait réussi à dégager presque entièrement cette infime vallée que les moutons avaient tout de suite adoptée, la promettant, de leurs passages assidus, à un retour rapide à un état proche de celui de pré.

Ils étaient bien là. Encore serrés les uns contre les autres, dans la fraîcheur du matin, ils remontaient lentement le vallon, le mufle au sol, sans cesse agité du mouvement rapide des mâchoires mastiquant le moindre brin d'herbe et les débris végétaux qu'ils parvenaient encore à trouver sur la terre pourtant malmenée de tant d'années d'abandon.

La vue soudaine de son petit troupeau allant paisiblement fut, pour Michel, comme une caresse rafraîchissante. Debout en haut du talus qui dominait le vallon, il attarda quelques instants sur eux un regard rayonnant d'aise.

Il avait pourtant déjà vu la silhouette dominant son troupeau, en face de lui. Et il retardait simplement, de quelques brefs instants d'insouciance, le moment où il lui faudrait assombrir son regard en le levant vers l'étrange personnage dont le vallon et son troupeau le séparaient et dont il pressentait déjà qu'il n'était pas venu jusque-là pour partager son rêve.

De l'homme qui lui faisait face, il ne voyait rien qu'un chapeau de feutre noir à large bord dans l'ombre duquel se dissimulait le regard, et une grande cape tout aussi sombre dont n'émergeaient guère, sur la gauche, qu'un long bâton appuyé à l'épaule et, par-dessous, des bas de pantalons rayés tombant sur de gros brodequins cloutés.

L'apparition avait quelque chose d'un peu irréel. D'autres matins, qui levaient parfois de longues écharpes de brumes, auraient pu lui conférer un aspect fantomatique lui convenant bien. Mais l'air de ce matin-là se refusait obstinément à la moindre fantaisie. Et, sur l'opaline laiteuse du ciel, le dessin au trait de cette cape et de ce chapeau noirs avait quelque chose de dur et d'âpre qui fit frémir Michel.

Juste à temps, il s'interdit d'aller au-devant de la silhouette.

— Vous cherchez quelque chose ? cria-t-il par-delà le vallon.

Les moutons, surpris, s'égaillèrent vivement vers le bas du vallon. C'est à peine si le chapeau et la cape frémirent.

— Oui : toi, dit simplement la voix à peine chevrotante d'un très vieil homme.

Dans le mouvement qu'il fit vers lui, Michel crut voir les premiers rayons du soleil, à l'instant précis où il émergeait de la frise noire des futaies, faire ruisseler d'or le visage couvert d'un réseau étonnamment dense de fines rides.

— Je suis là, dit-il. Que me voulez-vous ?

L'homme releva le bord de son vaste chapeau et l'argent de ses moustaches, de ses sourcils et de ce qu'il pouvait voir de ses cheveux se mêla à l'or de sa peau basanée inondée de soleil levant.

— Je veux savoir qui tu es.

Il restait parfaitement immobile, à l'extrême bord du talus, au-dessus du minuscule vallon dans lequel les moutons, déjà rassurés, étaient revenus.

— Ça vous regarde ? fit Michel tout à coup presque agressif.

Il avait la tête ailleurs et ne se sentait pas trop disposé à se plier au jeu d'un étranger à qui il ne pourrait rien confier de ses interrogations et de ses angoisses.

— Plus que tu ne le penses, cria l'homme d'une voix forte et sur un ton si ferme que Michel sursauta.

— Qui êtes-vous ? demanda-t-il en se gardant bien d'abandonner le moindre pouce de sa position.

— Je m'appelle Fossurier, dit l'homme toujours immobile, par-dessus le vallon. Gaston Fossurier. Et j'étais maquignon. Je connais le pays entier, chaque homme, chaque femme, chaque étable, chaque maison, de la cave au grenier, ou presque. Oui, da, je connais certains greniers mieux que leurs propriétaires eux-mêmes. C'est fou ce qu'il y a dans les greniers. C'est fou ce qu'on y apprend, dans les greniers. Tu ne penses pas ?

Michel resta interdit. Quel était cet étrange discours ?

— Tu ne penses pas ? insista Gaston Fossurier.

Puis, tout à coup, il se mit en marche. Sa large cape se gonfla comme une aile noire lorsqu'il dévala le talus. Il atteignit les moutons sans que ceux-ci semblent le remarquer. Il fendit leur masse grise sans ralentir son pas, la dépassa, et fut bientôt juste en dessous de Michel.

Un long moment ils se dévisagèrent.

Levé vers Michel, dans la lumière du matin naissant, le vieux visage était un dédale étonnamment complexe d'ombres et d'étroits cheminements lumineux qui semblaient naître des braises noires de son regard.

D'un geste sec, presque coléreux, il frappa le sol de son bâton.

— Qui es-tu pour prétendre succéder aux maîtres de la Grande Cheintre ? martela-t-il avec colère.

— Où sont-ils, les maîtres de la Grande Cheintre ? répliqua Michel sans se démonter.

— Et ça te donne le droit de prétendre les égaler ?

— Puisque personne ne le veut ; puisque tous ont renoncé.

Gaston Fossurier parut être sensible à l'argument. Le large sourire qui éclaira la vieille face était plus qu'engageant. Il acquiesçait. Mais il se reprit vite.

— Ce serait tout de même trop facile, dit-il, redevenu grave. Et ce n'est pas parce que tu t'appelles Grollier. Ce n'est pas suffisant.

— Qu'en savez-vous ?

Michel ressentait une sorte d'étrange jubilation un peu hargneuse à relever chacun des coups que pensait lui porter l'autre, et à tenir bon.

Il était arrivé là comme hébété, incapable d'admettre et de raisonner ce que, bien involontairement, ce brave Ouasse lui avait révélé. Il y avait à la fois trop de sordide logique, dans tout cela, et trop de monstrueuse incongruité pour que les visions que Michel s'était faites de Gustave, d'une part, et de Sylvie, d'autre part, soient devenues, tout à coup, en se rencontrant, comme une sorte de grand corps mou flottant dans son esprit, sans plus de référence et sans qu'il puisse, bien sûr, les recadrer, l'un comme l'autre, à l'aune de la réalité qu'il venait d'apercevoir.

Alors, cet homme, ce Gaston Fossurier qui se trouvait tout à coup sur son chemin, qui l'agressait, c'était comme un amer, comme le point fort inespéré sur lequel il fallait vite crocheter avant que naissent, de la brume du doute qui se levait en lui, d'autres certitudes, d'autres rocs acérés sur lesquels il aurait bien du mal à ne pas venir se déchirer. Et Michel crochetait avec l'énergie du désespoir, sans rien abandonner à l'autre.

Le vieux semblait, d'ailleurs, accuser le coup. S'attendait-il à une pareille défense ? Il contempla longuement Michel sans mot dire. Puis, lentement, en s'aidant de son long bâton, il gravit le talus. Il vint s'asseoir sur un bout de rocher, à deux pas de Michel.

— C'est-y que tu serais…

Il n'acheva pas sa phrase.

— Trop simple, dit-il en hochant énergiquement la tête. Tu peux toujours dire, mais il faut prouver, petit. Et quelle preuve as-tu ?

— Et vous, fit Michel, irréductible, vous l'avez, votre preuve ?

Gaston Fossurier parut décontenancé.

— Ma preuve ? Quelle preuve ? dit-il.

— Vous voyez, triompha Michel.

— Allons, allons, fit Gaston Fossurier. N'inverse pas les rôles, veux-tu ? La preuve, c'est à toi de l'apporter.

— Et pourquoi ? lança Michel qui n'entendait rien céder des positions dont il sentait confusément qu'il les devait à la spontanéité de son agressivité. Pourquoi c'est à moi d'apporter la preuve ? Et si on faisait chacun la moitié du chemin ? Essayez donc, pour voir, de me démontrer que je n'ai aucun droit à la Grande Cheintre !

— J'ai jamais dit ça, fit Gaston Fossurier en ayant de la main un geste apaisant. Et je voudrais bien dire l'inverse. Mais, pour ça, tu dois comprendre qu'il faut que je sache qui tu es.

Il appuyait sur Michel un regard apaisé. Il voulait se montrer son ami, c'était évident. Et Michel, tout à coup, se sentit piégé. Ou bien il en restait à son agressivité primaire et il se faisait irrévocablement un ennemi ; ou bien il entrait dans le jeu de Gaston Fossurier. Et il craignait alors, en s'apaisant, de laisser déferler les flots d'angoisse, d'amertume et de souffrance qu'il contenait de plus en plus difficilement, depuis qu'il avait laissé l'Ouasse, après une dernière caresse, devant la porte de Sylvie.

Tenir tête au vieil homme, parler fort et ferme avait été comme un barrage dressé là pour contenir les flots de désarroi dont il redoutait qu'ils l'emportent. Son esprit entier s'y était consacré comme pour éviter de penser à autre chose. Mais que ferait-il s'il acceptait de s'asseoir là, sur la pierre affleurante que Gaston Fossurier lui indiquait avec insistance de la pointe de son bâton ? N'allait-il pas céder, s'effondrer et devoir fuir pour ne rien avoir à dire à cet homme qu'il ne connaissait pas ?

Et puis, que faisait-il là, celui-là ? Michel avait pris le chemin du Haut-Foron pour être seul ; seul sur un bout de terre solitaire, loin de tout, où il comptait que son esprit travaillerait librement, sans contrainte pour qu'il ne cède pas, une fois de plus, à la déferlante du trouble et du doute dont il sentait monter la lente et inexorable marée.

Et il fallait qu'apparaisse ce vieil homme, ce matin-là, comme par dérision. Il savait bien qu'il ne pouvait pas y échapper. On ne choisit pas son moment.

Alors, avec un profond soupir, il vint se laisser

tomber sur le siège improvisé que lui indiquait toujours Gaston Fossurier.

— A la bonne heure ! dit-il.

— Qu'est-ce que vous voulez savoir ? grinça Michel qui ne voulait pas que soit dit qu'il avait désarmé trop vite.

— Alors, comme ça, c'est Grollier que tu t'appelles ?

— Justement.

— Ça ne prouve rien.

— J'ai jamais dit le contraire.

— Des Grollier, il y en a peut-être bien des mille et des cents. C'est pas pour ça qu'ils peuvent hériter de la Grande Cheintre.

— Il n'y en a qu'un qui est venu s'y installer pour de bon.

— Là, je ne dis pas. T'es bien le seul. Mais ça ne fait jamais qu'une condition de remplie sur trois.

— Trois conditions ?

— Sûr.

— Lesquelles ? L'Octave Grollier n'en a pas posé d'autres.

— Qu'est-ce que tu en sais ? Et puis, l'Octave Grollier, ce n'était pas le bon Dieu. Qui sait seulement s'il avait son mot à dire ?

— Qui pouvait dire, si ce n'était pas lui ?

Le vieux préféra éluder. Il n'était pas encore temps.

— Tu ne m'as toujours pas dit, reprit-il. Qui te dit que tu es bien le cousin de l'Octave ?

— Qui dit le contraire ?

— Arrête, petit, tu veux ? Ce jeu-là ne te mènera nulle part. Ce n'est tout de même pas difficile de savoir par quel bout vous étiez cousins, non ? Tu t'en es occupé, au moins ?

Michel coula un regard méfiant vers le père Fossurier.

— Et pourquoi j'irais m'acharner à prouver que je suis le cousin d'un dont vous dites vous-même

155

qu'il n'avait peut-être pas son mot à dire ? Vous voyez bien que vous avez autant à me prouver que moi à vous dire.

Il marqua un temps d'hésitation très bref et eut un regard presque inquisiteur pour le vieux qui, sans un mot, le laissait venir.

— Je sais ce que je sais, dit-il encore. Peut-être qu'il n'est pas encore temps de dire.

Il avait dû montrer un tout petit peu trop de sûreté de lui. Gaston Fossurier l'arrêta d'un geste sec.

— Des photos dans des cadres, ça ne suffit pas, dit-il en se redressant et en dardant un regard dur sur Michel. Ça ne prouve rien, insista-t-il en martelant le sol de la pointe de son bâton.

Pour le coup, Michel restait sans voix. Mais qui était donc ce vieux drôle qui en savait apparemment fort long ?

— Quelles photos ? voulut-il naïvement ergoter.

Le père Fossurier se contenta de laisser un fin sourire illuminer le réseau dense des rides de son visage.

— L'œuf ! dit-il. Tu voudrais bien savoir ce qu'il veut dire, cet œuf-là, pas vrai ?

— Qui vous a dit ? s'emporta maladroitement Michel.

En abaissant son chapeau sur son front d'un geste instinctif, Gaston Fossurier se contenta d'ajouter à son sourire une nuance narquoise qui exaspéra Michel.

— Et puis, zut ! fit-il tout à coup en perdant son sang-froid. Qui êtes-vous pour vous mêler de tout ça ? Vous me faites perdre mon temps. J'étais venu ici pour travailler, moi.

Sur l'instant, Gaston Fossurier fut debout.

— C'est bon, dit-il. Puisque tu le prends comme ça… Seulement voilà, je m'en vais tout de même te dire, petit. Il n'y a pas bien des choses que Gaston Fossurier ne connaît pas. Et il n'y a pas bien des gens qui sont assez bêtes pour ne pas écouter ce que Gaston Fossurier a à leur dire. Même un notaire, tu vois, petit, ça écoute Gaston Fossurier. Alors, ce que

156

je peux te dire, c'est que le délai de cinq jours, tu n'as pas à t'inquiéter : j'en fais mon affaire... Parce que tu es le seul à t'être intéressé à la Grande Cheintre, pour le travail que tu as déjà fait et parce que je voudrais que tu le continues.

Il avançait à pas lents, la tête baissée et s'appuyant lourdement sur son bâton. Michel, abasourdi, le suivait sans le quitter des yeux et en buvant ses paroles. Il sursauta presque lorsque Gaston Fossurier s'arrêta soudain et lui fit face en se redressant vivement.

— A une condition, ajouta-t-il d'une voix forte.

— Ah bon, fit Michel surpris. Et laquelle ?

— Que tu t'occupes sérieusement de savoir qui tu es et qui est cet homme aux longues moustaches, sur les photos.

Ils arrivaient en vue de la porte du pré.

— Vous savez, vous ? osa demander Michel.

Le sourire se fit énigmatique. Le vieux eut un geste fataliste de la main.

— J'ai bien mon idée, dit-il. Mais...

Il s'interrompit.

— Dites-moi, insista Michel.

— Non, dit-il. Je ne sais rien. Ce n'est qu'une idée. Ça ne prouve rien. C'est à toi de trouver, c'est à toi de prouver.

Il ouvrit la porte du pré et la franchit. Il prit encore le temps de raccrocher les fils électriques. Puis il leva un visage très grave sur Michel.

— Fais vivre la Grande Cheintre, petit, dit-il. Et parce que le père Fossurier sera ton ami, tant qu'il sera là, rien ne pourra t'arriver.

Michel, seul dans son pré, resta un long moment à contempler la silhouette qui s'éloignait, au rythme bien réglé de la canne, qui allait d'avant en arrière, de la grande cape noire qui se balançait de droite à gauche, et du chapeau à large bord que chaque pas faisait alternativement monter et descendre.

18

Gustave, année après année, en avait fait une sorte de fête. C'est que ce n'était pas une mince affaire ! Lâcher d'un coup un taureau et vingt-cinq vaches, dont certaines déjà suivies de leur veau, après leur longue claustration hivernale, ne se faisait pas sans quelques précautions.

Libérées de leur chaîne, les bêtes semblaient déjà perdues. Tête basse, œil rond et affolé, le dos voûté, ramassées sur elles-mêmes, sans bouger de la place rassurante et chaude qu'elles avaient piétinée durant les mois de froidure, elles emplissaient l'air du désespoir et de la panique de leurs meuglements.

Après les avoir détachées l'une après l'autre, Gustave, sans nuance, y allait à grands coups de son long bâton de coudrier sur les mufles, obligeant les bêtes à reculer, à oser faire demi-tour, à affronter l'espace et la lumière. Complètement aveuglées, n'ayant plus, du déplacement de leur corps, que la dimension verticale, elles titubaient légèrement, piétinaient, s'essayaient à quelques pas hésitants. Quelques-unes, déjà enivrées de liberté, esquissaient quelques lourdes cabrioles qui ajoutaient encore au désordre. Mais il n'en était pas une pour oser poser un sabot au-delà de la limite fixée par le frais soleil d'avril projetant sur le pavage de l'étable la forme parfaite de l'encadrement de la porte.

Alors, quand, à force de coups de bâton, il avait réussi à détourner tout son monde des mangeoires, cassant irrévocablement le bel équilibre hivernal, Gustave commençait le grand numéro. Il se déchaînait. A grands cris, à grands moulinets de bras et de bâton, à grands sauts de droite et de gauche, aidé de l'Ouasse qu'amusait beaucoup tout ce tapage, dont il ne comprenait pas bien la raison d'être, mais auquel il ajoutait sans vergogne ses jappements, il poussait son monde. Il criait, il dansait, il bondissait, heurtant violemment de la poitrine les flancs affolés qui, à chacun de ces rudes contacts, étaient parcourus de formidables soubresauts.

C'était en somme toujours la même mélopée que murmurait, disait, chantait ou hurlait le Flûtot à ses bêtes selon les circonstances. Aucun autre langage que celui, ancestral, des bouviers ne peut revendiquer les étranges sons inarticulés modulés au fond de la gorge et que Gustave, ce matin-là, projetait loin devant lui d'un formidable souffle. Et c'étaient ces mêmes sons, mais sur un tempo bien plus doux, que fredonnait inlassablement jadis le bouvier allant du même et immuable pas devant son attelage, dont les oreilles frémissaient sans cesse d'attention.

Enfin, une bête, violemment poussée par les autres, osait forcer la barrière qu'elles imaginaient dressée devant leurs naseaux, entre ombre et soleil. C'était en général le taureau qui jaillissait ainsi le premier dans le resplendissement de la lumière d'avril. Et bien rare était celui, parmi tous ceux que Gustave disposait savamment autour de sa cour, que laissait indifférent cette brutale apparition. C'était comme un prodigieux ressort que la peur du choc avec cette barrière imaginaire aurait compressé à l'extrême et que propulsait loin en avant la détente, en une fraction de seconde, de l'énorme masse de ses muscles dont on voyait rouler souplement les longues rotondités sous sa toison blanche.

La bête, projetée et libérée par la pression de la

cohue que poussaient en avant les gestes et les hurlements de Gustave, se livrait en général à quelques bonds désordonnés assortis de violentes ruades et de puissants coups de cornes dans le vide. Immanquablement, ils faisaient prestement reculer tous les aides que Gustave avait réquisitionnés mais qui étaient bien peu désireux de se mesurer à un tel monstre.

Il se calmait pourtant bien vite et se retrouvait apaisé et même vaguement somnolent, dans un coin de la cour, à ruminer tranquillement en attendant que tout le troupeau soit sorti et qu'on le dirige vers les prés.

Les vaches, elles, toujours poussées par les hurlements associés de Gustave et de l'Ouasse, sortaient en général par deux ou par trois, se bousculant, se heurtant violemment dans la porte trop étroite où il n'était pas rare qu'elles restent coincées, incapables, dans leur panique, d'imaginer qu'elles puissent faire le moindre geste en arrière.

« Pousse donc vers moi ! » hurlait alors Gustave du fond de l'étable. Puis il se taisait, imposant sans ménagements le même silence à son chien en lui enserrant le museau dans ses mains.

C'étaient alors de courts moments de calme relatif, d'étranges silences peuplés des seuls frottements des grands corps les uns contre les autres, de souffles profonds et de quelques brefs meuglements plus ou moins paniqués.

— Alors, ça vient ? s'impatientait Gustave.

L'un ou l'autre, le bâton haut et le pas prudent, s'approchait alors de la porte. Il fallait souvent deux ou trois coups de trique bien appliqués sur les mufles, qui rendaient un son creux, pour que les bêtes acceptent de reculer.

En accédant enfin au vaste espace de la cour, les bêtes poussaient en général un long mugissement sourd. A croire que trop de lumière, déjà trop de pas à faire, trop de liberté étaient pour elles une véritable souffrance.

Elles n'en couraient pas moins dans tous les sens. D'abord isolées, ignorantes de leurs congénères qu'elles heurtaient violemment quand elles croisaient leur chemin, elles semblaient incapables de coordonner leurs gestes.

Puis, deux d'entre elles se trouvaient par hasard flanc contre flanc. Et, de cet instant, elles ne pouvaient plus se séparer. Mufle bas, la corne rasante, au galop, queues haut dressées, elles entreprenaient une folle et dangereuse course que tous les amis du Flûtot, postés à chacune des issues de la cour, devaient impérativement canaliser.

Et ils n'étaient pas de trop, les Fernand Dessorle, Désiré Boillard, Bertrand Triffaut, Michel Grollier et même le Marcel. Bertrand Triffaut comme Michel étaient leurs propres patrons. Ça ne posait pas de problème. La tournée de Désiré Boillard ne pouvait évidemment pas être différée. Mais il y avait, à la poste, des remplaçants qui n'attendaient que ça pour arrondir leur fin de mois. Quant à l'épicerie et au café, leurs portes s'étaient simplement ornées du même petit carton annonçant sans vergogne quelques heures d'absence.

— V'là le printemps ! commentaient les habitués. Le Flûtot sort ses vaches.

Et ils ne dédaignaient pas de venir assister au spectacle, quitte à se voir priés sans ménagements de bien vouloir donner un coup de main.

Car il n'était pas tout de contenir les bêtes tournant en rond dans la cour de la ferme de Gustave. Encore fallait-il canaliser jusqu'au pré toute cette fureur désordonnée.

Peu à peu, comme si leurs masses additionnées avaient dégagé un puissant magnétisme, les deux premières bêtes à avoir entrepris leur folle ronde autour de la cour, flanc contre flanc, étaient rejointes par d'autres. Progressivement le troupeau s'agglutinait, redevenait une masse unique à la tête de laquelle s'était placé le taureau.

Gustave, debout sur le pas de la porte de l'étable vide, appuyé à son bâton, laissait faire.

— Marche, criait-il. Quand elles en auront assez, on en viendra mieux à bout. Mais ne les laissez pas passer. Gare à toi, Désiré ! Sûr que c'est moins difficile de papoter en distribuant tes lettres. Et toi, le Michel. C'est pas des moutons, ça, petit. Si elles filent, tu leur courras après. Ah, gamin, ça ne se pilote pas comme un ordinateur, ça, sûr…

Il en avait comme ça pour tout le monde. Mais, à chaque fois que revenait le tour de Michel, son ton se faisait plus acide, plus rude, avec quelque chose de vaguement méprisant qu'il semblait prendre plaisir à assener.

Michel, qui s'étonnait vaguement de cette sorte de hargne contenue de son ami, ne s'en serait pas formalisé si les regards des autres ne s'étaient pas posés sur lui, à tour de rôle, interrogatifs. Il lui avait semblé qu'il lui fallait reprendre l'initiative.

— Crie moins fort, Gustave, lâcha-t-il soudain après avoir, d'un simple moulinet de son bâton, remis le troupeau dans le droit chemin. Tout à l'heure, tu auras besoin de tout ton souffle.

Leurs regards s'atteignirent par-dessus la marée mouvante des dos des bêtes. Il y avait, dans celui de Gustave, un air mauvais qui stupéfia Michel et le mit mal à l'aise.

— T'inquiète pas pour mon souffle, reprenait le Flûtot à la volée. Occupe-toi plutôt de tes fesses.

Le ton était cinglant, volontairement provocateur. Michel se retint juste à temps de répondre. Le piège était trop évident. Sa raison d'être, pourtant, lui échappait totalement. A moins que ce ne soit une réaction préventive à l'agressivité que lui-même aurait pu se croire en droit de manifester. Mais comment Gustave pouvait-il savoir ?

162

Michel eut, malgré lui, un regard pour l'Ouasse qui, content de sa contribution à l'affolement général des bêtes, dans l'étable, haletait paisiblement aux pieds de son maître.

Le soir même, il avait voulu se précipiter chez Sylvie et lui demander des explications. Il n'en avait pas eu le temps. Elle repartait vers une visite ou une soirée avec des amis, il n'avait pas bien compris. Seul restait qu'elle ne serait pas là de la soirée et que le trouble de Michel n'avait pas semblé retenir son attention.

Depuis, ou bien elle n'était pas là ou bien, à chaque fois que Michel pointait son nez au coin de sa porte, elle trouvait de bonnes raisons pour qu'il ne s'attarde pas.

Lui, par contre, avait surveillé plusieurs matins de suite la porte de derrière de la maison de la jeune femme. Et le doute ne lui était plus permis. Il avait même pu reconstituer sans peine l'itinéraire que suivait Gustave, en passant par le petit sentier, en dessous de chez lui, puis en traversant deux prés et une haie, pour arriver dans le jardin de Sylvie, chaque matin ou presque, à l'heure matutinale où on le croyait, selon la saison, en train de visiter ses bêtes au loin ou occupé à leurs soins dans l'étable du bourg.

Le temps qu'il passait chez elle, avant de filer à nouveau, et tout aussi discrètement, par le même chemin, ne laissait aucun doute sur les raisons de ces séjours. Ou, plus exactement, à l'inverse, il autorisait toutes les suppositions…

Michel, bien sûr, souffrait. Malgré l'évidence, il ne parvenait pas encore à concevoir que tout cela puisse exister et qu'il faille trouver là la rude et brutale explication à cette étrange limite au-delà de laquelle Sylvie avait toujours refusé que glisse leur tendresse.

S'était-elle jouée de lui ? Se moquait-elle de sa naïveté, à l'heure qu'il était ? Ces questions-là et bien d'autres battaient douloureusement aux quatre coins de son esprit qui se refusait, bien évidemment, à leur donner les réponses semblant pourtant aller de soi.

Mais Michel savait se contrôler. Il n'avait rien laissé paraître de son désarroi à qui que ce soit. Et lorsque Gustave lui avait demandé de venir l'aider à sortir ses bêtes, il avait accepté sans la moindre arrière-pensée.

Il n'aimait pas, pourtant, cette espèce d'inversion des rôles par laquelle Gustave semblait nourrir quelques graves rancunes à son égard. « Un comble », pensa-t-il pendant que le troupeau persistait à se fatiguer en tournant autour de la cour.

— Bon, cria Gustave. Il va être temps d'y aller.

Lentement, ils convergèrent, réduisant peu à peu l'aire d'évolution des bêtes et cherchant à les calmer de la voix.

— On y va, décida Gustave.

Et, calmement, il avança vers le troupeau en battant l'air alternativement de droite et de gauche, de son grand bâton de coudrier. Le taureau et deux ou trois vaches qui lui faisaient face, mufles bas, parurent hésiter quelques instants. Il y eut même quelques furtifs grattements du sol par des sabots impatients. Et puis il sembla que par un infime déplacement du centre de gravité, toute la masse du troupeau basculait doucement vers la sortie de la ferme.

Le taureau fit encore deux ou trois pas en marche arrière, en fixant Gustave de son gros œil rond, en soufflant fort et en marquant son impatience de quelques puissants battements de l'encolure. Puis, d'un bond d'une étonnante agilité, il fit demi-tour et fonça droit devant lui pour aller se placer à la tête du troupeau.

— Chaud devant ! cria Gustave. Pas trop vite.

Déjà le troupeau coulait dans la rue et la remontait à vive allure. Il s'agissait pour les hommes répartis en serre-file de ne laisser aucune échappatoire aux bêtes. Devant la moindre entrée de cour, aux portes des jardins et des prés, dans les carrefours, ils se plantaient, les bras en croix, le bâton vigilant. Puis, dès qu'apparaissait Gustave qui fermait la marche, ils se précipitaient, doublaient tout le monde et allaient reprendre leur poste en tête de l'imposante colonne, jusqu'à ce que revienne leur tour de barrer une quelconque occasion qu'auraient pu saisir les bêtes pour se débander.

Ils traversèrent ainsi tout le village. Et il fallait encore, dans leurs courses échevelées, qu'ils participent à l'aimable euphorie que faisait naître le spectacle des bêtes partant au pré.

Plus encore peut-être que la douceur de l'air ambiant, c'était l'infaillible annonce du printemps. Cette ruée blanche, ces yeux fous que roulaient les bêtes ivres d'air et de l'odeur de l'herbe qu'elles venaient de capter, c'était comme un puissant réveil qui secouait tout à coup l'ankylose et la somnolence du pays et le rendait à l'espoir du retour de la vie estivale.

Les commentaires et les boutades fusaient au passage des bêtes. Et c'était un point d'honneur que l'on mettait à tout relever, à répondre à tout sans un instant relâcher la vigilance hors de laquelle le troupeau se serait vite égaillé par les rues du village, pour le plus grand plaisir des spectateurs et la plus grande honte de ses gardiens. Il y avait là une sorte de jeu spontané auquel ni les uns ni les autres n'auraient voulu manquer pour tout l'or du monde. Et l'on se lançait encore de grands défis à boire et à rire pour toutes les occasions que n'allaient pas manquer de ramener les beaux jours.

Enfin, le bourg fut dépassé. Et il ne fut pas de trop de Bertrand Triffaut et de Michel postés côte à côte en travers de la route pour obliger les bêtes à bifurquer dans un chemin creux où, spontanément, elles réduisirent leur allure.

— Ouf, fit Gustave que les deux hommes avaient rejoint. Maintenant, on tient le bon bout !

Le chemin montait raide entre deux hauts talus coiffés de haies un peu hirsutes. Il allait à grandes enjambées, s'aidant de son bâton. Michel courait presque à côté de lui mais tenait bon. Sans ralentir, il lui lança un regard égrillard.

— Ça va, petit bonhomme ? dit-il, narquois. On tiendra le coup ?

Et il éclata d'un rire tonitruant en prenant Bertrand Triffaut à témoin. L'autre, qui ne savait pas de quoi il retournait, se mit à rire aussi, bêtement, à tout hasard. Michel préféra ne pas avoir entendu.

— T'inquiète, se contenta-t-il de grogner.

— Ah, gamin, insista Gustave, faut ce qu'il faut. Faut la mériter, la Grande Cheintre. C'est pas tout de le dire, qu'on est le maître. Il faut encore le montrer.

Cette fois le coup était trop direct. Michel dut faire effort pour contenir sa colère. Mais les mots fusèrent.

— C'est ça, dit-il d'un ton cinglant. Il faut montrer. C'est bien ce que je pense. C'est pas comme d'autres qui cachent.

La surprise fut telle que Gustave s'arrêta net. Il ne resta immobile que l'espace d'un instant. Mais il suffit à lui faire perdre assez de terrain sur les grandes enjambées des deux autres, qui restaient au contact du troupeau, pour qu'il dût se forcer à courir afin de revenir à leur hauteur.

Empêtré de ses épaisses bottes de caoutchouc, il y laissa son souffle.

— Qu'est-ce que tu veux dire ? parvint-il tout de

même à lancer entre deux hoquets. Faut que tu t'expliques, gamin. T'en as dit trop ou pas assez.

Mais il s'asphyxiait et dut se taire. Michel, à qui la colère avait plutôt tendance à donner des ailes, accélérait le pas sans pitié, poussant même les bêtes devant lui.

— T'as bien compris ce que j'ai dit, lança-t-il par-dessus son épaule d'un ton vaguement méprisant. Et tu sais de quoi il retourne. Et alors, ton troupeau, tu sais où on le mène, ou pas ? Faudrait voir à le montrer, que t'es le maître.

Bertrand Triffaut, prétextant un lacet de ses brodequins dénoué, avait préféré se laisser distancer. Il y avait là-dessous un vieux compte qui se réglait et il ne voyait pas en quoi cela le concernait.

— Stop, devant, cria tout à coup Gustave. On y est. C'est la porte ouverte, à gauche.

— Il était temps.

Michel, toujours aussi leste malgré la course et la longue côte qu'ils venaient de grimper, bondissait déjà sur le flanc droit du troupeau pour l'obliger à tourner.

Gustave laissa faire. Ses jambes pesaient des tonnes et sa tête était ailleurs, partagée entre colère et panique.

Malgré l'hystérie des aboiements de l'Ouasse déchaîné, Fernand Dessorle et Désiré Boillard, qui, à l'appel de Gustave, s'étaient bravement mis en travers du chemin, furent reconnaissants à Michel d'avoir réussi à infléchir, à grands moulinets de son bâton, la course aveugle du troupeau. Apeurées, les bêtes les plus proches de lui s'étaient lourdement appuyées sur leurs voisines de gauche qui, elles-mêmes ainsi déportées, avaient profité de cette porte de pré opportunément ouverte pour échapper à cette pression gênant leur galop un peu fou.

Et, sitôt dépassées les haies, l'espace s'était ouvert devant les bêtes enivrées par la course.

— On sort et on ferme vite, cria Gustave. Elles vont revenir. Et gare à celui qui sera devant !

La charge du troupeau à travers le pré prenait des proportions spectaculaires. Toujours étroitement serrées, flanc contre flanc, environnées de veaux semblant collés à leurs mères, les bêtes se laissaient entraîner par la vitesse.

— Bon Dieu, mais elles vont passer à travers la bouchure, s'inquiéta le facteur.

— T'inquiète, fit Gustave déjà accoudé à la barrière. Elles s'arrêteront avant.

— Voire, fit l'épicier.

— On prend des paris ?

Ils n'en eurent pas le temps. Juste avant d'atteindre la haie, à l'autre bout du pré, le taureau et les deux vaches les plus âgées, qui menaient la danse, sans ralentir d'un poil leur course folle, s'étaient jetés de côté, instantanément imités par tout le reste du troupeau. Et, sans que rien ne vînt briser la formidable unité de cette énorme masse blanchâtre ondoyant sur le vert tendre du pré, ils l'avaient vue virer progressivement en une boucle très large pour revenir vers eux, les mufles toujours aussi bas, les cornes quasiment entremêlées et les queues dressées haut au-dessus des dos.

Seuls Gustave et Michel, qui s'était accoudé à la barrière près de lui, ne reculèrent pas lorsque la vibration du sol, rudement frappé alternativement par près de trente fois quatre sabots, commença à leur être perceptible. Cela faisait penser aux trépidations d'un train lancé à pleine vitesse.

Mais les bêtes, une fois de plus, au dernier instant, se jetèrent sur le côté pour continuer leur course folle le long de la haie fermant le pré.

— Ce que c'est que de devoir montrer, grinça Michel.

— Gaffe, gamin, n'en rajoute pas. Tout ne t'est

pas permis. Tu le sais bien, siffla Gustave entre ses dents alors que le bruit que faisaient tous ces pieds de corne en martelant le sol du pré était encore assez dense pour que nul autre qu'eux n'entendît.

Michel se tourna lentement vers lui et soutint son regard en veillant bien à mettre dans le sien juste ce qu'il fallait d'ironie et de mépris.

— Ah bon ? dit-il. Et on peut savoir ce qui m'est encore interdit ?

— Toutes les chasses ne te sont pas ouvertes.

Ils se défiaient toujours du regard pendant que les autres n'en avaient que pour le troupeau continuant de galoper furieusement autour du pré.

— Peut-être, dit Michel sur un ton grinçant. Mais il ne faudrait pas que tu croies qu'elles te sont toutes réservées.

— C'est tout vu, du moins pour celle que tu penses. Et je préfère te prévenir tout de suite : ne t'y frotte pas.

Le regard de Michel se fit franchement ironique. Son regard se détourna de Gustave et vint se poser sur les bêtes qui, fatiguées et lassées, commençaient à ralentir.

— Alors, dit-il, c'est qu'on ne parle pas de la même chasse.

Puis, délibérément, s'y appuyant d'une seule main, il sauta la barrière et s'engagea dans le pré sans laisser à Gustave le temps de lui répliquer.

— Tu es fou ? Elles n'y voient pas clair. Si tu te trouves sur leur passage, elles t'écrasent.

— Le tout, c'est de ne pas se trouver sur leur passage.

Et, paisiblement, les mains au fond des poches, il alla vers le centre du pré. Sa présence, d'ailleurs, parut rassurer les bêtes. Déjà elles couraient moins vite.

Tout à coup, passant près de lui, elles stoppèrent net. Deux vaches, qui se trouvaient en tête du groupe, avaient repéré une touffe d'herbe assez tentante pour les décider à y plonger le mufle. Une ou deux autres les imitèrent. Il y eut deux ou trois meuglements apeurés. Et la course folle reprit de plus belle sans qu'un seul flanc n'ait osé se détacher du rassurant contact de son voisin.

Au tour suivant, les larges bouchées d'herbe happée par des gueules encore fébriles furent un peu plus nombreuses. La halte parut s'éterniser. Et puis, une nouvelle fois, sur on ne sait quel signe mystérieux, toutes les bêtes ensemble reprirent leur course.

Les uns après les autres, pour qu'il ne soit pas dit qu'ils étaient moins courageux que lui, ils étaient venus rejoindre Michel au centre du pré. Ils y restèrent encore longtemps, spéculant sur le temps qu'il faudrait pour que le calme revienne totalement.

Enfin, le troupeau dans son entier accepta durant quelques minutes de ne plus courir. Mais il lui fallait encore aller du même pas, aucune des bêtes n'osant quitter la masse rassurante de ses congénères agglutinés.

C'était un spectacle étonnant, dont ils se régalèrent longtemps, que celui de cette épaisse masse blanchâtre d'animaux qui allait doucement au travers du pré, agitée de lents mouvements ondulants et en émettant un bruit régulier de succion et de mastication.

Enfin, une vache suivie de son veau choisit de se séparer du reste de la troupe. La mère broutait goulûment l'herbe nouvelle pendant que le veau tétait en lui assenant de grands coups de tête dans le flanc, dont elle semblait n'avoir cure, et en agitant frénétiquement un petit bout de queue vaguement hirsute.

— Regardez ce qu'il est drôle ! s'exclama Fernand Dessorle en désignant du doigt les premiers isolés.

— T'as jamais vu un veau téter ? grinça Gustave. En dehors de ta boutique, t'as donc jamais rien vu ?

— Et toi ? Qu'est-ce donc que t'as vu pour être grincheux comme ça ?

Gustave préféra rompre. Il en avait assez entendu pour aujourd'hui. Ses bêtes se calmaient enfin. Et, de toute façon, il leur faudrait deux ou trois jours pour vraiment réapprendre à s'éparpiller sans crainte sur le pré. Ils n'allaient tout de même pas rester là à les admirer pendant tout ce temps ?

— C'est bon, dit-il. Les voilà en sécurité. Marcel, viens donc m'ouvrir ta gargote. Cochon qui s'en dédit, je paie la tournée à tout le monde. Seulement, faut pas attendre cent sept ans. C'est tout de suite ou jamais. Parce que moi, j'y vais.

— Tu ne crois tout de même pas qu'on va te laisser y aller seul ?

Tournant le dos au troupeau qui s'apaisait, ils lui emboîtèrent tous le pas. Seul Michel resta encore un instant à admirer les bêtes tout en caressant l'Ouasse qui se prélassait d'aise à ses pieds.

Enfin, il se redressa.

— Allons, dit-il au chien. Ton maître, il n'est pas plus méchant qu'un autre. Il faudra bien qu'il admette qu'elle n'est pas pour lui.

Il aurait tant voulu y croire…

19

Gustave tenait grande ouverte la porte du café. Parlant haut et riant fort, ils étaient tous agglutinés autour de lui et de Marcel qui avait longuement fourragé au fond de ses poches avant de retrouver la clef de son établissement. Le temps qu'il lui fallut encore pour se battre avec une serrure apparemment récalcitrante parut interminable à tous ceux que commençaient d'inquiéter, en descendant du pré, les douleurs déchirant les mollets, les genoux et les cuisses peu entraînés et qui se reconnaissaient sans peine au bruit qu'ils faisaient. C'étaient eux qui riaient le plus fort, parlaient le plus haut et maniaient avec le plus de dangereuse ostentation le long bâton que d'autres avaient simplement appuyé contre le mur.

— Allez, entrez, répétait Gustave. C'est moi qui régale. Ça vaut bien ça. Sans vous, comment j'aurais fait, moi ? Seul, je peux te le dire, on n'est pas grand-chose, vrai, on est vraiment peu de chose, quand on est seul.

L'Ouasse, bravant l'interdit, s'était déjà faufilé et, sans se soucier de la foule des jambes qui allaient et venaient autour du feu, il se lovait tranquillement dans la bonne chaleur.

Michel entra le dernier. Son regard croisa durement celui de Gustave. Ils se défièrent même un bref instant.

— Allons, fit tout de même le Flûtot, ce que j'en disais, là-haut, c'était pour en rire.

— Faut bien rire, dans la vie, dit Michel qui n'en avait pas la moindre envie.

Un instant, il avait pensé filer, rentrer directement à la Grande Cheintre sans répondre à l'invitation de Gustave pourtant réitérée là-haut, dans le grand pré autour duquel tournait encore le troupeau ivre de liberté, de lumière et d'air.

Mais, après tout, pourquoi se donner l'air du perdant, ou, à tout le moins, celui de l'absent qui, nécessairement, a toujours tort ?

D'autant plus que Michel savait bien qu'il ne trouverait pas le repos en s'isolant à la Grande Cheintre. Bien au contraire, toutes les questions, les angoisses, les colères et les désespoirs qu'il sentait grouiller en lui, contenus par les mille diversions des conversations et des blagues faciles, ne manqueraient pas alors de monter à l'assaut de son esprit rendu disponible par la solitude.

Tout cela faisait foule chez Marcel. Il avait à peine pris le temps d'abandonner ses bottes de caoutchouc au coin de son bar et de nouer son grand tablier gris au-dessus du vieux pull et du jean dont il ne s'équipait guère qu'une fois par an, pour aller s'encanailler au cul des vaches de Gustave.

Il n'était pas le seul, à la vérité, à trouver dans cette expédition annuelle une occasion de se dédouaner. On ne pouvait tout de même pas vivre à longueur d'année à la campagne et y mener en toute bonne conscience une vie aussi pantouflarde et recluse que des citadins.

Ceux-là, au moins, avaient l'excuse de l'obligation. Ils arrivaient même à se faire plaindre, quitte à en rajouter un peu sur les conditions, chaque jour plus invivables, qu'ils avaient à endurer, mais qu'aucun d'eux n'envisageait sérieusement de quitter.

Ce n'était pourtant pas faute d'en parler, l'été, pendant les vacances, au coin du bar de Marcel. Pour beaucoup, il représentait l'expédition la plus lointaine qu'ils menaient, depuis la résidence secondaire, de tout le temps qu'ils y passaient. Et ils n'étaient jamais plus heureux que lorsqu'on s'apitoyait.

Marcel, fin diplomate, était passé maître dans l'art d'assumer sans broncher cette lourde culpabilité que devaient admettre tous ceux qui vivaient à la campagne, pour le plaisir un peu sadique de ceux qui ne se seraient pas éloignés de leur PMU, de leur télé, de leur ascenseur et de leur chauffage central pour tout l'or du monde. Mais telle était la règle du jeu.

— Le bonheur que vous avez de vivre à la campagne ! Vous ne le connaissez pas, votre bonheur. La ville… De mal en pis. Insupportable, invivable…

A longueur de journée, Marcel écoutait. Il acquiesçait, il reconnaissait sa chance insolente. Et il servait des blancs-cas.

Il lui restait bien peu de temps, après tout ça, pour profiter de cette insolente chance. Savait-il seulement, ce brave Marcel, qu'il existait d'autres prés, d'autres bois, d'autres chemins que ceux qu'il entrevoyait, une fois par an, au-delà des dos blancs des vaches de Gustave ?

Car, aussitôt rentré, et bien avant que les vacances estivales lui ramènent son lot de tourmenteurs, il lui fallait, de la même oreille paisible et compréhensive, acquiescer aux propos de ses clients ordinaires pour qui il était évident qu'à mener sa vie bourgeoise, derrière son bar, loin des avatars du climat, de la boue, du froid ou de la canicule, c'était selon, c'était lui qui l'avait la plus belle.

Pardi ! Il en rajoutait, ce brave Marcel. Et, sans vergogne, il se chargeait de toutes les turpitudes du planqué, pourvu qu'en contrepartie il serve toujours plus de blancs-cas.

Il aligna en vitesse sur le bar une longue série de verres.

— Viens donc m'aider, Désiré.

Bonne pâte et pas indifférent au verre de rab qui récompenserait le coup de main, le préposé se glissa derrière le bar. Il y avait là, par-dessus le marché, une sorte d'interdit bravé qui n'était pas pour rien dans le large sourire avec lequel, à un bout du zinc, il commença à servir pendant que Marcel s'occupait de l'autre extrémité.

On attendit que tous les verres soient pleins. Chacun, sans cesser de rire et de plaisanter, surveillait du coin de l'œil l'objet de sa commande qu'il n'entendait pas perdre de vue dans le tohu-bohu qui n'allait pas manquer de s'instaurer.

— Merci pour votre aide. A la bonne vôtre et à la prochaine ! fut tout le discours du Flûtot.

D'un bout du bar, très droit, rouge écrevisse et les moustaches déjà en bataille, il levait haut son verre au-dessus de la mêlée.

En un clin d'œil, il n'y eut plus un verre sur le zinc. Désiré sirotait tranquillement le sien sans quitter la position légèrement dominante que lui donnait l'estrade, derrière le bar. Il arborait un sourire ravi.

— Oh, le facteur, tu nous remets ça !

Il eut un regard un peu paniqué vers Marcel, déjà occupé à resservir. Le geste bref qu'eut le cabaretier à son adresse lui parut être un encouragement. Il s'y remit.

Il y était encore deux heures plus tard. Et bien qu'il n'ait en rien, pour autant, renoncé à son statut de consommateur, il s'en sortait plutôt bien, n'accusant guère, par instants, que l'attention un peu laborieuse qu'il devait déployer pour faire coïncider verres et goulots.

Michel, légèrement en retrait, s'amusait à observer son manège. Pour une fois, il lui suffisait de trouver son plaisir dans ce qu'il voyait. Trop de choses se bousculaient en lui pour qu'il ait encore réellement le désir d'échanger des futilités et d'en rire avec tous ceux qui l'entouraient.

Ils ne semblaient pas avoir relevé son comportement, pourtant inhabituel. C'était là l'effet d'une solide conception de la liberté de chacun à faire ce qu'il entendait de ces instants qui n'était pas sans plaire à Michel. Et, bien qu'il restât à l'écart des conversations et des grands éclats de rire qui se faisaient de plus en plus nombreux et de plus en plus nerveux, au fur et à mesure qu'avançait l'heure et que se mouillait le front de Désiré, il arrivait encore à se trouver bien là, au milieu de tous ces gens dont il aimait la compagnie et qu'il lui suffisait d'observer, vivant simplement et gaiement autour de lui, pour puiser un réel bien-être à leur seule présence.

A plusieurs reprises son regard s'était affronté à celui de Gustave. Et, à chaque fois, il lui avait semblé qu'une lame dure et tranchante comme un rasoir se dressait entre eux. La sensation, à vrai dire, ne durait qu'un bref instant. Puis Gustave parvenait fort bien à dompter son expression qui redevenait souriante et amicale.

Michel, qui n'aimait pas faire semblant, n'était pas sûr du tout de parvenir à dissimuler ainsi son agacement. Il n'était d'ailleurs pas plus sûr d'en avoir vraiment envie. Car il ne comprenait rien au comportement de Gustave.

Pourquoi cette soudaine agressivité ? Après tout, s'il y en avait un qui pouvait se montrer amer, c'était bien lui, Michel. Et puis, de toute façon, comment Gustave pouvait-il savoir que Michel venait de découvrir ce que, en somme, il ne lui cachait guère, depuis des mois ? Alors, pourquoi ce changement radical d'humeur aujourd'hui plutôt qu'hier ?

Michel eut tout de même un geste de lassitude. Ne pourrait-il plus faire un pas dans le pays sans que, sous une forme ou sous une autre, jaillisse devant ses yeux l'évocation de ce qu'il cherchait désespérément à sortir de son esprit ?

« Rien à faire, se dit-il en soutenant une fois de plus l'acier effilé du regard de Gustave, il faut que je rencontre Sylvie. Il faut qu'on ait une explication. Après tout, je dramatise peut-être. »

Il savait bien qu'il ne faisait que chercher à se rassurer. Mais il voulut y croire.

« Peut-être qu'elle est chez elle ? » se dit-il en jetant un coup d'œil à l'horloge publicitaire que Marcel avait accrochée au-dessus de son bar.

« Midi et demi. J'ai ma chance. » Sans se faire remarquer, il contourna plusieurs tables vides, au fond du café, pour se rapprocher de la porte. Il passa près de l'Ouasse qui dormait allongé de tout son long au coin du feu. Il se baissa et le caressa. Le chien s'étira paisiblement. « C'est pas de ta faute. Toi, t'es brave », dit Michel. Puis il reprit sa marche discrète vers la sortie.

A force de ruses prudentes, il l'atteignit sans éveiller l'attention et se glissa dehors. Au moment où il allait refermer la porte, il reçut comme un choc le regard toujours aussi acéré de Gustave qui, sans cesser de converser avec Fernand Dessorle, Bertrand Triffaut et Marcel vautré sur son bar, ne le quittait pas des yeux.

Cette fois, il ne fit aucun effort pour adoucir le reflet d'acier dont ils brillaient.

La petite voiture blanche de Sylvie était garée devant sa porte.

Lorsque, descendant de la place, il la vit, au détour de la route, Michel, malgré lui, ralentit le pas. Il fallait qu'il y aille, bien sûr. Mais il savait trop ce qu'il allait entendre.

D'autres s'y seraient précipités pour se battre, exiger, obtenir. Lui ne pouvait pas concevoir que cela se passe ainsi. Il n'avait même pas envisagé qu'il puisse lui falloir engager la lutte pour que se rende cette sorte de citadelle dans laquelle Sylvie enfermait irrévocablement les ultimes signes de tendresse qui auraient pu faire d'eux un couple. Alors, s'il fallait d'abord en passer par la défaite d'un autre…

Il s'arrêta devant le portillon et resta un long moment immobile, la main tendue vers le loquet sans oser le lever. Il eut même à plusieurs reprises la tentation de passer son chemin. Il allait même y céder, reculant déjà la main, lorsque la fenêtre de la cuisine s'ouvrit toute grande.

— Oh, fit Sylvie d'un ton enjoué, tu veux prendre racine ou quoi ? Rentre donc.

Il ne pouvait plus s'échapper. Mais il lui fallut, en traversant la cour, se répéter rudement la ferme résolution qu'il avait prise de poser les vraies questions. Et comme tous les faibles et les timides qui attendent l'extrême limite pour se jeter à l'eau, il sut qu'il allait le faire avec trop de brutalité.

Elle l'attendait en lui tenant la porte ouverte. Il entra sans la prendre dans ses bras. Elle en resta totalement interdite. Sans un mot, il alla s'asseoir sur une chaise, au bout de la table. Elle referma lentement la porte et vint vers lui avec sur les lèvres un étrange sourire un peu amer.

— Toi, dit-elle, tu as quelque chose à me dire.

Il parut totalement décontenancé.

— Comment le sais-tu ?

Elle éclata d'un rire trop nerveux.

— Ce n'est vraiment pas sorcier. Il suffit de voir la tête que tu tires. Alors, vas-y. Dis-moi. Qu'est-ce que tu veux me demander ?

— Ça a l'air de t'inquiéter !

Elle voulut s'en défendre.

— Pas du tout. Qu'est-ce qui te fait dire ça ?

— Ce n'est vraiment pas sorcier. Il suffit de voir la tête que tu tires, la singea-t-il.

Cette fois, elle ne rit pas. Il n'y eut qu'un vague sourire crispé qui passa comme une ombre sur son visage, juste pour marquer qu'elle avait compris. Puis elle le fixa avec, dans les yeux, beaucoup de douceur en même temps que de gravité.

— Vas-y, dit-elle. Je sais ce qui t'amène. Tu peux y aller.

— Tu ne sais rien du tout. Comment peux-tu savoir ? Qu'est-ce que tu sais ?

— Il fallait bien que ça arrive, c'est tout.

Il y avait dans le regard de Michel un pathétique appel au secours. Il fallait qu'il sache. Il voulait savoir. Mais il n'avait pas la force de demander.

— Alors, puisque tu sais, dis-moi que ce n'est pas vrai, implora-t-il.

Sylvie ne souriait plus. Son visage s'était fermé. Jamais il ne lui avait vu cet air dur.

— Si, c'est vrai. Et tu le sais bien, dit-elle sans le moindre ménagement.

Chacun de ces mots fut, pour Michel, comme un coup violent. Ils lui coupèrent le souffle. Un long moment, il resta parfaitement silencieux, posant sur elle un regard un peu fou. Au point qu'elle se raidit plus encore.

— Michel, implora-t-elle à son tour, il faut que tu comprennes. Je ne t'ai jamais rien promis.

Ce fut comme un déclic qui fit bondir Michel en même temps qu'il le ramenait à la réalité.

— Oh non, bien sûr, s'exclama-t-il. Tu ne m'as jamais rien promis. Et moi je ne t'ai jamais rien demandé. Comme ça les choses sont claires. C'était pour rire, pour rien que je te prenais dans mes bras et que tu t'y trouvais bien.

— Arrête, veux-tu ?

— Arrêter quoi ? De dire la vérité ? Parce que c'est vrai qu'on ne la pratique guère, la vérité, par ici, ces temps-ci.

— Michel, je t'en supplie…

— De quoi ? Tu me supplies de quoi ?

— Tu n'étais pas là, Michel. Il n'a pas suffi que tu arrives pour que tout change.

— C'est avant qu'il fallait me le dire.

— Avant quoi ? Avant que tu te fasses des idées ?

— Ah, parce que c'était se faire des idées que de te tenir dans mes bras des heures durant ? C'était se faire des idées que de rêver ensemble d'un chemin en commun ? C'était se faire des idées que de s'imaginer que, pour une fois, le sort avait été généreux en nous faisant nous rencontrer ?

— Arrête, répéta-t-elle sur un ton infiniment las. Tu veux bien m'écouter ?

Il leva sur elle un regard surpris.

— T'écouter ? Qu'est-ce qu'il y a à écouter ? Il n'y a rien à écouter.

— Si, dit-elle.

— Quoi ? Tu veux te justifier ? Te défendre ?

— Peut-être. Je voudrais d'abord que tu comprennes.

Il eut un geste vif de la main.

— Oh, pour comprendre, j'ai compris. J'ai compris que je suis de trop. J'ai compris que tu t'es amusée de moi…

— Arrête !

Cette fois, elle avait crié.

— Non, dit-elle fermement. Je ne me suis pas amusée de toi. Tu ne dois pas croire ça. Et tu dois m'écouter pour comprendre et ne plus dire de telles choses.

Les yeux rivés sur ses doigts qu'il croisait et décroisait convulsivement, il haussa les épaules.

— Si tu y tiens.

— Oui j'y tiens. De quel droit juges-tu ? Monsieur arrive et plus rien ne doit être comme avant. Tout doit être à son avantage, fait pour son plaisir.

Il y avait de la colère et du désespoir dans sa voix.

— Eh bien non, Michel, ce n'est pas comme ça que ça se passe. On a existé, tous autant qu'on est, ici, avant toi. Il y a quatre ans que j'ai échoué au Crot-Peuriau, après mon divorce. Je n'avais plus rien, plus d'ami, plus un sou, plus de travail. Et puis j'ai réussi un examen. J'ai été nommée institutrice remplaçante dans le coin. On m'a parlé du poste de secrétaire de mairie du Crot-Peuriau qui pourrait compléter un salaire de débutante. Je suis venue voir. Gustave était à la mairie quand le maire m'a reçue. J'ai dit que je cherchais un logement. Il a tout de suite pensé à cette maison qui était libre.

— Pardi !

— Non, Michel. Arrête. Il m'a aidée, Gustave, vraiment aidée, sans rien demander en échange. Il a été d'une gentillesse que tu ne peux pas imaginer. Et je t'assure qu'il ne pensait pas à autre chose. Il faut dire que moi non plus. J'étais en mauvais état, tu peux me croire. Je ne croyais plus à rien, j'étais écœurée. Je ne devais pas être bien drôle. Et je peux dire que c'est lui qui m'a rendu le sourire. Ça a duré deux ans comme ça.

» Et puis un jour, j'ai senti que c'était chez lui qu'il y avait quelque chose qui n'allait pas. Je l'ai fait asseoir à la table, là, presque où tu te trouves aujourd'hui. Tu me croiras si tu veux, mais c'était la première fois qu'il s'asseyait chez moi. Je lui ai fait un café. Et on a parlé. Il en avait lourd sur la patate, ce pauvre Gustave. Il s'est déboutonné. Il m'a tout dit, Juliette, leur mariage arrangé pour les terres, tout ce qui ne va plus entre eux. Et l'impossibilité dans laquelle il est de demander le divorce toujours à cause des mêmes terres.

» J'ai écouté sans rien dire. Mais il est vrai que, depuis ce jour-là, les choses n'étaient plus les mêmes entre nous. Comment te dire ? On ne se voyait plus de la même façon. Je crois que les rôles étaient un peu inversés. Il avait eu pitié de moi au

181

début. Et maintenant c'était moi qui le plaignais. Il avait été attentif à mon histoire et m'avait aidée à m'en sortir. Et, à partir de là, c'était moi qui l'écoutais, moi qui aurais aimé l'aider.

» On savait bien, et on sait toujours que c'est sans issue. Mais, que veux-tu ? on a eu besoin l'un de l'autre. Lui parce qu'il est réellement paumé et moi parce qu'une femme commence à se retrouver quand elle sent qu'elle peut être utile à quelque chose, que quelqu'un a besoin d'elle.

» Je sais. Tu as raison, c'est ridicule, c'est totalement et bêtement fleur bleue. Mais j'ai réellement cru qu'il avait besoin de moi. J'ai cru que ce que j'allais lui apporter, il me le rendrait au centuple et que, à nous deux, on trouverait bien la solution. J'ai vraiment cru à une nouvelle vie à deux.

» C'était idiot, je le sais bien. Et je sais aujourd'hui que rien de tout cela n'était vrai. Je sais bien qu'entre nous, maintenant, il n'y a plus guère que le plaisir physique qu'on se donne. Je te choque ? C'est pourtant la réalité. C'est vrai que je suis déçue, désillusionnée…

— Alors ? fit-il, pris entre le désir de rester agressif et le fol espoir qui lui venait.

Elle s'était assise à la table en face de lui sans même qu'il y prenne garde. Il eut une légère crispation lorsqu'elle posa doucement sa main sur la sienne.

— Mais il faut que tu comprennes que je lui reste profondément attachée.

Il leva lentement sur elle un regard incrédule.

— Attends, dit-il. Tu me racontes ton rêve de midinette. Tu me dis que tu es revenue sur terre. Et tu continues dans la foulée en me disant que tu ne veux pas changer d'erreur pour autant. Et tu crois que je vais gober ça ?

Pour toute réponse, elle appesantit sur lui un regard navré.

— Non mais je rêve, grommela-t-il en retirant

vivement sa main de sous celle de la jeune femme. Tant que je n'étais pas là, je veux bien. Les distractions sont rares, à la campagne. Mais, mince, il n'y a rien entre nous ? Ça ne compte pas ? Ça vaut moins qu'une déception et qu'une pauvre liaison un peu sordide, dans le secret, et qui se réduit à quoi ? Des passes, rien de plus, en douce. C'est ça que tu appelles de l'attachement ?

Il criait presque.

— Michel, arrête, supplia-t-elle.

Mais il était hors de lui.

— Quoi Michel ? Quoi arrête ? Qu'est-ce que tu veux que j'arrête ? De dire la vérité ? Ça te plaît d'être sa putain ?

— Michel !

— Quoi encore Michel ? Michel, Michel, c'est tout ce que tu sais dire ? Qu'est-ce que tu en fais, là-dedans, du Michel ? Ah, tu étais bien dans ses bras, à Michel. Mais rien de plus. Ce qu'il pouvait y avoir de profond, de solide dans tout ce qui nous rapprochait, ça pesait quoi face à une partie de jambes en l'air clandestine, chaque matin ? Tu as une conception de l'attachement dont je comprends qu'elle t'ait valu quelques déconvenues. Mais après tout, c'est ton choix. C'est à toi de voir.

Il se leva brutalement. Effarée par ses propos et la tournure que prenait la conversation, elle resta assise, levant vers lui un regard livide.

— Michel…

Il s'arrêta net au coin de la table et baissa vers elle un regard aussi décomposé que le sien. Du dos de la main, très doucement, il vint lui caresser la joue.

— Tu ne comprends pas ? dit-il.

— Comprendre quoi ?

— Tu ne comprends pas qu'ils se jouent tous de toi ? Tu es un objet, Sylvie. Un objet accessoire à une tragédie de tous les jours, qui se joue depuis que le monde est monde. Ils te jetteront dès qu'ils n'auront plus besoin de toi, sans t'accorder ne serait-ce qu'un regard.

» Qu'es-tu, toi qui n'as même pas un champ ?

Il la laissa un instant presser sa main sur sa joue. Puis il se dégagea lentement et sortit en s'appliquant à ne pas se retourner.

20

Cinq jours et même plus s'étaient écoulés depuis que Michel avait reçu la lettre du notaire. Et rien ne s'était produit. Ou, plus exactement, tout avait continué à se passer comme auparavant.

C'était plus fort que lui, chaque matin ou presque, lorsqu'il sortait dans sa cour, Michel ne pouvait empêcher son regard d'aller se perdre vers la porte de derrière de la maison de Sylvie, juste au-delà de la limite de son propre jardin.

La terre commençait à se réveiller. Et l'heure la plus matinale était la plus propice à venir, jour après jour, découvrir le prodigieux travail de la nature pointant avec énergie et de toutes parts les pousses vert pâle et les bourgeons poisseux de sève du monde végétal retrouvant son printanier foisonnement.

Et puis les jours rallongeaient. On y voyait clair de plus en plus tôt. Et Michel, d'entre une planche d'oignons et une autre de navets, ne pouvait pas ne pas voir l'Ouasse fidèlement et imperturbablement assis devant la porte, dans l'ombre du mur, presque chaque matin.

Bien sûr, il lui aurait suffi de ne pas venir, de reporter la visite quotidienne à son jardin à une autre heure du jour. Mais c'était plus fort que lui. Il fallait qu'il vienne nourrir là la douleur qui le brûlait.

Et puis, contre toute logique, il y avait toujours en lui, quoi qu'il fasse, l'espoir totalement fou de ne plus croiser le regard mouillé du chien.

Mais bien rares étaient les matins où la solitude du jardin lui faisait tout à coup battre le cœur à coups redoublés. Et si elle l'avait jeté dehors ? Si elle avait enfin compris et avait rompu cette liaison contre nature ? Il vivait fébrilement ces journées-là, mangeait à peine, dormait mal et, au petit matin, se précipitait à nouveau vers ses planches de navets, de choux et de carottes plus tôt encore que d'habitude.

Et l'Ouasse, invariablement assis sur son cul devant la porte de derrière, la langue pendante, lui adressait un regard encore plus mouillé, encore plus chargé de débordante amitié que l'avant-veille. A croire qu'il s'était ennuyé, tout un jour, de cet instant dont il se réjouissait tant, à l'évidence, que cela l'empêchait de voir la peine et la douleur qui décomposaient le visage de Michel.

Il s'éclipsait, rentrait vite chez lui, comme si c'était lui qui voulait éviter d'être pris en faute. Et, derrière ses rideaux, il ne pouvait pas s'empêcher d'imaginer l'insupportable dont il attendait passivement qu'il s'achève, en se faisant l'effet méprisable d'entériner l'intolérable. Il attendait d'avoir vu passer, au-delà du muret de pierre sèche, la silhouette furtive de Gustave pour retourner à son jardin.

Mais, la plupart du temps, il n'y restait que quelques minutes. La colère, la peine, la douleur, le mépris qu'il se portait à lui-même pour ne pas avoir su réagir, le mettaient hors de lui. Jardiner est avant tout un exercice de calme et de détente auquel, en temps normal, il aimait s'adonner. Mais, là, malgré tous ses efforts, il en était incapable. Il ne tardait pas à bondir. Souvent, dans un mouvement de colère et de dépit presque infantiles, il jetait au loin l'outil qu'il avait en main. Et il fuyait.

Il fuyait vers la maison où il s'enfermait. Il montait quatre à quatre jusqu'à son bureau, se jetait sur le clavier de son ordinateur et le maltraitait toute la matinée. Il n'y avait que là qu'il parvenait à se perdre dans une démarche suffisamment étrangère à ses préoccupations pour s'en abstraire et oublier, l'espace de quelques heures, la partie de lui-même qui souffrait le plus.

A ce régime, il eut tôt fait de venir à bout du travail que lui fournissait son employeur parisien. Il lui fallut trouver autre chose. Il repartit vers le Haut-Foron. Les moutons trouvaient désormais à se nourrir et, bien peu reconnaissants, ne répondaient plus à ses appels qui les faisaient pourtant accourir lorsque l'herbe manquait et qu'il venait emplir leur auge.

Il passait des heures à les chercher dans le labyrinthe de broussailles, d'arbustes et de fougères au travers duquel les passages qu'il avait ouverts, à l'aide de sa vieille faucheuse, n'étaient déjà plus que de vagues coulées. Il y trouvait leurs traces, souvent toutes fraîches. Désormais bien acclimatés au plateau sauvage sur lequel il les avait installés, les moutons, peu soucieux de l'avenir, devaient estimer être bien assez grands pour se débrouiller seuls et fuyaient de plus en plus la présence humaine.

Michel pestait contre eux, mais s'adonnait sans déplaisir à ces interminables recherches dans lesquelles, peu à peu, il parvenait à se perdre lui-même, ou, du moins, à prendre suffisamment de distance avec ses préoccupations pour ne plus être qu'un chasseur exclusivement soucieux de sa traque.

Lorsque, enfin, il parvenait à localiser sa petite troupe de moutons, il ne s'en approchait pas de trop. Leur sens de la liberté et leur volonté d'indépendance n'étaient pas pour lui déplaire. Il serait bien temps d'y mettre bon ordre lorsque le moment serait venu de les rentrer ou de les changer de pré.

Il se contentait de les compter, approximativement, pour s'assurer qu'aucun ne manquait. Avec le temps, il finissait même par les connaître suffisamment pour les distinguer les uns des autres et pour être en mesure de s'assurer rapidement que tout son petit monde était bien là.

Puis il se débrouillait pour se trouver une butte, un petit monticule d'où il pouvait les observer sans qu'ils prennent garde à lui. Il fallait pour cela que le vent ne porte pas dans leur direction et qu'il reste assez longtemps immobile et silencieux pour qu'ils l'oublient.

Alors, ils se remettaient à vivre comme s'il n'était pas là. Et Michel n'aimait rien tant que de perdre la notion du temps en épiant la vie avec une telle intensité qu'il parvenait à en oublier tout le reste.

Mais il lui fallait bien, à un moment ou à un autre, retomber sur terre. C'était toujours extrêmement douloureux. Il se levait alors, contemplait une dernière fois sa troupe de moutons, déjà mise en éveil par sa soudaine apparition de derrière la touffe de ronces, l'églantier ou le sureau qui l'avait dissimulé. Puis il s'éloignait, les mains au fond des poches, la tête basse, ruminant l'injustice profonde qu'il y avait à ce que l'équilibre paisible de ce petit monde, qu'il découvrait et qui le captivait, s'arrêtât net à la porte du pré. Il en venait même à imaginer en vain mille solutions, plus absurdes et plus définitives les unes que les autres, pour que la règle du monde devienne celle du bonheur simple qu'il vivait au Haut-Foron.

« Si elle venait là, pour partager ça avec moi... » se disait-il naïvement, comme s'il avait suffi qu'ils contemplent ensemble des moutons pour que s'oublie tout le reste.

188

— Et alors ? Ce troupeau de la Grande Cheintre, il pousse ?

Totalement perdu dans ses méditations, le nez à trois pas devant lui, Michel n'avait pas vu la grande silhouette de Gaston Fossurier se découpant sur le gris pâle d'un ciel entre deux ondées. Il se tenait debout, très droit, en haut d'un talus.

L'idée d'avoir été épié déplut à Michel.

— Si c'était pour me poser la question, ce n'était pas la peine de monter jusqu'ici, dit-il sèchement. Je vous aurais aussi bien répondu chez Marcel ou ailleurs.

Gaston Fossurier n'eut pas l'air d'apprécier.

— Sauf que tu sauras, jeune homme, qu'on rencontre plus facilement le père Fossurier dans les prés et les étables qu'au café.

Michel n'avait pas envie pour autant d'engager la conversation.

— Je disais ça… grogna-t-il en ayant de la main un geste trop explicite par-dessus son épaule.

Il prétendit passer devant Gaston Fossurier sans s'arrêter. Mais le vieux était loin d'être impotent. Vivement il lui attrapa le bras et le fit pivoter.

— Attends voir, jeune homme, tu veux ? Quand on est en comptes, c'est pas comme si on n'avait rien à se dire.

— En comptes ? s'étonna Michel. Je vous dois quelque chose, moi ? Ça m'étonnerait.

Gaston Fossurier fit celui qui n'avait rien entendu.

— Si tu préfères que je vienne te parler de tout ça chez Marcel, moi je veux bien. Mais je ne donne pas cher de ton avenir dans le pays. Déjà qu'il n'est peut-être pas aussi beau que ce que tu crois…

Comme s'il était question de ça ! Le vieux voulait à toutes forces que Michel n'ait en tête que la préoccupation de son installation définitive à la Grande Cheintre. Et lui s'en souciait comme d'une guigne. Comment lui faire comprendre sans le vexer ? Michel, figé dans la position où l'avait arrêté Gaston Fossurier, le considérait d'un œil grave sans que les mots qu'il aurait fallu prononcer lui viennent à l'esprit.

— C'est tout l'effet que ça te fait ? s'étonna le vieux.

Michel haussa les épaules.

— Qu'est-ce que vous voulez que je vous dise ? Pour l'envie que j'en ai, de rester dans votre pays.

Déjà il regrettait des mots qui lui avaient échappé. Gaston Fossurier le dévisageait en plissant les paupières sur un regard noir inquisiteur.

Ils restèrent ainsi un long moment. Puis, contre toute attente, Gaston Fossurier lâcha le bras de Michel, lui tourna le dos et partit à pas lents vers la sortie du pré.

— Viens, petit, dit-il. Il faut qu'on parle.

Michel, surpris, ne réalisa pas tout de suite. Le père Fossurier qui s'éloignait finit par se retourner. Il eut un geste ample qui fit ondoyer la large cape dans laquelle il s'enroulait.

— Viens, dit-il d'une voix étonnamment engageante. Il faut que je te dise.

En trois enjambées, Michel le rejoignit.

— Pourquoi moi ? s'étonna-t-il.

— Parce que la Grande Cheintre. Crois-tu que je m'intéresserais comme ça à toi si tu t'installais n'importe où ailleurs ?

— Ce n'est pas tout, dit Michel en réglant son pas sur celui que le vieux rythmait de sa canne.

Celui-ci tourna vers lui un regard à la fois admiratif et interrogateur.

— Quoi d'autre ? mentit-il.

— A vous de me dire, osa tranquillement Michel.

L'un attendant, l'autre pesant le pour et le contre, ils firent quelques pas en silence.

— Tu as eu des nouvelles du notaire ? tenta le père Fossurier.

— Non.

— Tu vois qu'on est en comptes.

190

Michel accusa le coup en souriant. Décidément, le vieux ne lâchait jamais une idée sans avoir exprimé ce qu'il en voulait. Mais on n'était pas plus avancé pour autant.

— Et l'œuf ? demanda Gaston Fossurier à brûle-pourpoint.

Michel eut un regard rapide vers lui.

— Quel œuf ?

— Tu le sais bien.

— Et alors ?

— C'est moi qui demande : et alors ? Tu sais ce qu'il signifie, cet œuf-là ?

Michel dut avouer, d'une moue dubitative, la persistance de son ignorance.

— Je te dirai un jour, trancha Gaston Fossurier qui, tout à coup, semblait soulagé. Pour l'heure, il y a plus important. Et c'est pour ça que je suis là.

— Vous savez ?

— Quoi ? Qu'est-ce que je sais ? Est-ce qu'on sait jamais quelque chose ?

Il avait le don de ces ellipses et de ces fuites qui exaspéraient Michel en même temps qu'elles lui faisaient totalement perdre pied.

— Rien, murmura-t-il comme on s'avoue battu.

Gaston Fossurier eut un rapide sourire espiègle.

— Allons, dit-il. C'était juste pour dire ! Parce que des choses, j'en sais ! Mais le tout, c'est pas d'en savoir beaucoup. C'est de savoir celles qui servent.

— Et alors ? s'impatienta Michel.

Le vieux parut tout à coup se voûter légèrement. Son pas s'allongea sans s'accélérer ni se ralentir pour autant. Il allait tête basse, balançant régulièrement devant lui la pointe de sa canne, totalement enfermé dans ses pensées. Michel respecta son silence qui s'éternisa.

— Vois-tu, dit-il enfin, je ne sais pas d'où tu viens. Mais, à ce que je crois, tu es de la ville, toi. Un village comme ça, tu ne connais pas. Tu n'y as jamais vécu.

Michel attendait. Il était tellement curieux de la direction qu'allait prendre le discours du vieux que l'idée ne lui vint même pas qu'il puisse y avoir une petite provocation dans son préambule. Il admit, simplement, et Gaston Fossurier parut en être satisfait.

— Alors, continua-t-il, un village comme ça, avec plus bien de monde et la moitié de retraités qui n'ont rien d'autre à faire de toutes leurs journées que de regarder vivre les autres, il faut que tu saches bien qu'il ne t'a pas attendu pour commencer de vivre.

— Ça, je m'en doute, fit Michel, un peu vexé.

Pour qui le prenait-on ? Gaston Fossurier se contenta d'avoir un geste apaisant de la main.

— Tu t'en doutes, tu t'en doutes, fit-il en martelant ses mots, moi je veux bien. Mais tu as tout de même bien cru qu'il te suffisait d'être là pour que la secrétaire de mairie soit pour toi.

Pour le coup, Michel, estomaqué, s'arrêta net. Comment ce diable d'homme pouvait-il bien savoir ? Gaston Fossurier, lui, ne s'était pas arrêté. Il allait, simplement, toujours du même pas égal, et il ne se retourna même pas pour continuer son discours qu'il prononça simplement un peu plus fort.

Les mots se mirent à résonner dans l'espace du Haut-Foron avec une telle force qu'il parut à Michel que rien au monde ne pourrait les arrêter et que le Crot-Peuriau dans son entier allait être ainsi mis au courant. En deux enjambées, il eut rattrapé le vieil homme.

— Bon, ça va, dit-il, je suis là. Ce n'est pas la peine de parler si fort.

— T'as peur qu'on sache ? Qu'est-ce que tu t'inquiètes ? On est seuls, ici, non ?

— Oui, on est seuls, consentit Michel. Mais qui vous a dit ?

Fossurier se redressa et eut vers lui un regard ironique.

— Tu le sauras bien assez tôt, dit-il. Mais, pour

192

l'heure, ce qui compte, c'est ce que tu penses de tout ça. Tu l'as compris, oui ou non, que le monde du Crot-Peuriau ne s'est pas inventé avec toi ?

Michel, à contrecœur, et pour qu'avancent les choses, dut admettre.

— Bon, fit Gaston Fossurier. Et pourtant tu y tiens, à la petite ?

De quoi se mêlait le vieux ? Michel eut sur les lèvres les mots cinglants pour le lui dire. Gaston Fossurier fut pourtant plus rapide que lui.

— De quoi je me mêle ? C'est ça ? Un vieux drôle comme moi n'a pas à s'occuper des histoires de femmes des jeunes. C'est ce que tu penses ? Et, ma foi, c'est peut-être bien toi qui as raison. Seulement voilà : cette histoire de femme-là, elle intéresse bougrement le vieux drôle que je suis.

Il eut un petit rire sec, ressemblant à une quinte de toux, et qui se prolongea.

— Pas pour moi, bien sûr ! finit-il par réussir à prononcer en continuant de s'en étouffer de rire. Pas pour ce que tu penses, en tous les cas. A mon âge ! Et la vieille, qu'est-ce qu'elle dirait ?

Il se donna le temps de reprendre son calme et son souffle sans que quitte son vieux visage ridé un sourire mi-narquois, mi-attendri.

— Non, bien sûr, reprit-il enfin. C'est du Gustave et de toi dont je veux qu'on cause. Et bien un peu aussi de la Juliette.

Il se tut. Michel, sur la défensive, laissa se prolonger le silence qu'avait voulu le vieux. Il attendait, simplement, un peu inquiet, mais surtout curieux de savoir où il voulait en venir.

Ils arrivaient à la porte du pré. Michel ouvrit la clôture électrique. Gaston Fossurier fit le geste de s'engager. Puis il s'arrêta net. Michel, ses deux poignées isolées dans les mains, était bloqué, contraint de rester là, planté devant le vieux.

— « Pourquoi moi ? » que tu me demandais, tout à l'heure, dit-il en posant sur Michel un regard aiguisé de fouine. Parce que, vois-tu, il se trouve que la Juliette, celle au Flûtot, tu connais ?

Michel se contenta d'acquiescer d'un geste de la tête.

— Eh ben, tu vois, la Juliette... continua Gaston Fossurier dont il sembla tout à coup à Michel que les mots lui pesaient. Oh, c'est pas pour dire qu'on se connaît bien. Mais tout de même. Vois-tu, la Juliette, quand elle était gamine, elle me servait du « mon oncle ». Et je l'appelais « ma nièce ».

Un fin sourire courut dans le réseau dense des rides de son visage et éclaira son regard.

— Ça t'étonne, celle-là, hein ? Dis-le donc, que ça t'étonne. Quand je te dis que t'es pas de nos villages. Sinon tu le saurais bien, qu'on est tous plus ou moins cousins, par ici. On ne s'est jamais trop fréquentés, de sa famille à la mienne, c'est bien vrai. Mais il n'empêche. Pour les baptêmes, les mariages et surtout les enterrements, jamais on n'a manqué de s'inviter, d'une maison à l'autre. Et ça, petit, il faudra bien que tu comprennes un jour combien ça compte. Alors, vois-tu, le Gustave, je l'aime bien. C'est un bon paysan. Il n'y a pas à redire. Et puis son père, en affaires, c'était quelqu'un. Seulement, voilà, je ne voudrais pas qu'il fasse du tort à ma nièce. Comprends-tu ?

» Qu'il aille s'amuser ailleurs, il ne serait ni le premier ni le dernier. Il a fait ce qu'il avait à faire : ils ont un gars. Dommage qu'il soit venu après la fille. Mais que veux-tu, on ne choisit pas. Enfin, le bien est transmis. C'est tout ce qui compte. Il a beau répéter que le gamin ne reprendra pas, moi je ne dis pas complètement comme lui. Qu'est-ce qu'il en sait, lui, si son gamin ne reprendra pas ? Peut-être même qu'il sera bien content de pouvoir choisir entre la ferme ou le chômage. Il y en a beaucoup, de nos jours, qui aimeraient bien l'avoir, ce choix-là.

» Enfin, je m'égare. C'est pas de ça que je voulais te parler. Ou, du moins, pas totalement.

» Qu'il aille s'amuser ailleurs, le Gustave, il n'y a rien à redire. On l'a tous fait. Qu'est-ce que tu veux ? Quand il s'agit de ne plus avoir de gamins pour ne pas avoir à partager le bien, qu'est-ce que tu crois qu'on fait ? On ne prend plus de risques avec la patronne. On va prendre son plaisir ailleurs. Ça s'est toujours fait. Pourquoi veux-tu que ça change ?

» Seulement, le Flûtot, il est là à nourrir bien d'autres idées, tu comprends ? Sa petite institutrice, il la verrait bien à la place de la Juliette. Il s'y croit, le Gustave. Vois-tu, il prend au sérieux ce qui n'aurait dû rester que son plaisir. Et ça, ce n'est pas bien.

» Alors, ma foi, si tu la lui soufflais, la Sylvie, ça l'empêcherait bien un peu de regarder ailleurs que chez lui, et ce ne serait pas pour me déplaire.

» Tu comprends maintenant ?

Michel comprenait. Mais à moitié seulement. Tout ça était tellement retors, étranger à sa façon de voir les choses, qu'il ne parvenait pas à concevoir qu'il puisse à ce point être concerné. Gaston Fossurier ne fut pas dupe de son acquiescement de principe.

— Faut bien que tu saches, petit, insista-t-il. Faut pas que tu rêves. Toi ou un autre, c'est pas ce qui compte. Il y a deux choses qui m'intéressent, la Grande Cheintre et que le Gustave n'abandonne pas ma nièce. Le reste… Tu sais, à mon âge… Mais pour ces deux choses-là, alors, je suis bien de taille à me cramponner, tu peux me croire. Et tant que tu seras sur le chemin qui me semble aller dans le sens que je veux, tu pourras compter sur moi. Mieux encore : je peux faire de toi le maître de la Grande Cheintre. Le vrai. Pas le maître de pacotille que veut le Gustave, celui pour la façade, pendant que lui se voit en train de récupérer en douce les meilleures terres. Moi, c'est pour toute la Grande Cheintre que je veux un maître, un seul, qui n'éclate pas le domaine. Mais si tu t'écartes de ce chemin-là, petit, alors…

Il eut de la main un geste sans équivoque et qui

ne donnait pas cher de l'avenir qui pourrait être celui de Michel au Crot-Peuriau si l'idée lui venait malencontreusement de ne pas marcher droit.

— C'est du chantage, s'offusqua Michel.

Il était toujours figé dans la porte du pré, immobilisé par les deux poignées isolantes de la clôture électrique qu'il tenait à pleines mains.

Gaston Fossurier lui lança un regard noir. A l'évidence, la remarque ne lui avait pas plu. Il se décida à passer devant Michel qui s'empressa de se débarrasser des encombrants crochets plastifiés.

— Appelle ça comme tu voudras, dit-il d'un ton dédaigneux. C'est pas ça qui me fera changer d'avis.

Sans un regard derrière lui, il s'engagea dans la descente vers le bourg. Lorsque Michel se redressa, il était déjà dans le premier virage.

— Vous voulez que je vous descende jusqu'au pays ? lui cria-t-il.

Gaston Fossurier se contenta d'un grand geste de la main qui fit tracer des arabesques dans le ciel à la pointe de sa canne et voler sa cape comme une aile noire.

— Laisse donc, lança-t-il de cette étrange voix étonnamment puissante et pourtant légèrement chevrotante. Je sais encore marcher.

Et il disparut derrière les broussailles coiffant le talus, à l'entrée du petit sentier qui coupait les méandres du chemin empierré.

21

— Et cet œuf ? Tu sais ce qu'il signifie, toi, cet
œuf ?

— Un jour, je t'expliquerai.

En finissant de fermer sa chemise, Gustave se
laissa tomber sur une chaise, devant le café que Sylvie venait de lui servir. Elle, encore en robe de
chambre, allait et venait nerveusement à travers la
pièce.

— Un jour, tu m'expliqueras ! Je suis trop bête
pour que tu me dises tout de suite ? A croire que tu
parles à tes enfants.

Il se trémoussa sur sa chaise, mal à l'aise, en lui
jetant un regard de chien battu, par-dessus le bord
de son bol.

— Mais non, dit-il en s'essuyant la bouche d'un
revers de main. Qu'est-ce que tu vas chercher ? C'est
que c'est une longue affaire à expliquer. Tu es pressée, et moi aussi.

Elle s'affairait autour d'une pile de cahiers posés
sur une chaise. Elle lui tourna le dos en haussant
sèchement les épaules.

— Pressés ! On est toujours pressés. Tu n'es pas
sitôt arrivé que tu es pressé de repartir. Tu prends ce
que tu as envie de prendre. Et tu repars. Parce que
tu es pressé. Si c'est tout ce que tu es capable de
m'offrir…

Il paniqua.

— Tu vas me quitter.

Elle dut ramasser quelques cahiers qu'elle avait laissés glisser au sol. En se redressant, elle eut le même haussement d'épaules.

— Je n'en serais pas capable, dit-elle sans se détourner et avec un frémissement dans la voix bien proche du sanglot.

Il se rassura et voulut jouer les cyniques.

— C'est pourtant pas difficile. Tiens, tu le sais qu'il est là, derrière son rideau, à me surveiller, à attendre que je sorte. T'as qu'à lui faire un signe, pas plus. Sûr qu'il rappliquera.

Elle ne s'y laissa pas prendre.

— Bien sûr, dit-elle à nouveau très sûre d'elle. Et peut-être bien que c'est ce que je devrais faire. Mais pour ça, tu vois, il faudrait que je sois quoi ? : une girouette… ou pire.

Il avait retrouvé tout son aplomb. Il se leva et emporta son bol vers l'évier.

— Allons, dit-il. Il y a trop de choses, depuis trop longtemps, entre nous. C'est pas un oiseau de passage comme celui-là qui va nous séparer.

Un instant, elle s'immobilisa et leva vers lui un regard incrédule. Elle parut sur le point de répondre et, visiblement, se ravisa. Elle fermait une lourde serviette de cuir.

— Bon, dit-elle. Il va falloir que je me dépêche.

Elle eut un petit rire de gorge nerveux.

— Tu vois ! Moi aussi, je suis toujours pressée. Tu dois avoir raison. Enfin… Un jour, peut-être, tout de même, on trouvera le temps que tu m'expliques le sens de cet œuf, devant le bouvier, sur la photo.

— N'aie crainte. Je t'expliquerai.

Il était déjà ailleurs. Au passage, il lui déposa un rapide baiser sur le front. Il enfila sa veste.

— A demain matin ?

Sans attendre la réponse, il était passé dans l'arrière-cuisine d'où on atteignait la porte de derrière s'ouvrant sur le jardin.

— C'est ça. A demain matin, murmura Sylvie.

Debout au milieu de la pièce, les bras ballants, elle fixait sans la voir la porte par laquelle il avait disparu. Dans le silence du matin, elle entendit le chuchotement du chien qui manifestait sa joie de retrouver son maître et les quelques mots que lui dispensait celui-ci pour le calmer.

Et elle ne put s'empêcher de souffrir à l'idée de Michel qu'elle savait, au même instant, derrière le rideau de sa salle, serrant les dents et les poings, malheureux comme la pierre.

« Et qu'est-ce que j'y peux ? » sanglota-t-elle en se laissant tomber sur la chaise qu'occupait son amant l'instant d'avant. Les coudes sur la table, elle se prit la tête entre les mains.

« Mais qu'est-ce que je peux faire ? répéta-t-elle. Qu'est-ce que je dois faire ? »

Au fond, même s'il la décevait profondément, elle sentait bien que brûlait encore en elle la flamme qui l'attachait à Gustave. Il y avait là-dedans un étrange mélange de reconnaissance pour l'homme qui avait su l'accueillir et s'occuper d'elle, à son arrivée au Crot-Peuriau, et de commisération un peu maternelle pour ce même homme si mal appareillé avec sa légitime épouse.

— S'il s'est détourné d'elle, avait-elle dit à Michel, c'est qu'elle l'a bien voulu. Si elle avait fait ce qu'il fallait, il ne serait pas allé chercher ailleurs ce qu'il n'a pas trouvé chez lui.

Et elle avait préféré ne pas relever lorsque Michel lui avait durement fait remarquer ce que le raisonnement avait d'un peu facile.

— Bonne conscience à bon compte, avait-il estimé.

Et alors ? Fallait-il que le rêve soit uniquement pour les autres ? Sylvie y avait cru le plus sincèrement du monde lorsqu'il s'était agi de partager et de soulager la peine de Gustave. Et elle y avait encore cru avec la même ingénuité lorsque, en échange de cette tendre compassion, il lui avait promis qu'un jour ils vivraient ensemble.

Le temps était passé. Elle n'y croyait évidemment plus. Elle savait bien que jamais il ne renoncerait à sa terre. Elle savait qu'il préférait de loin subir la soupe à la grimace que Juliette lui servait nuit et jour plutôt que de renoncer à un seul des champs qu'il avait la fierté d'exploiter.

Mais elle ne parvenait pas à lui en tenir rigueur tant elle s'imaginait qu'il avait été sincère en lui promettant la vie commune. Et puis, il y avait cet attachement d'une force étonnante pour la terre qu'elle ne pouvait s'empêcher d'admirer en même temps qu'elle finissait par se complaire dans le rôle cornélien de la victime acceptant de se sacrifier pour la noblesse de la cause de son héros.

Dans son aveuglement, le ridicule de tout cela avait mis longtemps avant de lui apparaître. D'avoir fini par en prendre conscience ne l'avait pas libérée pour autant. Il y avait la force de l'habitude. Il y avait le plaisir des caresses, la jouissance qu'il lui offrait, chaque matin ou presque, et qu'elle goûtait d'autant plus qu'elle avait souffert, après son divorce, de la solitude dans laquelle elle s'était retrouvée.

Longtemps, elle avait cru se contenter, malgré tout, de cette étrange liaison secrète qui, en quelque sorte, lui donnait les sensations physiques de l'amour sans qu'il s'agisse de ça, elle le savait bien. Mais puisque la vie l'avait ainsi voulu ! C'était à la fois une sorte de renoncement et une façon d'organiser son existence dont elle appréciait qu'elle lui laisse tout le temps de se consacrer à ses nombreuses amies et à quelques associations au sein desquelles elle était très active.

Et c'est bien parce qu'elle avait très vite mesuré l'incompatibilité qu'il y avait entre la vie qu'elle s'était ainsi organisée et l'attachement qui risquait de naître et de se développer entre Michel et elle, qu'elle n'avait pas osé y céder.

Égoïsme, lassitude ou simple doute ? Elle avait reculé devant ce qui, inévitablement, aurait totalement remis en cause le curieux équilibre qu'elle avait trouvé à son existence. Elle en était à regretter. Mais elle ne se sentait pas capable d'un choix serein. En toute logique, elle ne se le cachait même pas, il aurait dû la jeter dans les bras de Michel. Mais elle redoutait jusqu'à l'angoisse le drame que ne manquerait pas de provoquer un tel choix.

Que ferait Gustave ? Comment Michel pourrait lui tenir tête ? Au bord de la panique, elle se faisait l'effet d'être la femelle pour la possession de laquelle des mâles pouvaient en venir à se battre jusqu'à ce que mort s'ensuive. En être réduite, à ses propres yeux, à cette image primaire la laissait au bord de la nausée.

Depuis ce jour où il était venu l'implorer de le détromper, elle n'avait évidemment pas revu Michel. Elle le savait présent, là, juste à côté de chez elle. Elle savait qu'il aurait suffi d'un geste de sa part pour qu'il se précipite. Mais elle s'était bien gardée de l'accomplir et s'appliquait à sembler vivre exactement comme par le passé pour que n'apparaisse pas son désarroi.

Elle ne pouvait pourtant pas empêcher que tournent inlassablement en elle les derniers mots qu'il avait prononcés avant de la quitter. Que voulait-il dire ? A quelle tragédie quotidienne faisait-il allusion ? Et surtout pourquoi ce pluriel ? Qui étaient, selon lui, ceux qui se jouaient d'elle et dont il ne doutait pas qu'ils la jetteraient dès qu'ils n'auraient plus besoin d'elle ? Elle aurait pu douter, mettre ces mots sur le compte de la déception et de l'amertume, s'il n'y avait pas eu cette dernière question dont elle savait tout le bon sens : « Qu'es-tu, toi qui n'as même pas un champ ? »

Elle ne put venir à bout de la tasse de café qu'elle s'était servie. Sous la douche, la sensation qui lui venait, depuis quelque temps, de se livrer à une sorte de rite purificateur fut plus forte encore que d'habitude. Elle en aurait pleuré de dépit, tout en s'abandonnant avec soulagement à la caresse tiède de l'eau.

Elle s'habilla en coup de vent. Et, lorsque, son gros cartable au bout du bras, elle se pressa vers sa voiture qui avait passé la nuit au bord de la rue, rien ne pouvait laisser transparaître le trouble et le doute qui la ravageaient quelques instants plus tôt.

Michel était dans sa cour. Leurs regards se croisèrent. Ils eurent l'un pour l'autre un large sourire. En se glissant derrière son volant, elle lui adressa un petit geste aimable de la main.

— Je suis à la bourre. Je fonce, crut-elle utile de préciser.

— Bien sûr, se contenta de marmonner Michel de telle façon qu'il fut seul à entendre.

Michel tint bon trois longues semaines.

Le printemps, entre-temps, s'était installé. Il pleuvait souvent. Une alternance de fines averses, qui nourrissaient la terre, et de belles percées du soleil, qui la réchauffaient. Alors, tout se dissolvait dans le brouillard épais d'une végétation un peu arborescente dont s'élevaient, qu'entouraient, que caressaient sans cesse les vapeurs épaisses de toute cette humidité qui saturait la terre, l'atmosphère et toutes les fibres des plantes et des arbres qu'elle faisait vibrer de vie.

Seul, sans l'aide de qui que ce soit, il redescendit ses moutons du Haut-Foron. Simplement, ne doutant de rien, après les avoir longuement cherchés dans les replis et les méandres du vaste plateau couvert de broussailles et de fougères, il se mit devant eux, un long bâton dans une main, un seau plein d'aliments dans l'autre. Et, à petits cris, d'une voix monocorde, il les appela.

Était-ce l'appel de ce chant un peu monotone ? Était-ce celui beaucoup plus suggestif des granulés s'entrechoquant dans le seau ? Les moutons, sans trop rechigner, se groupèrent derrière lui et la troupe se mit en branle. Il revint ainsi du Haut-Foron d'où les mauvaises langues disaient pourtant que ses moutons, revenus à l'état sauvage, ne pourraient être descendus que par les chasseurs. Au mépris complet de la circulation, il suivit la route jusqu'au bourg qu'il prit un malin plaisir à traverser, sans déroger d'un pouce de son chemin, à l'heure précise de l'apéritif.

A dire vrai, il avait bien calculé son coup. Et, par chance, ça avait marché. Sur le pas de la porte de Marcel, il y avait du monde pour l'encourager. Seul Gustave resta accoudé au bar.

— Des moutons qui passent... grogna-t-il, dédaigneux. Vous n'avez donc jamais vu ça ? Faut bien que vous ne soyez jamais sortis de votre trou.

— Sûr que ce n'est pas toi qui nous as fait voir, ironisa l'un.

— C'est pas des moutons, précisa un autre. Ce sont ceux du Michel. Et il est devant.

— Seul, insista un troisième.

Gustave, en sirotant son apéro, continuait de grogner. Ça lui faisait bien misère quelque part qu'on lui tourne le dos pour laisser la vedette à ce maudit moutonnier.

— Tu penses, grommelait-il. Des moutons ! Comme si c'était difficile. Mets-y donc autant de vaches. Et tu vas voir s'il sera seul devant.

Il était d'une parfaite mauvaise foi. Au point que Désiré, en rentrant après que Michel et ses moutons eurent disparu derrière le premier virage, s'en étonna.

— Qu'est-ce qu'il t'a donc fait, le Michel, pour que tu sois toujours après lui ?

Gustave haussa les épaules. Il était lourdement accoudé au bar et avait rabattu sa casquette sur des sourcils froncés et un regard noir.

— Hein ? Qu'est-ce qu'il t'a fait ?

— Rien. Il ne m'a rien fait. Mais c'est justement.

Ils en furent pour leur stupéfaction.

— Justement ! Justement quoi ?

Gustave, à vrai dire, ne savait plus trop comment s'en sortir. Il y en avait, des choses, à mettre dans ce « justement ». Mais le café de Marcel était bien le dernier endroit où il aurait pu les déballer.

— Rien, fit-il sans céder un pouce de son air rogue.

Ils le considérèrent un moment en silence et avec perplexité, avant de croiser leurs regards.

— Oh, le Flûtot, osa Désiré que chagrinait cette mise en cause de son ami en son absence. Tu ne crois pas que tu exagères un peu ? Qui c'est qui nous l'a amené, le Michel ? C'est bien toi, non ? C'est plus ton cousin, ou quoi ?

— C'est justement, grogna encore Gustave à bout d'argument.

— Tu nous fatigues avec tes « justement ». Tiens ! Tu vas pouvoir lui demander si c'est « justement » facile de conduire des moutons tout seul, à ton voisin.

La porte du café venait de s'ouvrir en tempête et, tout souriant, ignorant la casquette de Gustave si basse sur son front qu'elle n'allait pas tarder à rejoindre son nez, Michel venait les rejoindre. Il n'était pas peu fier.

— Vous avez vu ça ? Cinquante moutons derrière moi, tout seul. Qu'est-ce que vous en dites ?

— Et ils sont où, pour l'heure ? Sitôt passé le virage, tu les as tous perdus ?

— Arrête, tu veux. Marcel, mets-moi donc comme d'habitude. Vingt dieux d'ours, ça sèche de les conduire, ces bestiaux-là. T'es là à les appeler et à devoir avancer sans pouvoir t'arrêter. Sinon, tout le monde te double !

— Et tu les as mis où ? Tu ne veux pas nous le dire, ou quoi ?

C'était tellement évident que Michel en eut l'air tout étonné.

— Où je les ai mis ? Où tu veux que je les mette ? Dans l'ouche, sous la Grande Cheintre, pardi. Je les rentrerai ce soir.

— T'as une bergerie ?

— Bien sûr. J'ai aménagé l'aire de grange.

— Et c'est maintenant que tu les rentres ? Tout l'hiver ou presque dehors. Et tu les rentres au printemps.

— Tu ne voudrais tout de même pas qu'on les tonde en hiver ?

Il y eut un temps de silence ébahi, puis un sifflement collectif d'admiration. Ils avaient pensé à tout sauf à ça. Et ce n'était pas Gustave, le seul connaisseur de la bande, qui aurait pu les mettre sur la voie. Adossé au bar, il écoutait, l'air vaguement critique, sans manifestement vouloir se mêler de la conversation.

— C'est pour les tondre, que tu les as rentrés, confirma bêtement Désiré. Et tu vas les tondre toi-même ?

— C'est justement, fit Michel que l'éclat de rire général qu'il déclencha laissa stupéfait.

Gustave, dans son coin, avait eu bien du mal à retenir son propre rire.

— Oh ! s'étonna Michel. J'ai dit quelque chose de drôle ?

— Non. Laisse donc, s'empressa Désiré. C'est entre nous, avant que tu arrives.

— Et j'ai pas le droit…

— Non, t'as pas le droit.

— Ah bon.

— Mais au fait, c'est justement quoi ?

— C'est justement que j'ai besoin de vous.

Il y eut un « Ah ! » aussi collectif que l'avait été, quelques instants auparavant, le sifflement d'admiration.

— C'était donc ça, confirma une nouvelle fois Désiré. T'as besoin de main-d'œuvre, en somme.

— Et je paie comme Gustave.

— Il n'y aurait pas un petit acompte, comme ça, pour la forme ?

— Après signature du contrat. Vous venez, oui ou non ?

206

— Bien sûr qu'on va venir t'aider.

— Oh ! Pas de blague, hein ? Je compte sur vous.

— Pinaille pas, tu veux. T'as promis un acompte. Passe aux actes.

— Allez Marcel, c'est ma tournée.

Seul Gustave, d'un simple geste à Marcel, déclina l'offre lorsque vint son tour. Mais il ne lui servit à rien d'avoir voulu être si discret. Michel ne le lâchait pas des yeux. Leurs regards s'accrochèrent, durement. Et Michel, cette fois, ne chercha pas à l'éviter. Un lourd silence gêné s'était établi dans le café. En rond autour des protagonistes, leurs amis les contemplaient d'un air navré ou se perdaient dans l'observation hautement édifiante du fond de leur verre.

— Je pense que tu ne seras pas là, demain, demanda Michel sèchement.

Gustave ne s'attendait pas à une attaque aussi frontale. Il bredouilla, tendit tout de même son verre à Marcel.

— Oui… Non… Non, je ne pense pas que je pourrai être là. Dommage…

— Eh ben, on fera sans, conclut simplement Michel en lui tournant le dos.

— Et… Tu sais tondre des moutons, toi ? s'enquit Fernand Dessorle.

Il parlait vite et sur un ton un peu haché comme s'il voulait détourner l'attention et détendre l'atmosphère.

— On m'a montré. Ça devrait aller, dit Michel sans paraître s'inquiéter beaucoup de savoir si ses compétences seraient à la hauteur.

— Eh ben, on verra ça. Il faut savoir tout faire, dans la vie. Pas vrai les gars ?

On acquiesça d'autant plus bruyamment qu'on avait été silencieux et gênés. Et l'on voulut remettre ça. Mais, cette fois, la question de savoir si Gustave prendrait ou non quelque chose ne se posa pas. Il s'était éclipsé en douce.

On but tout de même. Mais à nouveau en silence, mal à l'aise, sans trop savoir que dire ni quelle contenance prendre. On se quitta sitôt le dernier verre vide.

— A demain ! lança Michel à la cantonade en refermant derrière lui la porte du café.

Il n'obtint aucune réponse. Il haussa les épaules et, les mains au fond des poches, il se hâta vers le petit pré verdoyant, derrière la maison de la Grande Cheintre, où il lui plaisait de savoir ses moutons. Ils y allaient et venaient, s'attardant peu à brouter une herbe si épaisse qu'elle leur montait jusqu'aux naseaux et qu'il leur suffisait d'avancer en mâchonnant pour s'en emplir la bouche.

Michel, accoudé à la barrière, les contempla un long moment. Dans l'espace réduit de la petite ouche, ils avaient déjà oublié les prétentions à l'indépendance et à la liberté qu'ils affichaient volontiers sur le Haut-Foron. Ils s'appelaient entre eux à voix douce, presque tendre, en restant totalement indifférents à sa présence.

Et lui ne se lassait pas de s'occuper l'esprit à leurs soins et à leur observation pour n'y laisser aucune place à d'autres préoccupations.

Surtout, il s'appliquait à ne pas penser à Sylvie. C'était d'autant plus difficile qu'elle vivait là, à côté de lui, et que tout, à chaque instant, lui indiquait ce qu'elle faisait. La présence de sa voiture, la position des volets de sa maison, la lumière filtrant de leurs interstices, autant de détails qu'il ne pouvait pas ne pas voir et qui, avec l'habitude, lui murmuraient pourtant obstinément ce qu'elle faisait.

Et c'était d'autant plus douloureux qu'il ne pouvait rien en faire. Car, bien sûr, il s'était juré de ne plus la rencontrer. Il fallait coûte que coûte qu'il parvînt à prendre des distances. Mais il lui paraissait souvent que, dans un tel voisinage, ce serait au-dessus de ses forces.

Il attendit que vienne la fraîcheur du soir pour rentrer ses moutons. Ils étaient lourds de toute la bonne herbe de l'ouche qu'ils avaient broutée tout l'après-midi. Et ils cherchaient à se rassembler, dans le coin le plus abrité du pré, pour la nuit.

Michel vint à eux toujours armé de son long bâton dans une main et de son seau d'aliments dans l'autre main. Il les appela, secoua son seau une ou deux fois, puis reprit lentement le chemin de la ferme.

Il leur fallut le temps de secouer la torpeur qui les gagnait déjà. Les surveillant, au-dessus de son épaule, il vit qu'il lui fallait encore ralentir. Il s'immobilisa presque mais continua d'appeler doucement, sans s'interrompre. L'un d'eux bougea, semblant s'extraire de la masse compacte et mouvante qu'ils formaient. Il se tourna vers Michel, émit un long et grave appel et parut tout à coup s'affranchir totalement du reste du troupeau. Il ne fallut pourtant que quelques instants pour que tous ses congénères lui emboîtent le pas. Il avait été la première goutte d'eau annonçant le flot régulier qui coulait désormais derrière Michel.

Il atteignit la route, s'y engagea et remonta vers la Grande Cheintre. Il n'en était plus qu'à une vingtaine de mètres lorsque survint, en face de lui, la petite voiture blanche de Sylvie. Elle se gara plus vite encore que d'habitude et la jeune femme jaillit par la portière grande ouverte, comme un diable sortant d'une boîte.

— Tu vas loin comme ça ?

Il ne put ni ne voulut se dissimuler le grand plaisir que lui faisait le ton enjoué qu'avait pris Sylvie pour l'interpeller.

— Je les rentre, simplement.

Et il s'engagea dans l'entrée de la Grande

Cheintre dont il avait largement ouvert les grilles à deux battants. Les moutons le suivirent sans hésiter. Pour le plaisir, il effectua une large boucle dans la cour et franchit enfin la porte de la grange dont il avait pris soin de pailler l'aire abondamment.

Cette fois, les moutons hésitèrent. La bouche sombre de cette caverne, malgré l'appel moelleux de son épaisse litière, ne disait rien à ces nomades qui n'avaient jamais vécu jusque-là sous un toit en dur.

Michel leur fit face. Il s'accroupit dans la paille et fit ses appels plus insistants encore. De la main, il fourrageait dans les granulés que contenait son seau. Perplexes, les moutons lui faisaient face mais ne parvenaient pas à se résoudre à entrer dans la grange. Il commençait à se demander comment il allait parvenir à les décider lorsque la silhouette de Sylvie s'encadra dans la porte, derrière les moutons. Elle avait encore son cartable au bout du bras.

— Allons, allons, on avance, on se presse, disait-elle doucement en avançant vers les bêtes qui n'eurent bientôt plus le choix.

Pris entre le grand trou noir de la porte de la grange et cette voix, derrière eux, qui les encourageait, les derniers se mirent à pousser les premiers. Il y eut un peu de confusion, des mouvements de droite et de gauche auxquels Sylvie s'opposa vivement mais sans la moindre brutalité. Et enfin, l'un d'eux osa faire un bond qui le fit atterrir du bon côté de la porte, sur la litière. Aussitôt, les autres l'imitèrent. Et Michel, qui avait laissé son seau au milieu de la bergerie improvisée, n'eut plus qu'à se défiler vers la porte pour aider Sylvie à la rabattre sur le dernier de la troupe.

— On dirait que tu as fait ça toute ta vie, admira-t-il.

— Sûrement plus souvent que toi ! Mes parents étaient paysans, moi.

— Ah bon ! Où ça ?

210

Déjà, le bonheur simple de se retrouver côte à côte les reprenait et était plus fort que toutes les plus belles résolutions. Ils s'accoudèrent à la barrière qu'il avait bricolée en travers de la porte de la grange.

— Ils sont beaux, hein, mes moutons ?

Après avoir brièvement tourné en rond dans la litière de paille, les bêtes s'étaient alignées de part et d'autre du long râtelier que Michel avait dressé au milieu de la grange et qu'il avait abondamment garni.

Sylvie avait posé le menton sur ses mains jointes. Et elle les contemplait.

— Ils sont en bon état, confirma-t-elle. Qu'est-ce que tu vas en faire ?

— Ça dépend, dit-il. Après la tonte, je vais les séparer en deux bandes. Il y a les agneaux que je vais engraisser. Je pense les vendre avant l'été. Et puis il y a des agnelles que je vais garder comme mères. Les premières d'un grand troupeau, tu verras !

Elle rit.

— Je te crois, dit-elle.

Ils se turent. Le sujet avait été d'autant plus vite épuisé que l'un et l'autre pensaient à autre chose. L'un ne savait pas comment aborder le sujet. Et l'autre redoutait et espérait tout à la fois qu'il y parvienne tout de même. Elle ne quittait pas les moutons des yeux et lui ne voyait plus qu'elle. Elle sentait son regard sur elle. Pour un peu, elle se serait prélassée sous sa caresse. Mais, pour rien au monde elle n'aurait détourné les yeux, même si, sur ses lèvres, un sourire très doux et un peu attendri trahissait les émotions se bousculant en elle et dont l'origine n'était évidemment pas à rechercher du côté des moutons qu'elle s'appliquait à ne pas quitter des yeux.

— Ça a été dur, tu sais, articula-t-il enfin.

— Oui, dit-elle simplement sans changer de position.

— Peut-être… Peut-être que je vais partir.

Elle se raidit. Son regard devint grave, presque anxieux. Mais elle ne bougea pas.

— Non, dit-elle.

Il se détourna d'elle et, à son tour, parut se perdre dans la contemplation des moutons qui mâchonnaient leur foin avec application. Avec un très fin nuage de poussière dorée qui tournait lentement dans la lumière d'une ampoule pendant d'une poutre, au bout de son fil haubané de toiles d'araignée, il montait du râtelier, autour duquel ils s'étaient tous assemblés, un insistant brouhaha fait de piétinements, de frôlements et de mastication.

— Je ne saurai pas rester si près de toi.

Elle parvint à ne pas montrer son émoi.

— Et l'amitié, dit-elle. Ça ne suffit pas, l'amitié ?

Il fut sur le point de lui adresser encore des reproches cinglants. Mais il se retint et, du coup, ne sut plus quoi dire. Intriguée, elle se tourna vers lui.

— L'amitié, répéta-t-elle. Non ? Tu ne crois pas ?

Il avait l'air totalement sidéré.

— Tu veux dire… balbutia-t-il. Bien sûr, l'amitié. Bien sûr que j'y crois. Bien sûr qu'elle est là, intacte. Mais tu crois honnêtement que je saurai sauver l'amitié en sachant…

— Arrête, voulut-elle l'interrompre.

Il eut l'air sincèrement étonné.

— Tu me dis arrête ? Pourquoi ? Pourquoi j'arrêterais ? C'est la vérité, non ? Il y a entre nous des vérités à ne pas dire ? Allons ! Non, Sylvie, il y a l'amitié, c'est vrai. Tu as raison. Elle existe. Et elle existera, quoi qu'il arrive, ici ou ailleurs. Et puis il y a le reste, qui existe aussi. Et tu ne peux pas me demander de tout supporter au seul nom de l'amitié. Parce que c'est au nom même de cette amitié qu'un jour je foncerai dans le tas. Un jour je t'arracherai à tout ça. Un jour je te rendrai à toi-même, je te libérerai de toute cette abjection…

— Michel !

— Abjection, j'ai bien dit.

Il ne la regardait pas. Il ne quittait pas des yeux ses moutons qui continuaient de mâchonner leur foin, paisibles, toujours dans la même rumeur. Mais il ne les voyait plus bien et ne les entendait pas mieux. Il était totalement dans une sorte de cocon d'où, à grand-peine, il tentait de voir aussi clair en lui que dans l'imbroglio qui les entourait.

— Allons, Sylvie, continua-t-il sans le moindre souci de son émoi, tu ne réalises donc pas ? Je te l'ai dit : tu es un jouet. Et quand ils n'auront plus besoin de toi, ils te jetteront, sans même un merci. Je pense que tu ne voudrais pas qu'on te remercie ? Dis-moi : tu ne voudrais pas qu'on te remercie pour avoir si longtemps joué les utilités de cette façon ?

— Michel, je t'en supplie, arrête.

Il se décida à détacher les yeux de son troupeau attablé et tourna vers elle un regard bouleversé.

— Mais pourquoi tiens-tu tant à ce que je m'arrête lorsque je commence à dire la vérité ? Tu sais à quoi tu sers, j'en suis persuadé. Tu le sais, non ? Tu sers à ce qu'il n'y ait plus d'autres héritiers dans la famille de Gustave. Bon, ben voilà, c'est dit. On le sait. Et après ? Le petit con qui s'est imaginé… quoi ? Qu'est-ce qu'il s'est imaginé, le petit con ? Qu'au-delà de la simple et belle amitié, il pouvait y avoir de l'amour ? Pauvre petit con !

— Arrête !

Cette fois, elle avait crié et s'était dressée devant lui, dans la porte de la grange. Il n'avait pas bougé d'un pouce.

— Non, je n'arrêterai pas. Parce que je dis la vérité. J'ai cru… Non. Je n'ai rien cru du tout. Je n'ai rien vu venir. Je n'ai rien compris. Faut-il que je sois con ! J'ai cru qu'il était possible qu'une femme comme toi, belle, intelligente et seule, puisse ne rien avoir à faire avec leurs magouilles. J'ai eu tout faux. Aussi intelligente que tu sois, tu ne pouvais pas leur échapper. Tu ne leur as pas échappé. Et maintenant, tu es un rouage bien précis de leur machine. Tu es celui par lequel passe l'assouvissement nécessaire et bestial des pulsions du seigneur et maître. Et en permettant qu'elles s'assouvissent, tu assures la pérennité de la race du bien. Tu te rends compte ? Tu as un rôle énorme, colossal. Et moi, naïvement, qui prétendais retirer ce rouage-là à leur machine vieille comme le monde. Tu te rends compte, le petit présomptueux que je pouvais faire ? Et tu voudrais qu'avec ça je reste l'ami, paisible, aveugle, là, au pied, avec des œillères ? Mais tu rêves ! Bien sûr, je suis l'ami, prodigieusement heureux de l'être, et plus encore malheureux de n'être que ça. Sylvie, tu ne peux pas savoir à quel point je suis fier de pouvoir te donner mon amitié… Et à quel point je souffre de savoir qu'il me faut déjà la trahir en tolérant qu'ils fassent de toi…

Il se tut et se détourna. Elle avait à nouveau posé son front sur ses mains croisées et pleurait doucement.

— Alors, rester… Tu comprends ?

— Tu vas partir ?

Elle sanglotait.

— Peut-être… Peut-être pas. Je ne sais pas. Il y a eux, dit-il en désignant ses moutons d'un geste du menton. Il y a la Grande Cheintre. Il y a les photos. Il y a cet œuf dont il faudra bien que je comprenne un jour le sens et la raison d'être. Et puis, surtout, il y a toi. Je n'ai pas renoncé, tu sais.

Dans la pénombre qui gagnait la cour, lorsqu'il la prit dans ses bras, elle se blottit contre lui, presque frileusement. Il déposa un long baiser sur ses cheveux, puis ouvrit grand l'étau de ses bras. Tout doucement, elle se détacha de lui, ramassa son cartable et partit vers chez elle. Il la raccompagna jusqu'à la grille.

— Bonsoir, dit-il sans plus tenter un geste vers elle.

— Bonsoir, répondit-elle en levant brièvement vers lui un regard comme un adieu.

23

L'aurore n'était encore qu'une espérance. Seule, à l'est, une fine lame d'argent incisait sans hâte le velours noir de la nuit. Le pays dormait encore. Aucun bruit, aucun son. La vie semblait étale et à jamais libérée des remous qu'y creusent ordinairement les paroles et les gestes.

En poussant sa porte, Michel crut sentir couler en lui ce calme et cette paix qui faisaient la matière même de l'instant. Il resta un long moment immobile, le nez en l'air, sur le perron, laissant tout son être s'imprégner de la sensation très forte qu'il n'existait plus de limite précise entre le cosmos et lui. Il lui semblait sentir sur sa peau l'incommensurable de l'espace dans lequel flottaient aussi bien sa tête que l'étoile la plus lointaine. Une telle limpidité habitait aussi bien l'atmosphère que l'ambiance de cet instant d'avant réveil des hommes et des bêtes qu'il lui parut accessoire d'avoir les pieds sur terre. L'essentiel était dans ces distances abolies entre les trois dimensions du cosmos.

Il s'abstint même d'aller rôder vers son jardin. Lorsqu'il se résolut à dévaler son perron, comme on se jette à l'aventure, l'envie sordide l'effleura d'aller voir si l'Ouasse montait bien la garde devant la porte de Sylvie. Mais, pour une fois, il parvint à s'en défendre.

— A quoi ça sert ? grogna-t-il.

Il avait mieux à faire. Il ouvrit en grand les portes de la bergerie. Le silence y était presque aussi parfait que sous la voûte du ciel. C'était tout juste si courait sous les vieilles charpentes le murmure obstiné des souffles et des corps s'agitant doucement sur la litière de paille.

Il alluma. Surpris, quelques jeunes moutons bondirent. Beaucoup ne bougèrent même pas. La main encore sur le commutateur électrique, Michel resta un long moment immobile à contempler ses bêtes qui s'éveillaient lentement. C'était simplement beau. Mais s'y ajoutait, ce jour-là, le plaisir de l'action.

Parfois, il est vrai, lorsqu'il contemplait son troupeau, depuis une butte ou un talus, au Haut-Foron, Michel regrettait sa passivité. Il aurait aimé que ses bêtes soient plus dépendantes de lui. Mais elles se contentaient de filer à son approche.

Cette fois, elles étaient là, sous sa main et apparemment pas plus malheureuses pour autant. Elles se levaient une à une et tournaient tout de suite la tête vers lui dont il était évident qu'elles attendaient qu'il les nourrisse.

— Enfin, vous avez besoin de moi ! murmura-t-il. Attendez voir que je commence. Vous allez peut-être moins aimer.

Environné de toute la troupe tout à coup très affairée et familière, il versa quelques doses de granulés dans la mangeoire et garnit le râtelier de foin.

— Plus de retardataires, ce coup-ci, ironisa-t-il.

En quelques instants, la bergerie fut grouillante d'une activité au milieu de laquelle Michel aimait aller et venir. Il semblait que rien ne se soit encore interposé entre eux et le ciel qui virait doucement au bleu pétrole. A chaque fois qu'il s'approchait de la porte grande ouverte de la grange, il lui paraissait si proche que la tentation lui venait de tendre la main, pour le toucher.

Pendant que ses moutons mangeaient, Michel alla chercher son matériel. Il avait fait l'acquisition d'une belle tondeuse électrique dont il espérait qu'elle l'aiderait à se sortir honorablement d'une opération dont il ne pouvait même pas imaginer, à quatre mois de là, qu'elle se pratiquait encore.

C'était pourtant l'évidence. Et il fallait bien qu'il s'y mette. A vrai dire, il n'était pas trop inquiet, assuré qu'il se croyait de l'aide de quelques-uns de ses habituels compères de bar.

« Ils ne seront pas là avant neuf ou dix heures, au plus tôt », estima-t-il. Et il résolut de ne pas attendre. « Avec un peu de chance, pensa-t-il, d'ici là, j'aurai pris un peu d'expérience. Je vais leur en mettre plein la vue ! »

Il s'y mit. Sans hésiter, il attrapa un mouton par une patte de derrière et, traînant sa proie derrière lui, il alla s'installer sur un tabouret qu'il avait planté au beau milieu de la litière. Il rencontra bien quelques difficultés pour faire admettre au mouton, qui bêlait désespérément, qu'il devait accepter de se retrouver assis, le dos contre le tabouret, coincé entre ses cuisses. Mais il parvint enfin à immobiliser l'animal.

— A nous deux ! s'exclama-t-il.

Il se saisit de la tondeuse, dut contenir énergiquement son cobaye lorsqu'il la mit en marche et, résolument, il l'enfonça dans l'épaisse toison.

Le résultat fut, à vrai dire, assez informe, tant du côté du tondu que de celui de la tonte. Il fut surtout fort long à obtenir. Ce pauvre mouton aurait eu à vrai dire quelques légitimes raisons de se plaindre de son coiffeur, si l'idée lui en était venue.

— Oh ! râle pas, fit Michel en tentant de rectifier quelques échelles trop flagrantes. Je ne t'ai pas blessé. C'est déjà quelque chose, non ?

Et, renonçant à faire mieux, il se résolut à lâcher son premier patient qui partit en boitillant et en persistant, sans la moindre conscience du ridicule de sa situation, à appeler désespérément ses congénères.

Michel, sur son tabouret, était plié en quatre de rire. A l'allure de chat écorché que confère ordinairement aux pauvres tondus cette opération annuelle et inévitable, la pauvre bête n'avait heureusement pas conscience de devoir ajouter, par-dessus le marché, l'aspect totalement dérisoire que lui donnaient les touffes de laine et les longues traînées mal tondues qui hérissaient son pauvre corps et s'y entrecroisaient de façon fort ridicule.

Pourtant, ce n'était pas faute, pour Michel, de s'être appliqué. Il en avait même sué sang et eau.

« Bof, se dit-il en s'efforçant de reprendre son sérieux, c'est le métier qui rentre. Au dixième, ça ira mieux. »

Il jeta un coup d'œil à sa montre. Il était à peine sept heures du matin. Dehors, le jour s'était fait. Un jour encore blafard qui, dans l'encadrement de la porte de la grange, semblait plaquer sur le ciel gris le village dominé par l'église, à flanc de coteau, comme des découpages d'enfant, sans la moindre ombre ni la plus petite nuance. Il faisait un froid sec et vif.

Michel frissonna. Il s'était échauffé en s'évertuant à tondre comme il le pouvait son premier mouton. Et le froid, presque instantanément, le transperçait.

« Oh ! C'est pas le moment de mollir. »

Il eut vite fait d'attraper au passage la patte arrière d'un autre mouton. Il ne mit pas beaucoup moins de temps à le déshabiller. Mais le résultat lui parut moins ridicule. Il ne provoqua pas son hilarité mais, bien au contraire, son admiration un peu étonnée devant le volume que prenait déjà le tas de laine à ses pieds.

Il prit le temps de l'enfourner dans un des grands sacs que lui avait fournis le groupement de producteurs ovins auquel il avait adhéré. Il consulta à nouveau sa montre.

« J'ai le temps », se dit-il.

Un troisième mouton fut saisi par la patte arrière

et passa au déshabillage. Déjà, les gestes venaient. Et le résultat, toute notion de productivité mise à part, commençait à pouvoir être pris au sérieux.

Avant le casse-croûte de neuf heures, il eut encore le temps d'en tondre deux.

Puis il laissa son troupeau en paix et alla s'attabler près de sa cuisinière dont la bonne chaleur lui fit du bien. Il espérait vaguement que deux ou trois de ses aides viendraient partager avec lui son café et ses tartines épaisses. Mais seul son chat lui tint compagnie. Il en fut bien un peu étonné mais ne se serait pas alarmé outre mesure si le téléphone n'avait pas sonné au moment où il terminait son café. C'était Désiré Boillard. Et, plus que toute autre chose, ce fut le ton gêné de sa voix qui mit la puce à l'oreille de Michel.

— J'ai pas pu avoir de congé, mon pauvre vieux, dit-il. Pas moyen de venir t'aider.

— T'inquiète. On fera sans. J'aurais aimé que tu sois là, c'est tout. Mais tu peux peut-être venir cet après-midi, après ta tournée ?

— Ben… C'est que… J'ai promis à ma femme. Des courses à faire, tu comprends…

Non. A vrai dire, Michel ne comprenait pas encore vraiment. Il commençait simplement à subodorer quelque chose. Mais il allait lui falloir bien plus de temps pour vraiment comprendre.

— Bon, ça va, dit-il. C'est pas grave. Ne t'inquiète pas. J'en ai déjà tondu cinq tout seul. Tu vois, je m'en sors. Si les autres viennent, ça ira.

— Oui, c'est ça. Bon courage. Et désolé, s'empressa curieusement de conclure Désiré avant de raccrocher.

Michel finit tranquillement de déjeuner avec son chat sur les genoux. Puis il rangea tout, soigneusement, lava son bol, son couteau et sa petite cuillère, et partit tranquillement se remettre à l'ouvrage.

Il faisait déjà nettement moins froid. Le ciel s'était voilé et semblait éclater en tous sens la lumière du soleil de telle sorte que les ombres s'atténuaient et que le paysage paraissait noyé tout à la fois dans le flou d'un éclairage tamisé et scintillant de clartés tout à fait inattendues.

« Un temps à regretter de les avoir descendus du Haut-Foron », se dit Michel en allant voir jusqu'à la rue s'il n'y avait pas quelqu'un à accueillir. Mais elle était vide. La voiture de Sylvie n'était plus là et personne, apparemment, ne descendait du centre du village. La cour de la ferme de Gustave, de l'autre côté de la rue, était vide et silencieuse. D'ailleurs, Michel avait entendu le tracteur démarrer alors qu'il en était déjà à la tonte de son troisième mouton.

Le regard sombre et les lèvres un peu pincées, il revint à la bergerie, attrapa un sixième patient, s'installa sur son tabouret et se remit au travail. Il ne le quitta plus jusqu'à l'heure du déjeuner. Et, bien sûr, malgré son attente et l'oreille qu'il tendait toujours vers le moindre bruit de la rue, personne ne vint troubler sa grande solitude.

Huit moutons étaient tondus. Michel venait d'en attraper un neuvième qu'il tenait déjà par les deux pattes de derrière lorsque commencèrent à sonner, au clocher de l'église, les douze coups de midi. Il hésita un instant, considéra d'une part le résultat de cette matinée, bien inférieur à ce qu'il escomptait, et, d'autre part, ses bras et son dos endoloris. Et, avant que n'ait sonné le douzième coup, il relâcha le mouton.

— File, lui dit-il. Tu ne perds rien pour attendre.

Et il monta chez Marcel. Le bar était désert.

— Personne n'est venu ? s'étonna-t-il.

Le cafetier qui, l'air absent, se curait paisiblement les dents d'un bout d'allumette, accoudé à son zinc, prit tout de même le temps d'adresser à Michel un regard surpris.

— Aujourd'hui, ça m'étonnerait qu'on en voie un seul, dit-il avec un rien de mépris dans la voix.

— Ah bon, s'étonna Michel. Ils l'ont dit ?

Marcel jeta son allumette dans un cendrier et, l'air ennuyé, daigna se tourner vers Michel.

— Gustave, à sa façon. Mais ça suffit, évidemment.

C'était donc ça. Michel, un peu interloqué, tout de même, hocha une fois ou deux du chef.

— C'est bon, dit-il.

Et il prit le chemin de la porte.

— Tu prendras quelque chose ? s'enquit tout de même Marcel.

— Merci. Je n'ai pas soif.

Il ne vit pas la mimique acide de Marcel, déjà parti à mâchouiller une autre allumette, et pour qui, bien sûr, ce refus si ridiculement motivé était la pire des insultes.

De toute façon, il savait maintenant qu'il n'était plus rien qui puisse être porté à son crédit au Crot-Peuriau, depuis que Gustave avait donné le *la* en s'éclipsant, la veille au soir. En somme, sans un mot, il les avait tous mis dans l'obligation de choisir. C'était lui ou Michel. Mais pas les deux à la fois.

Et comment auraient-ils pu le choisir lui, l'étranger, de préférence au gars du pays ?

On en était donc là...

Michel, abasourdi, redescendit vers la Grande Cheintre sans se presser. Les idées se bousculaient dans sa tête sans parvenir à s'ordonner. Sans même détourner les yeux, il dépassa la voiture de Sylvie garée devant sa porte.

Et il vint se réfugier dans la grande salle de la maison dont la lourde porte de chêne se referma sur son dos avec un bruit mat qui ne couvrit que l'espace d'un instant le tic-tac régulier de la vieille horloge comtoise. Sur une chaise en face de la cuisinière qui ronflait doucement, son chat s'étira en poussant une patte langoureuse loin devant lui. Il bâilla, et émit un discret miaulement de bon accueil.

Michel alla jusqu'à lui, le prit dans ses bras et s'assit à sa place. Le chat avait tout de suite trouvé l'endroit le plus douillet et il ronronnait, lové dans l'épaule de son maître.

Lui, pourtant, ne s'y retrouvait plus. Et cette maison, qu'il avait si rapidement et si facilement adoptée parce qu'il avait senti qu'elle-même l'accueillait bien, lui paraissait tout à coup étrangère sinon hostile. Après tout, que faisait-il là, dans cette grande et belle pièce dont il ignorait même qu'elle ait pu exister, six mois auparavant ?

De la lubie d'un paysan en goguette, un jour d'enterrement, il avait fait un rêve. Et de ce rêve, il avait cru naïvement pouvoir faire son quotidien. Il aurait mieux valu que cela ne marche pas dès le premier jour. Au moins n'aurait-il pas accumulé tous ces attachements qui font si mal lorsqu'ils deviennent déchirements.

Car, en définitive, il s'était laissé totalement conduire par les événements. Il s'en rendait bien compte maintenant. Gustave, pour de sombres raisons qu'il n'avait même pas cherché à éclaircir, avait trouvé judicieux de l'entraîner dans cette galère. Il avait marché. Il s'était même pris au jeu au point de prendre les sourires, les tournées échangées chez Marcel et les grandes claques dans le dos comme autant de preuves qu'il était bien du pays. Alors que tout cela n'était qu'un étrange paternalisme, une sorte de commisération vaguement méprisante.

On tolérait qu'un étranger se donne l'illusion de ne plus l'être.

Un statut concédé comme une aumône et à titre hautement révocable.

Il en faisait la douloureuse expérience sans trop savoir pourquoi.

Sylvie ? Il souffrait assez pour savoir que Gustave n'avait aucune raison de s'inquiéter. Les prés, les moutons, le tracteur ? Que voulait-il ? Qu'il s'installe, qu'il occupe les lieux mais n'y fasse rien ?

Ou alors, quelque chose de nouveau était-il intervenu ? Gustave avait-il cessé d'avoir besoin de lui ?
Alors, si tel était le cas, il devait s'attendre à se faire
expulser sans délai. De quel droit, d'ailleurs, était-il
encore là ?

Qui était l'homme aux moustaches effilées des
trois photos ? Et l'œuf ? Que signifiait cet œuf ?
Dans l'avalanche de questions qui l'assaillaient tout
à coup, il lui parut que celle-là, la dernière, était de
loin la plus importante. Là était la clef, il en avait la
conviction. Mais il s'était en même temps persuadé
qu'il lui suffirait de s'éloigner de la Grande Cheintre
pour ne plus pouvoir espérer connaître la réponse à
cette énigme.

C'était ce qui, jusque-là, l'avait retenu lorsque le
désir lui était venu de partir. A plusieurs reprises,
déjà, lorsqu'il lui était devenu intolérable d'imaginer Sylvie dans les bras de Gustave à côté de chez
lui, au bout de son jardin, lorsque, logiquement, il
lui était apparu que seule la distance qu'il pourrait
mettre entre eux le libérerait de l'obsession des
images insoutenables qui s'imposaient à lui, il s'était
tourné vers ses valises.

Après tout, jusqu'à preuve du contraire, bien peu
de choses lui appartenaient, dans cette grande maison. Et, hormis ses moutons qu'il faudrait bien
vendre et les quelques sous qu'il avait pu investir
dans du matériel, il ne lui serait pas difficile de ranger en quelques heures le peu qui lui appartenait au
fond du coffre de sa voiture.

A plusieurs reprises, il s'y était mis. Un soir, il
était même allé pratiquement jusqu'au bout, déjà
occupé du seul souci ou de la seule tentation de
savoir où serait son perchoir du lendemain. Durant
tout le temps qu'il avait passé à ranger, à empaque-
ter et à transporter vers sa voiture grande ouverte au
milieu de la cour, il était déjà totalement étranger à

cette grande maison et trouvait même une sorte de plaisir affairé à agir pour tout remettre en cause.

Et puis, comme à chaque fois que s'était saisie de lui cette folle envie de partir, il était tombé en arrêt devant les deux cadres qu'il possédait. Il les avait disposés sur sa table de travail, dans son bureau, de telle façon que le Saharien et sa rose des sables ne puisse plus perdre de vue le bouvier et son œuf énigmatique.

Et, à chaque fois, il avait été incapable d'avoir le geste de prendre ses deux cadres et de les emballer. S'il avait vraiment voulu aller au bout de sa décision, c'était bien évidemment par là qu'il fallait commencer.

Il le voulait réellement. Du moins le croyait-il avec force. Mais c'était exactement comme si, en le détournant systématiquement des deux cadres qui restaient immuablement à leur place, sur la table, pendant que continuaient de se boucler les paquets, quelque chose de très fort pesait assez sur le plateau de la balance pour finir par être plus lourd que la décision de partir.

A chaque fois était arrivé un moment où, malgré lui, malgré la fermeté de sa résolution, Michel sentait s'alourdir sur lui le regard des deux hommes ou, plus exactement, de l'homme des deux photos. Immanquablement il finissait par s'immobiliser devant eux.

« Qu'est-ce que ce serait, pensait-il, s'il y en avait trois, si le marin venait rejoindre les deux autres. »

Et sa pensée, bien sûr, s'échappait vers Gustave, les Grollier et leur héritage si complexe. Comment lui, le petit cadre moyen du Nord, pouvait-il se retrouver au centre d'une pareille affaire ? Et comment renoncer à comprendre ?

D'autant plus que quelqu'un savait. Il en était persuadé. Pourquoi Gaston Fossurier serait-il venu lui raconter tout ça, là-haut, sur le Haut-Foron, s'il n'avait pas su ? Le tout, bien sûr, était de savoir ce qui lui importait le plus du devenir de la Grande Cheintre ou de l'avenir de Juliette Grollier, sa lointaine cousine. Mais il se trouvait que Michel, sans l'avoir voulu et sans même l'avoir vu venir, se retrouvait à la convergence précise de tous ces fils que tirait le vieux maquignon et qu'il cherchait à tisser selon sa convenance.

Partir sans savoir où tout cela menait ?

Et puis, pour dire vrai, quoi qu'il en dise, Michel ne parvenait pas à abdiquer un ultime espoir de voir Sylvie revenir à ce qu'il estimait être la raison, et se tourner vers lui.

Tout était lié. Il lui importait moins de savoir s'il était vraiment le maître de la Grande Cheintre que de pouvoir raisonnablement nourrir l'espoir de voir lui revenir le beau sourire de Sylvie.

Et c'était en définitive ce qui, à chaque fois, après qu'il fut longuement resté en contemplation devant les deux cadres, le décidait à ressortir les paquets du coffre de sa voiture et à les rouvrir.

Or, curieusement, ce jour-là, alors que l'incommensurable solitude de l'étranger s'ajoutait à toutes ces raisons de partir qu'il pouvait additionner, en rendant la somme parfaitement insupportable, assis devant la cuisinière, son chat ronronnant dans ses bras, avant même d'avoir ébauché le moindre paquet et sans échanger le regard le plus fugace avec l'homme aux moustaches, Michel se trouvait toutes les bonnes raisons de rester.

En quittant le café de Marcel, la veille au soir, comme il l'avait fait, Gustave avait au moins eu le mérite de lui révéler sa vraie situation. A se croire intégré sous prétexte que trois ou quatre gais lurons l'admettaient dans leur bande de pochards, il s'était quelque peu mépris sur ce qu'il pouvait prétendre être au Crot-Peuriau, même en s'appelant Grollier.

Il n'était qu'un étranger. Gustave, à sa façon rustique, venait de le lui rappeler. Et il y avait tout lieu de penser qu'il le resterait à jamais. C'était là comme un défi à relever, un statut à assumer : celui de l'étranger qui réussit à s'installer sans rien renier de son état. Et pourquoi pas, si tel était son droit ?

Il eut un sourire amer. Il y avait une autre étrangère, dans cette affaire. C'était bien sûr Sylvie. Et il ne pouvait pas s'empêcher de penser qu'elle était, elle aussi, un instrument. Entre ce qu'il adviendrait d'elle et le sort d'une vieille famille locale dont il fallait à tout prix que l'héritage ne s'éparpille pas, le choix était fait depuis longtemps. Il y avait fort à parier que, dans la confortable hypocrisie du « non-dit », tout le monde se trouvait fort satisfait du rôle qu'elle jouait auprès de Gustave, jusqu'à ce que celui-ci biaise un peu les cartes en projetant de remplacer les hectares de Juliette par ceux de la Grande Cheintre.

La maîtresse providentielle, sur qui on ferme pudiquement les yeux tant qu'elle évite que se multiplient les héritiers, risquait fort de devenir la scandaleuse et immorale liaison qui détourne le mari et père de son devoir familial. Il suffisait pour cela que soient connues les ambitions territoriales de Gustave.

C'était là où, dans son rêve, devant sa cuisinière, son chat toujours ronronnant au creux de son épaule, Michel réalisait tout à coup le pouvoir que le même Gustave, sans trop savoir, probablement, ce qu'il faisait, avait déposé entre les mains de l'étranger qu'il était en le mettant en mesure de décider à sa place.

Or, il se trouvait que la détention des hectares que convoitait Gustave l'intéressait bien moins que la capacité qu'elle pouvait lui donner de le contraindre à renoncer à Sylvie.

« Bien sûr, pour Sylvie, pas question de faire du scandale », se dit-il en se félicitant tout de même pour tant de perspicacité. Mais l'arme était là. Et il ne désespérait pas de pouvoir l'utiliser un jour.

« Ah, ils ne sont pas venus ? » grogna-t-il en se levant. « Que grand bien leur fasse. Je m'en débrouillerai bien tout seul, de mes moutons. Je mettrai huit jours, s'il le faut, pour tondre cinquante bêtes. Mais je retraverserai le pays seul devant mon troupeau tondu ! Pourquoi je ne le ferais pas seul, puisque je suis seul ? »

Gustave aurait été bien surpris d'apprendre qu'en quittant le café de Marcel comme il l'avait fait, la veille au soir, il avait fait naître une âme de lutteur dans une tête de rêveur.

Michel posa délicatement son chat sur la chaise.

— Bon, ce n'est pas tout ça, lui dit-il très gravement pendant que l'autre se réinstallait à la bonne chaleur de la cuisinière en se roulant en boule. Mais il faut que je casse la croûte avant de m'y remettre, moi.

Et il se mit en devoir de préparer son déjeuner. Il allait et venait dans la salle en prenant bien soin de ne pas heurter la chaise sur laquelle dormait à nouveau le chat.

Puis, tout à coup, il s'interrompit, un couteau dans une main, la salade dans l'autre.

— L'œuf ! dit-il à haute voix. Gaston Fossurier ; il faut qu'il me dise. Il sait, lui, j'en suis sûr. Et c'est à ça, à cet œuf-là, que tout tient.

24

A droite de l'église, en face ou presque du café de Marcel, on avait bâti un petit abri. Tous les matins, de septembre à juin, et hormis pendant les périodes de vacances, sous l'enseigne de l'organisme bancaire qui, en payant la cahute, avait trouvé un moyen commode et somme toute peu onéreux de faire entrer son nom une fois pour toutes dans leur caboche, les gamins du pays attendaient l'autobus du ramassage scolaire en se réchauffant de leurs cris et de leurs chahuts.

Rien de bien méchant, au demeurant, et qui ne dérangeait personne sauf, à la rigueur, le bon Dieu dont tout portait cependant à croire que, malgré leur indifférence totale à son voisinage, il contemplait leurs ébats d'un œil tout à fait bienveillant.

A vrai dire, il les impressionnait bien moins que cet étrange personnage qui, sans leur adresser un mot, était venu s'installer au beau milieu du banc occupant le fond de l'abri, exactement comme s'il lui avait appartenu et comme si, n'ayant entendu aucun « bonjour », il considérait qu'aucun d'eux n'existait.

Le chapeau noir, la moustache poivre et sel, les rides, la grande cape et la canne de Gaston Fossurier ne pouvaient évidemment pas laisser indifférents ces jeunes porteurs de jeans. Mais c'était probablement la prestance du vieil homme, la calme détermination avec laquelle il était venu s'installer là qui les impressionnaient le plus.

Très droit, les deux mains appuyées sur le pommeau de sa canne dressée entre ses genoux, il semblait regarder loin devant lui, comme si ces lointains inaccessibles n'étaient pas immuablement figés. Il n'en détacha pas le regard de tout le temps qu'il passa sur le banc à attendre l'autocar.

Enfin, on entendit ce dernier rétrograder énergiquement au pied de la côte, à l'entrée du pays. En un tournemain, les cartables multicolores, qui traînaient le long de l'abri, furent ramassés et solidement arrimés sur le dos de leurs légitimes propriétaires ou négligemment balancés à bout de bras.

Ils se précipitèrent sans rien céder, bien au contraire, de leurs jeux et de leurs cris et sans le moindre souci de Gaston Fossurier. En les considérant d'un œil noir et peu amène, il attendait que le dernier se soit engouffré dans l'autocar pour y monter à son tour, lorsque tout à coup, l'un d'eux parut reprendre conscience de son existence.

C'était un gamin d'une quinzaine d'années, longiligne et boutonneux, dont l'abondante chevelure un peu crépue lui faisait une étrange auréole sous la casquette étroite qu'il portait à l'envers, visière dans la nuque. La main déjà sur la poignée de l'autocar, il se figea, repoussa énergiquement ses copains que portait leur élan, et se tourna vers Gaston Fossurier.

— M'sieur, dit-il, allez-y. On montera après.

L'œil noir s'éclaira d'un large sourire. Plus majestueux que jamais, rythmant allégrement son pas de sa canne ferrée claquant sec sur le bitume de la place, le vieux avança, défilant sur le front des jeunes tout à coup très respectueux. Au passage, il pinça familièrement la joue de celui qui avait eu le geste de le laisser monter.

— Toi, au moins, dit-il, tu existes.

Et, sans rien perdre de sa dignité, il monta dans

230

l'autocar, paya son billet et vint s'asseoir juste dans le dos du chauffeur. La canne, piquée debout, reprit la même place entre les genoux et fut à nouveau couverte des deux mains superposées qui n'en bougèrent plus tant que dura le voyage.

Laissant les jeunes finir seuls leur itinérance quotidienne jusqu'au collège, il descendit à la gare et remonta à pied toute l'avenue principale de la ville, jusqu'à la grande place tout autour de laquelle l'hôtel de ville, le théâtre, le lycée et le kiosque à musique présidaient dignement à la cohue des magasins, des cafés et des agences bancaires qui semblaient s'y bousculer.

Gaston Fossurier aimait s'immerger progressivement dans l'agitation de la ville. Une fois passée l'heure des autocars de ramassage scolaire, la gare, que ne fréquentaient plus guère qu'un ou deux autorails quotidiens, sa place et son quartier retombaient paisiblement dans leur somnolence devenue coutumière.

En établissant son règne tentaculaire, la voiture avait repoussé vers le centre une activité qu'elle brouillonnait d'ailleurs en investissant, pour son stationnement, toutes les bordures de trottoir et jusqu'à la splendide perspective de la vaste place dont même les riverains finissaient par oublier qu'elle était une des plus remarquables que puisse offrir une ville de province.

Le kiosque à musique, qui dominait ce forum comme une sorte d'élégant point d'orgue, ne recevait plus l'orphéon local ou la clique de la garnison. Il n'était plus que le lieu de rendez-vous des amours débutants des lycéens et des lycéennes sortant de leur établissement voisin. Eux, au moins, par triste habitude, n'ayant jamais rien connu d'autre, restaient totalement indifférents au grouillement mécanique, bruyant et malodorant qui s'était peu à peu imposé en lieu et place des promenades dominicales des bourgeois et de leurs épouses, et des foires d'antan.

Gaston Fossurier n'était pas du genre à s'apitoyer en permanence sur ce qu'il était advenu du bon vieux temps. « Il faut vivre avec son époque », répétait-il facilement. Ce qui était, chez lui, une façon de constater que le charme du passé tenait peut-être plus aux souvenirs trop facilement enjolivés par le temps qu'à des réalités fort rudes.

Mais, en atteignant la place, après avoir préféré ne pas regarder ce que l'obligation de tailler des emplacements de stationnement, tout au long de l'avenue, avait provoqué, dans l'alignement, jadis aussi irréprochable que puissamment équilibré, des platanes qui la longeaient, il ne pouvait pas s'empêcher d'évoquer ces petits matins de jadis où, maquignon respecté et puissant, il débouchait au même endroit et que s'offrait à son regard la vie grouillante et chamarrée de la foire mensuelle.

Accessoire de manifestations plus foraines et ludiques qu'autre chose, elle n'avait plus lieu que deux fois par an et avait été reléguée dans un lointain faubourg où un vaste hall en tôles, sans âme, lui avait été concédé, comme un lot de consolation.

Seuls subsistaient, tout au long du mur de la promenade et sur celui du lycée, les solides anneaux d'attache que des chaînes, jadis, reliaient entre eux. Il y avait attaché des centaines et des centaines de bêtes.

« Voire, pensa-t-il. Peut-être bien des mille. »

Il fit une rapide évaluation. Avait-il plus de six ou sept ans lorsque, sous l'œil vigilant de son père, il avait pour la première fois tenu à serrer lui-même la savante boucle par laquelle on entravait une bête à la chaîne, sans risquer que, d'un coup de tête violent, elle vous écrase les doigts ou la main tout entière ?

« Des mille et des cents, sûr », grommela-t-il en

entamant un lent et laborieux slalom entre les voitures garées en épi sur la vaste place qu'elles couvraient totalement. Comme au terme d'une traversée périlleuse, il aborda enfin aux marches qui, au pied du kiosque, donnaient accès à la promenade. Il les gravit avec soulagement.

Il admirait toujours la science et le goût des bâtisseurs de cette place qui avaient su admirablement user de l'état du terrain pour lui donner toute son harmonie sans rien perdre du plaisir qu'il y avait à y déambuler. Une double rangée de platanes courait parallèlement à ce mur auquel s'adossait le kiosque à musique. Les belles dames et les beaux messieurs de jadis s'y étaient faits rares, bien sûr. Mais, au moins, l'espace avait pu être préservé des agressions de l'automobile. Et il ne déplaisait pas à Gaston Fossurier que la promenade soit devenue le champ où résonnaient le plus haut et le plus clairement les rires fusant des amateurs de skate-boards et de rollers.

«La glisse», comme ils disaient, n'était évidemment pas un domaine qui pouvait lui être familier. Mais il y avait une spontanéité et un tonus qu'il aimait dans la joie qu'exprimaient les jeunes acrobates. Il s'asseyait sur un des bancs qui jalonnaient la promenade et il lui arrivait d'y rester plusieurs heures d'affilée, occupé du seul spectacle de ces corps se propulsant dans l'espace en longues silhouettes ondoyantes, à la fois souples et fortes.

Ce matin, pourtant, il ne s'arrêta pas. Il n'eut qu'un regard rapide pour deux ou trois adolescents qui, probablement entre deux cours du lycée voisin, s'adonnaient à leur exercice favori.

Gaston Fossurier les dépassa. Il atteignit l'allée qui longeait la promenade, la traversa et vint sans hésitation vers un magasin de lingerie féminine. Indifférent aux regards amusés qu'il pouvait provoquer, et sans la moindre gêne, la main en visière sur ses yeux pour se protéger du reflet du soleil dans la vitrine, il s'évertua à tenter de discerner ce qui se passait dans le magasin.

Il lui fallut de longues minutes pour finir tout à la fois par trouver ce qu'il cherchait et par s'en faire remarquer. Elle ne le vit d'ailleurs pas tout de suite. Sans s'émouvoir le moins du monde de l'agitation que sa présence avait fait naître de l'autre côté de la vitrine, à grands gestes peu discrets, il fit comprendre à l'homme qui l'avait vu le premier que c'était à elle qu'il voulait s'adresser.

Il alla lui glisser quelques mots. Elle se retourna. Et l'expression de surprise qui se lisait sur son visage se mua instantanément en effroi. Rouge comme un coquelicot, elle se précipita vers la porte.

— Qu'est-ce que vous venez faire ici ?

Gaston Fossurier, imperturbable, vint lentement à elle. L'émoi, se disait-il, lui allait bien. Ce brelot de Gustave était donc bien difficile de ne pas trouver son compte à un minois si frais que même lui, ce vieux drôle de maquignon d'un autre temps, était loin d'y être indifférent.

— Te voir, répondit-il sans se démonter.

— Mais vous ne pouvez pas, s'affola-t-elle en jetant un regard paniqué vers l'intérieur du magasin d'où son patron la surveillait en douce en faisant celui qu'occupait beaucoup une vitrine sans importance. Et, d'abord, qu'est-ce que vous me voulez ?

Gaston Fossurier eut de la main un geste d'apaisement.

— Tout doux, ma belle, dit-il. Bien sûr que je ne te veux pas de mal. Et c'est pas ici qu'on va causer. Seulement, voilà. Si j'ai pris la peine de descendre jusque-là, c'est parce que je veux te voir. Il faut que je te voie. C'est important. Alors voilà, ton patron, il te lâche à quelle heure ?

Elle eut l'air de ne pas avoir entendu. Elle jeta un regard plus paniqué qu'il ne le fallait derrière son

234

dos, croisa le regard plus amusé qu'autre chose de son patron et en devint plus rouge encore.

— Je ne sais pas ce que vous me voulez. Je ne veux pas vous voir. Allez-vous-en. Et surtout, ne revenez plus. J'aurais des ennuis.

Elle lui tourna vivement le dos et, prestement, sembla se fondre dans l'ombre du magasin.

Le vieux, contrarié, resta quelques instants interdit devant la porte du magasin. Le patron ne cherchait plus à donner le change dans sa vitrine. Un mètre à ruban autour du cou, il se tenait debout, très droit, près de la porte par laquelle Juliette avait disparu et qui s'ouvrait probablement sur quelque arrière-boutique.

Sur sa chemise rose églantine, il portait un petit gilet en velours noir passementé d'or qui parut du plus haut ridicule au père Fossurier. Leurs regards s'accrochèrent quelques instants, et le vieux serra les dents en voyant l'air presque belliqueux que l'autre prétendait prendre.

— J't'en foutrais, moi, grogna-t-il pour lui-même. Approche-toi un peu, avorton, que je te montre de quel bois je me chauffe.

L'autre, bien sûr, à qui le contre-jour avait fort heureusement évité de pouvoir lire sur les lèvres du vieux, ne se douta même pas de la provocation. Il dut estimer que l'intermède était clos. Il tourna le dos à Gaston Fossurier et se noya lui-même dans l'ombre propice de son magasin.

— Ah, tu ne veux pas ? murmura le vieux. Attends voir. Ça va être simple.

Tournant le dos aux dentelles, aux voiles fins et aux tendres couleurs qu'exposaient les vitrines, il traversa la promenade désertée par les jeunes acrobates probablement appelés par une sonnerie résonnant au long d'interminables couloirs et qu'eux seuls pouvaient entendre. Il vint résolument s'installer sur un banc d'où rien ne pouvait lui échapper de ce qui entrait ou sortait du magasin où Juliette Grollier

exerçait, depuis tant d'années, la belle profession de
vendeuse en lingerie féminine.

« Il faudra bien que tu te montres, à un moment
ou à un autre », grommela-t-il en s'installant du plus
confortablement qu'il le put.

A plusieurs reprises, le patron de Juliette lui proposa d'appeler le commissariat de police. Un peu
choquée, elle refusa énergiquement mais sans oser
dire à ses employeurs ce qui la liait à cet homme
étrange qui semblait somnoler sous son chapeau
noir, enroulé dans les plis amples de sa grande cape,
sur le banc public, de l'autre côté de la promenade.

Elle était pourtant sa nièce. Du moins l'appelait-
il ainsi. Et elle devait lui donner du « mon oncle »
sans même connaître les arcanes d'une parenté dont
elle savait simplement qu'elle était surtout fort lointaine. Déjà, gamine, lorsqu'elle voyait arriver à la
ferme cet homme étrange avec qui son père discu-
tait des heures entières, elle était mal à l'aise. A cet
âge où l'on peine encore à se reconnaître dans la hiérarchie du temps, il lui semblait qu'il émergeait des
brumes d'un passé où il devait aussi bien côtoyer
« nos ancêtres les Gaulois » que le Roi-Soleil ou sa
grand-mère dont elle avait encore toutes les peines
du monde à admettre qu'elle puisse ne plus revenir.

Et celui-là qui réapparaissait toujours au moment
où elle commençait à croire avoir mis de l'ordre à
tout cela et qui se faisait appeler « mon oncle » !

Elle avait grandi, bien sûr. Mais, qu'il le veuille
ou non, Gaston Fossurier, son chapeau noir, ses
moustaches poivre et sel, sa grande cape et sa canne
étaient restés pour elle une sorte de matérialisation
sans plaisir d'un temps où jamais elle n'aurait pu
conquérir cette sorte d'émancipation, sinon d'indépendance, qu'était pour elle son statut de vendeuse
dans un magasin élégant de la ville.

Avec les années qui étaient passées et les relations

236

presque d'amitié qui s'étaient peu à peu établies entre ses patrons et elle, le fossé s'était insidieusement creusé entre ce qu'elle était à la ville, dans son travail, et la situation d'épouse, de mère de famille, d'agricultrice, qu'elle retrouvait chaque soir, au Crot-Peuriau.

On lui aurait posé la question, elle s'en serait bien sûr défendue âprement et probablement avec un peu de colère. Mais la réalité pourtant était bien là. Sans avoir franchement honte de ce qu'elle était réellement, dès lors qu'elle avait enfilé sa blouse de vendeuse au col légèrement empesé, elle ne pouvait plus concevoir que puisse s'établir la moindre passerelle entre les deux mondes de son existence.

A dire vrai, l'inverse existait aussi. Une fois revenue au Crot-Peuriau, la vendeuse proprette et tirée à quatre épingles n'hésitait pas à chausser les bottes de caoutchouc ou à se saisir de la fourche si le besoin s'en faisait sentir. Mais jamais, dans la grande salle de sa maison de ferme, elle n'abordait le sujet de son autre vie, celle qu'elle menait à la ville.

Elle n'en ressentait pas le besoin. Mais, bien plus encore, cela lui aurait paru être la pire des incongruités et des suffisances que d'étaler ainsi, dans la simplicité rustique de leur vie quotidienne, ce qui lui apparaissait être le luxe et peut-être un peu aussi la futilité de son autre existence.

Et voilà que, pour la première fois depuis tant d'années qu'elle travaillait dans ce magasin, il se trouvait que ses deux vies étaient en train de se rencontrer. Car, à l'évidence, Gaston Fossurier ne bougerait pas de son banc tant qu'elle ne sortirait pas.

— Passez par-derrière, lui proposa son patron qui voyait son souci.

Elle en fut surprise. Elle n'utilisait jamais la porte dérobée qui, par une cour vieillotte et désaffectée, permettait de passer dans une autre rue. L'idée d'une telle manœuvre ne lui était même pas venue à l'esprit.

— Bien sûr que non, se défendit-elle. S'il a quelque chose à me dire, il n'a qu'à attendre que je sorte. Je ne le crains pas. Pourquoi je le craindrais ?

Son patron n'insista pas. Mais lorsque vint midi, lorsque Juliette, son manteau sur le dos, franchit la porte qu'il refermait sur elle tous les jours à la même heure depuis qu'elle travaillait là, au lieu de se détourner et de monter vers l'appartement, au-dessus du magasin, où l'attendait déjà sa femme, il se contenta, en reculant de deux pas, de se laisser manger par l'ombre du magasin, dont il venait de couper l'éclairage.

Il la vit traverser la promenade d'un pas décidé. On eût dit que c'était elle qui interpellait ce vieil homme sous son chapeau noir, à l'allure quelque peu anachronique, qui avait passé toute la matinée enroulé dans sa grande cape, parfaitement immobile, sur son banc. Lui ne bougea pas. Ce fut à peine s'il le vit lever les yeux sur Juliette. Il lui parut qu'ils échangeaient quelques mots paisibles. Mais il lui sembla aussi que la raideur et la tension qu'exprimait tout le corps de la jeune femme lorsqu'elle avait marché vers lui se dissolvaient dans une sorte de décontraction bien proche du laisser-aller qui le sidéra.

Jamais il n'avait vu ou même imaginé Juliette ainsi. Il y avait, ordinairement, dans sa silhouette, du moins telle qu'il la connaissait, dans son magasin, quelque chose comme une rigueur à peine compassée qui n'altérait en rien son charme mais lui donnait une tenue dont il avait souvent pu mesurer à quel point elle en imposait aux clientes.

Au lieu de quoi il découvrait là, devant chez lui, de l'autre côté de la promenade, une jeune femme sur le passage de laquelle devaient assurément se retourner beaucoup de regards masculins. Il y avait, dans cette silhouette-là, quelque chose qu'il n'eut pas le temps de définir mais qui le fit irrésistiblement penser à une liane. Mais il y avait aussi quelque chose d'indéfinissable qui lui parut pourtant au bord de l'indécence ou, à tout le moins, de la provocation.

Il n'y avait plus aucune retenue dans cette femme telle qu'il ne l'avait jamais vue et qui, après avoir aidé le vieux à se lever, s'éloignait à ses côtés, en réglant son pas sur celui qu'il appuyait à sa canne juste un peu plus que lorsqu'il était arrivé.

25

— Vois-tu, disait Gaston Fossurier, je ne suis peut-être plus grand-chose. Mais si, mais si. Ne proteste pas. A quoi bon ? Depuis le temps que ça dure. Ton tour viendra, comme aux autres, tu verras. Un jour, on n'est plus rien que soi-même. Plus de rôle, plus d'importance. On ne compte plus que pour ce que l'on est… et encore. Avec le temps, par-dessus le marché, on se met à être de moins en moins. Jusqu'au jour où on n'est plus rien du tout. Alors, vois-tu, ne plus être grand-chose, c'est encore mieux que ne plus être du tout. Surtout quand on sait que c'est là, tout proche, pour bientôt.

En deux mots, il avait su lui faire oublier toutes ses inquiétudes et ses préventions. Elle l'écoutait béatement, tout à coup saisie par la magie des mots qu'il savait prononcer juste sur le ton qu'il fallait et avec le rien de mise en scène qui les rendait plus enjôleurs encore. Il traînait légèrement la jambe. A peine. Juste ce qu'il fallait pour pouvoir appuyer sur sa canne un poids des ans plus impressionnant, plus attendrissant encore. Et elle, pleine de prévenance, s'appliquait méticuleusement à régler son pas sur le sien.

— Ne plus être grand-chose, continuait-il, ça nous est tous arrivé un jour ou l'autre, les uns après les autres, juste avant de ne plus rien être du tout.

Quoi redire à ça ? Le problème pour nous, pour ceux de mon âge, c'est que le pays aussi se met à ne plus être grand-chose, presque plus rien du tout. Tu comprends, insistait-il en prenant son temps, c'est une chose de partir tout doucement en laissant un pays bien vivant, où la famille pourra continuer d'exister sur un bien qu'on a contribué à établir ou à augmenter. Mais sentir qu'on va partir en laissant un pays qui se meurt, d'où notre famille doit partir pour avoir des chances de continuer à vivre comme il faut… Ah ! misère !

Là, Juliette s'était raidie. Le charme avait cessé d'agir. Cette chanson-là, elle la redoutait de trop.

— Bon, fit-elle sèchement. Ce n'est pas tout, mais je n'ai que deux heures, moi. Et j'ai des courses à faire après mon déjeuner. Qu'est-ce que vous comptez faire ?

Il s'était laissé interrompre sans rechigner.

— Deux heures ! reprit-il du même ton paisible et très sûr de soi. C'est plus qu'il nous en faut. Tu déjeunes où, ordinairement, petite ?

Petite ! Si on l'avait habituée à être si gentiment appelée ! Il parvenait toujours à l'enjôler à l'instant même où elle fronçait les sourcils.

— Ben… fit-elle, indécise. Souvent, c'est juste un casse-croûte.

— Eh bien, aujourd'hui, ce sera un vrai repas, au restaurant. Je t'invite.

Il eut un petit rire sec, comme une quinte de toux.

— Qu'est-ce que tu crois ? dit-il toujours riant. Il a du savoir-vivre, le vieux Gaston. Tiens, on prend des paris ? Je t'emmène dans un restaurant ; je n'aurai pas encore franchi la porte qu'on viendra me faire des courbettes et me demander des nouvelles de ma santé.

Elle était déjà revenue à ses réserves et se raidissait.

— C'est que… Je ne sais pas si je vais avoir le temps.

— Allons ! fit-il, bon enfant. Je dirai qu'on est pressés. Tu vas voir comme ils vont faire vite.

Familièrement, il lui prit le coude. Et, oubliant la claudication qui affligeait sa marche l'instant d'avant, il l'entraîna à bonne allure vers l'un des meilleurs restaurants de la ville.

— Faut dire, reprenait-il, tout à coup volubile, comme si renaissaient ces années glorieuses, ce restaurant, les jours de foire, c'était pour ainsi dire mon quartier général. J'y arrivais sur le coup de neuf ou dix heures. Ça dépendait de ce que j'avais vu sur le champ et des affaires déjà conclues. Et il était bien rare que j'en démarre avant huit heures du soir. A moins qu'on décide d'y finir la soirée, avec quelques amis. Alors, là, petite… Bon, c'est pas des choses qu'on raconte à une dame.

Elle éclata de rire. Il eut un sourire satisfait, comme au temps où il prétendait fièrement pouvoir tout obtenir d'une jolie femme s'il parvenait à la faire rire.

— Tu ris, tu ris, reprit-il tout au plaisir de son récit. Mais tu ne peux pas savoir les journées qu'on se faisait. C'étaient des mille et des cents. Pourquoi crois-tu que je venais m'installer là ? Parce que, il ne faut pas croire, ils me la faisaient payer, la table que j'occupais. Tu vas les voir, les courbettes. Regarde-les bien. Et dis-toi qu'on n'a rien sans rien. Tout a un prix, dans ce bas monde. Ces courbettes-là, que je vais être bien heureux de t'offrir, crois-moi que je les ai payées. Et cher, tu peux me croire.

» Les vieux gars, sur le foirail, ils m'avaient traité d'assassin, d'affameur quand je leur avais dit un prix, au petit matin, devant leurs bêtes qui soufflaient, naseaux bas, attachées court aux barres du foirail. Ils en voulaient tous des sommes à faire peur. Au fur et à mesure que le temps passait et qu'ils restaient là, au coin de la place avec leurs bêtes pas vendues, qu'est-ce que tu crois qu'ils se disaient, qu'ils se répétaient, de plus en plus et de plus en plus fort, pendant que le temps passait et qu'ils se voyaient rentrant à la ferme sans avoir rien vendu, et bons pour la soupe à la grimace de la patronne ?

» Hein ? Tu veux bien me le dire, ce qu'ils se répétaient les vieux morvandiaux qui se seraient fait couper la langue, les deux bras et les jambes plutôt que de l'admettre mais qui savaient très bien que c'était le père Fossurier, une fois de plus, qui avait raison ? Tu veux que je te le dise, moi, ce qu'ils se répétaient, ces vieux fous-là ? C'est fort simple : ils se disaient que j'étais leur dernière chance, comme qui dirait leur sauveur, et qu'ils étaient bien heureux d'être les plus malins et d'avoir noté depuis longtemps que le père Fossurier, il avait ses habitudes au Sanglier Bleu.

Ils avaient atteint le restaurant. Ils y étaient entrés. Le patron s'était précipité, les avait emballés de courbettes, avait convoqué rudement une serveuse pour les débarrasser de manteau, cape, chapeau et canne, les avait emmenés avec force prévenances jusqu'à une table dont Juliette s'était à peine étonnée qu'elle soit réservée. Le vieux Gaston Fossurier n'avait pas cessé un seul instant de raconter son histoire.

Il profita de ce que le patron avait le dos tourné, parti chercher menus et amuse-gueule, pour commenter tout de même.

— Hein ? Qu'est-ce que je t'avais dit ? Tu les as vues, les courbettes ? Et pas n'importe quelles courbettes, s'il te plaît. Celles du patron.

Il revenait, justement, les mains encombrées de soucoupes, de menus et de cartes de vins.

— Donne donc, fit Gaston Fossurier qui tenait à mener jusqu'au bout la démonstration de son pouvoir sur le patron du Sanglier Bleu. Alors, qu'est-ce que tu nous dis ? Les affaires, ça va comme tu veux ?

Il était déjà plongé dans l'étude du menu et ne prêtait qu'une oreille très distraite aux répons du patron réglés comme du papier à musique.

— Mon pauvre monsieur Gaston, si vous saviez ! C'est pas comme du temps de mon pauvre père, de votre temps, quoi, du temps des foires. Mais, que voulez-vous, monsieur Gaston, il n'y a plus de commerce. C'est pas comme de votre temps ! Si on les avait comptés, tous ceux qui ont défilé là, à cette même table, pendant que vous terminiez votre prune ou votre marc. Oh, oui, je peux le dire devant la dame. Vous saviez ce qui était bon, vous au moins. Mais vous saviez surtout ne pas en abuser…

— Oui, oui, c'est ça. Ne jamais abuser. C'est bien toi qui as raison, Georges. Prends donc la commande.

Le père Fossurier n'avait pas son pareil pour tenir chacun dans son rôle et surtout, bien sûr, dans celui qui lui était avantageux. Mais ce n'était pas une raison pour prétendre lui voler la primeur. Juliette s'en amusait beaucoup.

— Et vous disiez que vous ne représentiez plus rien d'autre que vous-même ?

Il éluda.

— Qu'est-ce que tu manges ?

Elle ne savait pas. Et d'ailleurs, à midi, d'ordinaire, elle ne mangeait presque rien.

— Eh bien, pour une fois, tu mangeras. Il n'y a pas idée de ne pas manger à midi. Quelle époque !

Il commanda avec autorité.

— Ce n'est pourtant pas jour de foire, aujourd'hui, crut bon d'ironiser le patron.

— Des foires… Vous ne savez même plus les faire. Alors moi, vois-tu, mon bon Georges, c'est la fête que je fais, à chaque fois que je le peux, et aussi longtemps que je le pourrai.

Ils éclatèrent de rire, bruyamment, tous les trois. Et cela fit résonner étrangement la vaste salle de restaurant quasiment vide, pendant que s'éloignait le patron, très digne mais riant encore.

— Qu'est-ce que je disais ? fit Gaston Fossurier en fronçant les sourcils. Ah, oui, tous ces vieux gars morvandiaux qui avaient bien trop peur de rentrer à la maison avec la vache, mais sans les sous ! Ah, petite, si tu les avais vus qui se précipitaient vers le bon papa Fossurier ! Ils discutaient bien un peu, pour la forme. Moi, j'avais laissé la bonne marge. Il faut toujours prévoir. J'en lâchais un petit peu, un tout petit peu. Souvent même bien moins que ce que je m'étais fixé. Et ils me tombaient dans le bec tout rôtis !

— Vous les voliez, ne put-elle s'empêcher de murmurer.

Il eut l'air sincèrement stupéfait.

— Moi, les voler ? Et pourquoi donc ? Rien ne les obligeait à me vendre. Et d'ailleurs, s'ils n'avaient pas trouvé meilleur prix sur le foirail, c'était bien que j'avais raison ; que c'était moi qui leur offrais le vrai prix.

Elle faillit argumenter, évoquer les ententes avec les autres maquignons, les mille et un trucs que les paysans connaissaient bien mais contre lesquels leurs perpétuels besoins de trésorerie ne pesaient pas bien lourd. Les portefeuilles regorgeant de billets, épais à en déformer les poches, qu'exhibaient volontiers les maquignons, n'étaient pas de leur bord.

Mais elle sut se souvenir à temps de la vanité de telles discussions. Non seulement tout ça était du passé mais, de surcroît, elle savait très bien le mépris avec lequel un homme tel que Gaston Fossurier pourrait faire taire toutes les idées pernicieuses que, selon lui, la ville, où elle travaillait plutôt que d'élever ses enfants à la ferme, ne pouvait pas manquer de lui avoir mis dans la tête. Et puis, l'heure tournait et elle était toujours aussi curieuse de savoir ce qui pouvait bien pousser le père Fossurier à se montrer si aimable.

Elle se tut. Le silence s'éternisa entre eux. Il comprit que ses mots et le temps avaient fait leur effet. Il pouvait parler.

— D'ailleurs, tous ne venaient pas, dit-il comme s'il continuait sur son idée.

Mais elle savait bien qu'on était déjà passé à autre chose. Et elle attendait, attentive.

— Il y en avait qui avaient trouvé plus que ce que je leur donnais sur le foirail. C'était tant mieux pour eux, continuait-il imperturbablement. Au moins, je leur avais laissé le choix. C'était tout de même mieux qu'avec vos groupements qui ont tout cassé en prétendant vous défendre et qui l'ont belle de vous égorger, maintenant qu'ils sont seuls. Tu ne crois pas ?

A dire vrai, il lui semblait que la question, mille fois rabâchée devant elle, par son père, jadis, par Gustave maintenant, avait peu à peu perdu toute raison d'être. De toute façon, et quelle que soit la façon dont il vendait ses bêtes, c'était à la mairie que le paysan faisait son revenu. Alors…

Elle acquiesça mollement, pour lui donner raison, et avec le secret espoir qu'on en finisse là, et qu'on passe à autre chose. Mais il savait parfaitement où il voulait en venir et connaissait par cœur le chemin qu'il suivait pour y arriver.

— Ce que j'en dis… continua-t-il tout de même avec un geste d'impuissance. De toute façon, maintenant, chez vous, c'est toi qui fais bouillir la marmite. Le Gustave, c'est quoi, ce qu'il fait ? Pour la forme, parce que c'est son métier, pour continuer, quoi, parce qu'il ne saurait rien faire d'autre. Parce que, pour ce qui est de gagner des sous…

Elle voulut le défendre.

— Qu'est-ce qu'il y peut ? s'insurgea-t-elle d'une voix un peu lasse et sans toute la conviction qu'on aurait pu en attendre. Il fait bien son métier, le Gustave. C'est pas de sa faute si on a décidé de ne plus les payer.

Gaston Fossurier fit l'étonné.

— Mazette, fit-il, il en a de la chance, ce Flûtotlà. Tu le défends comme il faut, il n'y a pas à en redire. Voire s'il le mérite.

Elle vit le piège.

— Et alors ? fit-elle, soudain agressive.

— Je sais, l'interrompit-il sèchement. Les enfants. Il y a les enfants à élever. C'est tout ce qui compte. Pas vrai ?

— Bien sûr que c'est vrai.

On leur avait servi les entrées. Ils avaient commencé à manger. Et cela donnait un rythme un peu saccadé à leur conversation. Mais, là, couteau et fourchette brandis comme autant d'armes dans ses poings fermés, il sentait qu'elle s'était tout à coup dressée sur ses ergots, prête au combat. Il n'en demandait pas plus.

— C'est justement, grogna-t-il sans lever le nez de son assiette.

— Justement quoi ? dit-elle d'une drôle de voix qu'altérait déjà la colère mais qu'elle s'évertuait à adoucir de peur d'attirer l'attention des rares clients.

— Mange donc, que tu vas être en retard.

Elle n'y était évidemment pas décidée.

— C'est pour me dire ça que vous êtes venu me trouver ?

Lui mangeait. Il eut de la main un geste vague et consentit enfin à se redresser. Il s'appuya au dossier de sa chaise et prit encore le temps d'essuyer sa moustache.

— Dis voir, fit-il en plissant les paupières comme sous l'effet d'une intense réflexion. Ça fait combien de temps qu'on ne s'était pas vus, nous autres ? Dix, quinze ans ?

— Oh, c'est simple. Il n'y a pas à chercher. Les grandes occasions. Notre mariage. Puis l'enterrement de mon père. Et encore celui de ma mère, voilà sept ans. Si on appelle ça se voir...

— Sept ans, reprit-il sans relever la dernière réflexion. J'aurais pas cru, tu vois. Je pensais que ça faisait plus longtemps. Mais enfin... Ce que les choses changent, en sept ans.

Elle était totalement sur la défensive.

— Qu'est-ce que vous voulez dire ?

— Il a quel âge, ton gamin ?

— Six ans. Mais qu'est-ce que vous leur voulez, à mes gamins, à la fin des fins ?

— C'est bien ce que je disais, fit-il sans même paraître avoir entendu la question. Il n'était donc pas né, la dernière fois qu'on s'est vus.

— Non. Le pauvre, il n'a pas connu sa grand-mère.

— Mais maintenant il a six ans.

Où voulait-il en venir ? Elle s'énervait. Bien sûr qu'il le faisait exprès. Il la faisait tourner en bourrique. Il la désorientait totalement pour mieux la manipuler. Elle en avait vaguement conscience et luttait contre elle-même pour ne pas totalement perdre pied.

— Ben oui, quoi. Il a six ans. Je viens de vous le dire. Mais ça change quoi ? Vous vous déciderez à me le dire, pourquoi vous m'avez traînée ici ?

Il s'était remis à manger, paisiblement, en homme qui déguste ce dont son assiette est garnie.

— Tu le sais bien, dit-il entre deux bouchées.

Elle eut l'air sidéré.

— Qu'est-ce que je devrais savoir ?

— Écoute, dit-il sans cesser de mâchouiller. C'est pas au père Fossurier qu'il faut la faire. Bien sûr, tous les deux, on n'est pas grand-chose l'un pour l'autre. C'est pas ce qui compte. Tu es ma nièce, voilà tout. Tu as marié le dernier agriculteur du Crot-Peuriau, en voilà une autre. Et, en face de chez vous, il y a un domaine qui ne doit pas disparaître. Ça, c'est encore autre chose. T'es bien d'accord ?

Elle acquiesça doucement mais avec une sorte de réticence à peine voilée, comme si elle commençait à discerner vaguement où voulait en venir Gaston Fossurier.

— Et alors ? demanda-t-elle prudemment.

— Ton mari, tu y tiens ?

Elle parut soulagée.

— Si c'était pour me demander ça, c'était pas la peine de tourner en rond si longtemps. Mon mari, je vais vous dire : j'en ai rien à cirer. Il peut faire ce qu'il veut. Au point où on en est, pendant qu'il fait ses petites saloperies dehors, moi, j'ai la paix. Et je peux m'occuper de mes enfants. C'est ça qui compte. Voilà. Vous êtes satisfait ? Vous pouvez lui répéter si vous voulez. Ça ne me gêne pas. Bien au contraire.

On venait de leur apporter le plat de résistance. Il s'était copieusement servi, avait négligemment tourné les couverts vers elle et s'était mis à manger sans même lui concéder un regard.

— Et ton mariage, dit-il toujours sans lever le nez, tu y tiens ?

Elle en fut interloquée et resta un long moment immobile, les couverts posés au bord de son assiette, à considérer cette nuque horripilante qui restait obstinément penchée sur son assiette.

— Mon mariage, mon mariage, répéta-t-elle sans trop savoir que répondre. J'y tiens… façon de parler. Et puis, après tout, qu'est-ce que ça vous regarde ?

Cette fois, il se redressa. Il arborait un large sourire ironique qui eut le don de l'exaspérer.

— Vous cherchez quoi ? hurla-t-elle tout à coup en tapant des deux poings sur la table et sans plus se soucier des quelques autres tables d'où se tournèrent vers eux des regards suspicieux.

Il ne dérogea pas de son large sourire.

— Depuis le temps que j'attendais que tu me le demandes, maintenant, je vais pouvoir te le dire.

Il repoussa son assiette, essuya une nouvelle fois ses moustaches de la grande serviette blanche, et se pencha légèrement vers elle.

— Écoute, petite, dit-il, ne crois surtout pas que je te veux du mal. Le vieux père Fossurier, vois-tu, à son âge, tout ce qu'il espère, c'est de ne pas trop laisser de casse derrière lui. Il y a des choses, si je laisse faire sans rien dire, j'aurai mauvaise conscience. Tu comprends, de mon temps, qu'est-ce qu'il reste ? Rien ou presque. Votre ferme qu'il entretient encore pas trop mal, va, ton bougre de Gustave. Et puis il y a la Grande Cheintre. Et moi, je ne pourrais pas supporter de voir partir tout ça à la ruine.

— Quoi faire d'autre ? Tant qu'on est là, au moins, la ferme, elle dure. La Grande Cheintre… Qu'est-ce que vous voulez, est-ce que c'est de notre faute si l'Octave n'a rien voulu savoir ?

— Si ce n'était que de ça.

Il leva son verre, fit jouer quelques instants la lumière dans l'or, le feu et l'ambre de son contenu, en but une gorgée et la fit lentement tourner dans sa bouche avant de l'avaler.

— Comment ça ? dit-elle, prise tout à coup d'une nouvelle inquiétude.

— La ferme, tant que Gustave n'est pas à la retraite, on pouvait penser qu'il n'y avait pas de souci à se faire. Plus loin, qu'est-ce que tu veux qu'on y fasse ? Ton gamin, peut-être ?

Elle eut une moue qui lui laissait bien peu d'espoir.

— Encore un Flûtot au pays. Rien que l'idée, ça m'aurait plu, pourtant. Mais enfin… Je ne serai plus là pour voir ça, que veux-tu y faire ? Et puis la Grande Cheintre. Alors là, c'est une autre affaire. Tu le connais, toi, le gars qui s'y est installé ?

Elle fit non de la tête.

— Et tu ne sais pas pourquoi il est là ?

— Comment je saurais ? Gustave ne me dit rien. C'est un de ses cousins, à ce que j'ai compris ?

Il y eut dans le regard du vieux une vraie lueur de compassion.

— Il faudra donc que ce soit moi qui te dise.

Elle eut l'air sidéré.

— Me dire quoi ? Pour la Sylvie ? L'institutrice ? Parce que vous croyez que je suis assez bête pour ne pas avoir compris ? Bien sûr que je sais. Je sais pour celle-là et pour les autres. Parce que vous vous imaginez qu'il n'y a qu'elle ? Gustave, c'est un coureur. C'est comme ça, que voulez-vous. Il n'y a rien à y changer. Et non seulement je m'en fiche, mais, par-dessus le marché, j'en suis bien contente. Comme ça, il me laisse tranquille. Après tout, c'est bien ce que vous vouliez ?

Ce fut au tour du vieux de s'étonner.

— Ce que je voulais, moi ? Je voulais rien du tout.

— Pas vous en particulier, père Fossurier. Mais tous ceux comme vous qui nous ont mariés. Croyez-vous que j'aurais accepté, si on m'avait demandé mon avis ? Mais on ne me l'a pas demandé. Ça arrangeait trop bien les choses que la terre de mes parents que plus personne n'allait exploiter soit reprise par le seul agriculteur restant du pays. Une dot toute trouvée. Et quelle dot ! Et ma mère qui me disait sans rire que c'était la meilleure garantie qu'ils puissent me donner d'être heureuse en mariage. Le pire, c'est qu'elle y croyait. « Avec ça, qu'elle disait, tu peux être sûre qu'il n'ira pas courir ailleurs. Vingt-cinq hectares de bonnes terres, c'est tout de même pas rien. Tu le tiens serré. » Oh, ça, pour le tenir serré, je le tiens serré ! Il lui suffit de traverser la rue tous les matins. Et il ne s'en prive pas. Bien sûr, j'ai la garantie qu'il ne me foutra pas dehors. Il tient trop aux vingt-cinq hectares. Et le pire, c'est qu'il a bien tort. Parce que qu'est-ce que j'en ferais, moi, de ces vingt-cinq hectares de terres s'il venait à me les rendre ?

D'un geste très doux mais autoritaire, Gaston Fossurier interrompit le flot de paroles qui, peu à peu, s'emballait.

— Tu ne comprends donc pas ? dit-il.

Elle eut l'air totalement stupéfaite.

— Comprendre ? dit-elle. Bien sûr que je comprends. Je comprends surtout qu'il ne fait là rien de mal. Vous avez tous fait ça, les uns après les autres. Osez me dire le contraire. Surtout vous, avec la réputation que vous aviez. C'était commode. La femme pour faire l'héritier. Le moule, quoi. Rien d'autre. Vous avez combien d'enfants, vous ?

Il baissa la tête, l'air faussement contrit.

— Alors, je peux vous dire que c'est un garçon et que vous aviez beaucoup de bien. Pas question de le partager. Je me trompe ?

Il préféra en sourire tout en confirmant d'un geste du menton.

— Il n'y avait que les pauvres pour pouvoir s'envoyer en l'air comme ils voulaient. Eux avaient besoin de bras, de beaucoup de bras. Et, de toute façon, ils n'avaient rien à partager. Alors…

Il était choqué mais n'en laissa rien paraître. Dans sa colère, et malgré les mots crus qu'elle lui dictait, il était évident qu'elle avait raison.

— Mais il n'y a plus de pauvres, continuait-elle du même ton acide. Dès qu'on a trois arpents, un bout de bâtiment, une voiture et une télévision, on croit que c'est arrivé. Alors, on fait comme les riches. Le plaisir, c'est pas pour les femmes légitimes. Et les hommes qui y ont droit, eux, bien évidemment, vont le chercher ailleurs pour ne pas risquer d'engrosser encore une fois madame. Quoi ? J'ai tort ? Vous l'avez fait vous-même. Vous l'avez tous fait. Et Gustave le fait, comme les autres. Pourquoi voulez-vous qu'il soit différent puisque sa mère elle-même l'a élevé comme ça ? Et vous voulez jouer les bonnes âmes en venant me prévenir ? Mais vous me prenez pour qui ? Tenez, votre repas, vous pouvez vous le garder. Si c'est tout ce que vous avez à me dire.

Et elle se serait levée de table si, vivement, il ne lui avait pas attrapé le bras. Il avait encore une poigne d'acier qui la fit grimacer de surprise et de douleur.

— Attends voir, dit-il. J'ai peut-être autre chose, justement, à te dire.

Elle en retomba lourdement sur sa chaise et parut, quelques instants, éprouver une certaine difficulté à passer de la colère à la curiosité.

— Alors, arrêtez de tourner autour du pot, dit-elle enfin. Dites, qu'on n'en parle plus.

— Il va te quitter, prononça-t-il sur un ton funèbre.

Ce fut comme si elle avait reçu un coup violent. Elle resta quelques instants bouche bée et le souffle court. Puis, très lentement, une sorte de rictus d'incrédulité se dessina sur son visage.

— Et les vingt-cinq hectares ? Il va les quitter, les vingt-cinq hectares ?

— Oui, dit simplement Gaston Fossurier.

Pour le coup, elle parut se tasser sur sa chaise et devint livide.

— C'est pas possible. La ferme ne peut pas tourner sans ça.

— Avec ceux de la Grande Cheintre, si.

— Il va reprendre la Grande Cheintre ? Et alors, ce type, ce Michel ? C'est quoi ? Il est là pour quoi ?

Elle commençait à paniquer. Gaston Fossurier sut qu'il ne l'aurait pas amenée là pour rien.

— Pour occuper le terrain, dit-il.

Et il expliqua à Juliette tout ce que lui-même avait peu à peu compris depuis que la mort d'Octave Grollier l'avait amené à s'intéresser de nouveau à la Grande Cheintre.

Elle picorait d'une cuillère distraite dans son dessert lorsqu'il termina son récit. Elle resta un moment silencieuse, le nez dans sa coupe de glace.

— Et ce Michel Grollier, demanda-t-elle enfin, il a des chances d'hériter ? C'est un cousin, oui ou non ?

— Je n'en sais rien de plus que toi, mentit-il.

Mais ce que je sais surtout, c'est que, depuis qu'il a découvert ce qu'il y a entre Gustave et cette Sylvie, il n'est pas loin de plier bagage et de repartir d'où il vient.

— Il ne faut pas qu'il s'en aille.

Gaston Fossurier eut un soupir d'aise qu'il sut ne pas montrer. Juliette avait enfin compris.

— Ça ne tient qu'à toi, dit-il. Détourne Gustave juste le temps qu'il faut de la Sylvie et le problème sera réglé.

Elle ne parut pas partager son optimisme.

— Et comment voulez-vous que je fasse ?

Il s'esclaffa en ayant de la main un vaste geste fort explicite.

— Ça, tu admettras que c'est un problème qui ne me concerne pas. Vous avez des arguments, vous, les femmes, auxquels nous n'entendons rien.

Elle s'esclaffa à son tour.

— Facile à dire. Mais comment voulez-vous que je fasse, moi ? Au point où en sont les choses entre nous...

Il ne s'occupait déjà plus d'elle. Il avait attiré l'attention d'un serveur et l'avait envoyé lui chercher le patron. Comprenant à mi-mot, celui-ci était arrivé avec une énorme boîte de cigares. Gaston Fossurier en choisit un avec gourmandise.

— Ça ne te gêne pas ? dit-il pour la forme.

Elle fit « non » de la tête. Déjà, il le chauffait d'une allumette sur la flamme de laquelle il le passait délicatement.

— C'est à toi de voir, dit-il.

Il se renversa dans sa chaise et s'abandonna voluptueusement à la douce somnolence qui le gagnait en tirant doucement sur son cigare.

— Une petite prune, monsieur Gaston ? demanda Georges qui passait par là.

— Et pourquoi pas ? Comme au bon vieux temps.

— Et pour madame, ce sera ?

— Merci, dit-elle. Il faut que j'y aille.

— C'est ça, c'est ça, il faut que tu y ailles, marmonna-t-il alors qu'elle s'éloignait sans même qu'ils se soient autrement salués.

26

Au bout de quatre jours, lorsqu'il eut fini de
tondre ses moutons, Michel était éreinté. Tous les
muscles, et plus particulièrement ceux du dos, lui
faisaient atrocement mal. Les ampoules qu'il avait
attrapées dans les mains saignaient et le faisaient
souffrir. Et il souriait amèrement sur ce dérisoire
record de quatre jours pour cinquante pauvres moutons qu'un bon professionnel aurait proprement
déshabillés en quelques heures.

«Mais lui aurait eu des aides», ironisait Michel
pour lui-même, appuyé à la barrière de sa bergerie,
tellement perclus de fatigue qu'il n'en avait même
plus le courage d'aller jusque chez lui. Il n'avait pas
lâché le dernier mouton depuis plus de dix minutes.
Il avait rapidement enfourné la dernière coupe de
laine dans un des grands sacs de jute. Il avait rangé,
donné à manger à ses bêtes, et il était là, accoudé à
sa barrière, incapable de quitter des yeux les animaux un peu ridicules, dans leur fausse nudité, qui
se pressaient le long du râtelier.

«Et puis quoi ? se dit-il. J'en suis venu à bout. Et
qu'est-ce que j'ai de plus ? On ne se voit plus. Je suis
là comme un idiot, tout seul face à cinquante moutons. Je ne vois même plus les gens du pays. Cette
fois-ci, je suis bien seul, totalement seul. Et je continue les mêmes gestes, les mêmes travaux, comme si

de rien n'était. Je comprends pourquoi c'était un ours, l'Octave. »

Il savait pourtant que ne brûlait pas en lui une vraie envie de partir. Le geste aurait été raisonnable. Mais que faisait la raison en l'affaire ? Depuis ce matin où il avait franchi la porte de sa maison, dans le Nord, comme on se sauve, il avait renoncé une fois pour toutes à cette raison dont, pourtant, jusque-là, il avait fait le guide unique de ses faits et gestes.

Il avait été raisonnable de s'acharner à décrocher les diplômes dont son brave homme de père rêvait pour lui. Il avait été raisonnable de ne sacrifier à aucun de ces plaisirs plus ou moins innocents dont on dit qu'ils font la jeunesse. Il avait été raisonnable de s'obstiner à ne regarder aucune représentante du sexe dit faible avant qu'il ne devienne raisonnable de prendre femme. Car, entre-temps, sans rien concéder à la perte de temps qu'aurait été le moindre coup d'œil de part et d'autre de la ligne bien tracée de son devoir, Michel avait raisonnablement cherché et trouvé l'emploi qui faisait enfin de lui quelqu'un.

Du moins l'avait-il longtemps cru. Jusqu'à ce jour où on l'avait totalement dévalorisé à ses propres yeux en lui retirant cet emploi. Il n'avait donc d'existence que par le bon vouloir de gens dont, naïvement, il s'était presque cru l'égal.

« Les salauds, ils m'ont fait péter les plombs ! » se dit-il en riant. Il n'en éprouvait aucune amertume. Bien au contraire, il lui semblait n'avoir pris conscience de lui-même que depuis cet instant précis où la volonté de rompre avait été la plus forte et s'était muée en actes.

A moins que ce ne soit la peur d'affronter les réalités qui l'avait poussé à fuir…

Il ne savait plus très bien. Mais cela importait peu. Seule comptait la conscience qu'il avait prise, depuis son arrivée tonitruante au Crot-Peuriau, du goût que pouvait avoir l'existence. Jusque-là elle avait été uniformément fade. Depuis, et sans transition, il avait vécu et ressenti tant de choses que les saveurs de la vie s'étaient révélées à lui dans tout l'infini de leur variété. Bien sûr, cela allait du plus délicat des nectars au plus amer des vinaigres. Et il lui avait bien fallu tout ingurgiter.

«J'en suis plutôt au vinaigre», pensa-t-il en faisant la grimace.

Il était toujours appuyé à sa barrière et n'avait plus envie d'en bouger. C'était comme si la fatigue extrême de son corps servait de repoussoir à la lucidité paisible de son esprit. Enfin, il se voyait tel qu'il était, déjà dépendant des gestes quotidiens d'un métier qu'il exerçait sans que ce soit le sien, solitaire parmi des hommes qui ne lui étaient rien, instrument entre leurs mains, tout à la fois trublion et victime de leurs petites magouilles, de leurs sordides intrigues.

«Objet, se dit-il. Je ne suis rien d'autre entre leurs mains qu'un objet. Et pour le seul respect de moi-même, je devrais partir.»

L'idée, pourtant, ne parvenait pas à prendre corps et encore moins à faire son chemin en lui. Il y avait Sylvie, bien sûr. Il ne pouvait pas se faire totalement à l'idée qu'il puisse l'avoir définitivement perdue. Mais il y avait aussi l'œuf!

«Pas question de partir sans savoir ce que signifie cet œuf», finissait-il toujours par se dire lorsque lui venait à l'esprit la conscience de l'incongruité de sa situation au Crot-Peuriau.

Et ce n'était pas totalement un prétexte. Il voulait vraiment savoir. Bien sûr, il lui était commode de s'exonérer à si bon compte de la faiblesse qui lui faisait persister à espérer que Sylvie, un jour, l'appellerait. Il se faisait le triste effet du chien battu s'obstinant, contre toute logique, oreilles basses, œil implorant et toute honte bue, à quémander la caresse qui, nécessairement, ne viendrait pas.

Seuls venaient les coups, le matin, lorsque, quoi

qu'il fasse, il ne parvenait pas à éviter le regard humide de l'Ouasse, de garde devant la porte de derrière. Il en souffrait le martyre, se jurait de ne plus y revenir et, inévitablement, trouvait mille prétextes pour venir rôder dans son jardin, dès le lendemain matin.

Le sens à donner à cet œuf posé devant la photo du bouvier le captivait tout de même. Mais il finissait par ne plus très bien savoir où se trouvait la limite de l'intérêt anecdotique et celle du prétexte qui lui permettait de ne pas totalement se mentir lorsqu'il renonçait à finir de plier bagage.

A dire vrai, la recherche très concrète de son lien de parenté avec l'Octave, dont il dépendait de savoir s'il pouvait avoir ou pas quelque droit à se considérer comme étant bien chez lui à la Grande Cheintre, ne lui importait plus beaucoup. Mystérieusement, et sans trop qu'il s'inquiète de savoir ce qui avait pu motiver un tel geste, il était évident que le père Fossurier avait eu les arguments de nature à calmer le notaire. Il semblait par ailleurs que celui-ci n'était que tout à fait moyennement motivé par une éventuelle expulsion.

Il y avait là une mansuétude qui aurait dû l'alerter. Il en avait parfaitement conscience. Mais, à la vérité, il sentait derrière tout cela des préoccupations qui l'ennuyaient profondément. Et il préférait évacuer le problème plutôt que de s'inquiéter.

Il était d'ailleurs bien partagé entre le véritable désir de comprendre la signification de cet œuf mystérieux et les inévitables conséquences de cette connaissance qu'il lui faudrait assumer. Ou bien elle ferait de lui le véritable maître de la Grande Cheintre, et la perspective ne le réjouissait qu'à moitié ; ou bien, en lui faisant perdre ce dernier prétexte à rester, elle le contraindrait à s'éloigner de Sylvie. Et c'était bien sûr ce qu'il ne voulait à aucun prix.

« Et quoi qu'il m'en coûte », se dit-il, l'air sombre,

en se résignant enfin à quitter sa bergerie. Les mains au fond des poches, il traversa lentement sa cour.

On en était à cette heure du soir où le subtil équilibre des éléments du ciel et de la terre semble s'établir pour verser la douceur de son baume sur les fatigues du jour. Le soleil de mai avait basculé depuis un bon moment derrière le rideau sombre et dentelé des futaies couvrant la crête des collines dominant le pays. En se fondant dans la lumière ambiante, les ombres avaient distillé leur douceur sur les choses, les reliefs et les êtres.

Au couchant, du quotidien cérémonial présidant à l'engloutissement du soleil par les monts et les bois ne restait érigée qu'une prodigieuse et fluctuante tenture d'or et de feu. Elle se diluait très lentement dans le pastel infiniment pâle du ciel que soustendaient les traînées livides de quelques nuages égarés.

Michel s'arrêta au beau milieu de sa cour. Et, les mains toujours au fond des poches, oublieux de sa fatigue, le nez dans les étoiles qu'on ne discernait pas encore, il laissa le spectacle du soir montant le captiver.

— Tu rêves ou quoi ?

Sylvie, depuis son jardin, le regardait en riant. Dans la douceur vespérale, sa blondeur était resplendissante et son sourire lumineux. Elle se tenait à trois pas de la porte par laquelle, tous les matins ou presque, Gustave se glissait chez elle. Et cela ne semblait nullement la déranger.

— Oui, je rêve, dit Michel d'un ton lugubre.

Il avait baissé les yeux et considérait la jeune femme avec perplexité. Le faisait-elle exprès ou était-elle complètement inconsciente ?

— Ne reste pas là, continua-t-il. Viens donc prendre quelque chose à la maison.

Elle n'attendait manifestement que ça. A travers

son jardin, elle l'eut vite rejoint. Elle semblait particulièrement enjouée. Ils se déposèrent deux baisers distants sur la joue.

— C'est la grande forme ? voulut-il plaisanter.

Elle haussa vivement les épaules.

— Bof…

— Quoi, « bof » ? Tu as l'air gaie comme un pinson.

Il n'en dit pas plus. Mais elle sentit son malaise.

— Et toi, tu n'es pas gai ? Tu as vu ce temps ? C'est le printemps ! C'est chouette, non ?

— Oh oui ! fit-il en forçant suffisamment le ton pour qu'il n'ait plus rien de crédible. Allez, entre.

Il la laissa passer et referma derrière lui le lourd battant de chêne. Elle avait déjà découvert le chat, dans un fauteuil, au fond de la pièce, et l'avait pris dans ses bras où il ronronnait copieusement.

Il préféra s'abstenir de contempler trop longtemps les gestes très doux par lesquels elle flattait le petit animal et qu'il ne pouvait pas s'empêcher d'imaginer destinés à un autre.

— Assieds-toi donc, dit-il en s'affairant à sortir une ou deux bouteilles d'apéritif, des verres et des biscuits.

Elle s'était installée au bout de la table. Il vint s'asseoir en face d'elle. Il fallut bien que leurs regards se croisent. Il crut rougir bêtement de toutes ces idées qui trottaient malgré lui dans sa tête et dont il se persuadait qu'elle allait les lire dans ses yeux. Et il s'en voulut aussitôt de culpabiliser.

« Ce n'est tout de même pas à moi… », pensa-t-il.

— J'ai fini de tondre mes moutons ! dit-il triomphalement pour détendre l'atmosphère et se donner une contenance.

— Ça se sent ! dit-elle en éclatant de rire.

Il en resta totalement interdit. Il n'y avait pas pensé un seul instant.

— C'est vrai que je dois puer, dit-il, très grave.

Elle éclata d'un rire très pur, cristallin, qui aurait dû l'émerveiller et qui lui fit très mal.

— C'est normal, non ? dit-elle, toujours aussi gaie. C'est ton boulot. Je viens t'y surprendre. Et tu sais que j'aime ça.

Quel jeu jouait-elle ? Il n'y comprenait plus rien. Avait-elle déjà oublié les mots qu'ils avaient échangés cinq jours plus tôt, lorsqu'elle était venue l'aider à rentrer ses moutons ? Elle semblait plus enjouée encore que d'habitude, comme si rien ne les séparait et comme si elle ne craignait plus qu'il parte.

— Mon boulot… dit-il sombrement. Bien sûr que ce n'est pas mon boulot. Je fais ça parce que ces braves moutons en ont besoin. J'en suis responsable, en quelque sorte. Et puis, demain, ce sera peut-être un autre.

Il avait versé un peu de vin de noix dans de petits verres à apéritif. Ils trinquèrent.

— Tu ne partiras pas, affirma-t-elle tout à coup.

Il en resta sans voix.

— Non, continua-t-elle. Je dis que tu ne partiras pas parce que si tu avais dû partir, ce serait déjà fait. Tu es pris, Michel. Le pays te tient. Maintenant, je sais que tu ne partiras pas.

— C'est toi qui dis ça ?

Il était à la fois furieux et sidéré.

— Oui, dit-elle sans hésiter. Et j'en suis heureuse pour toi.

Ce fut plus fort que lui, il bondit.

— Mais tu te rends compte de ce que tu dis ? Heureuse pour moi, tu dis ? Et le martyre que je vis, chaque matin qu'il monte là-haut, vers chez toi, l'autre lourdaud ? Tu y penses à ça ? C'est pour moi que tu es heureuse, à ces moments-là ? Dis, est-ce que tu sais au moins que j'existe et que je souffre à en crever, à ces moments-là ?

— Michel, tenta-t-elle. Arrête, tu veux ? Pour-

quoi tu te fais mal ? Qu'est-ce que j'y peux changer ?

— Rien !

Hors de lui, il hurlait littéralement.

— Surtout, ne change rien. Garde-le, ton secret.
Continue à baiser en douce.

— Michel !

— Et zut, Michel ! Il en a marre, Michel. Tu ne
veux donc pas comprendre ? Tu vas encore me parler d'amitié ? Et quoi ? Pour qui tu me prends ? Je
devrais rester là à assister à ça en silence, à m'écraser devant une telle monstruosité ? Et pourquoi pas
tenir la chandelle, pendant qu'on y est ? Tu veux que
je te dise ? : Michel, il ne tient plus. Il craque,
Michel. Et ne lui dis surtout plus qu'il ne doit pas
partir, à Michel. Parce que tu es inconsciente et que
tu ne veux rien voir, rien comprendre. Alors, tu vois,
Michel, eh bien, il te retire toute voix au chapitre,
Michel. Il te refuse le droit de donner ton avis.

Blême, elle s'était levée, des larmes dans les yeux.

— On ne peut plus se voir, cria-t-elle à son tour,
des sanglots dans la voix. A chaque fois, c'est la
même chose. Tu ne peux pas t'empêcher de hurler.

— Non, c'est vrai, admit-il. Je ne peux plus. Mais
j'aurais honte de moi si je pouvais, si j'acceptais. Tu
ne peux pas comprendre ça ?

Ils étaient face à face, de part et d'autre de la table.
Il y eut un temps de silence suffisant pour que retom-
bent leurs émotions. Déjà, il se reprochait de s'être
laissé aller à s'emporter. Et elle cherchait désespérément le moyen de rendre un peu de paix à leurs
rapports.

— Je n'aime pas quand tu cries, dit-elle bêtement.

— Et j'ai tort, je sais.

Il se passa une main nerveuse dans les cheveux.

— Mais c'est plus fort que moi, continua-t-il.
Tout ça est tellement absurde.

Elle se rassit, se pencha au-dessus de la table et

posa une main encore frémissante sur l'avant-bras de Michel.

— Non, dit-elle doucement. Il faut que tu comprennes que la vie existait avant que tu arrives. On ne peut pas tout changer parce que tu es là.

— Toi, tu as changé. Avant, je veux bien. D'ailleurs, je n'étais pas là. Je n'ai pas voix au chapitre. Mais on aurait très bien pu rester des voisins comme les autres. Bonjour, bonsoir, c'est tout. Depuis que je suis arrivé, quelque chose nous a irrésistiblement poussés l'un vers l'autre. Tu ne peux pas dire le contraire. Ou alors, tu as drôlement bien joué la comédie.

— Tu sais bien que ce n'est pas vrai.

— C'est bien ce que je disais.

— Eh bien oui. Mais, qu'est-ce que tu veux, tu serais arrivé il y a un an, je ne dis pas... Mais, maintenant, comment faire ?

Il haussa vivement les épaules.

— Bon, dit-il. On arrête là, tu veux ? Sinon, on va encore s'engueuler. Ce serait trop bête, non ?

Et il retira doucement son bras de sous sa main. Elle parut se recroqueviller sur sa chaise. Et il s'en voulut lorsqu'il vit son menton trembler doucement des sanglots qu'elle s'évertuait à contenir.

Il se leva.

— Allons. Il faut que je me décrasse et que je me change. Tu m'inviteras, un de ces soirs ?

En se levant à son tour, elle fit « oui » de la tête mais ne parvint pas à prononcer un mot. Sur le pas de la porte, par-dessus son épaule, elle lui adressa un pauvre sourire plus perdu et désorienté qu'autre chose. Lui se faisait mal à force de serrer les dents. Il s'efforça de lui rendre son sourire mais eut douloureusement conscience de ce que le rictus qu'il obtint avait de dérisoire.

Il attendit qu'elle ait franchi la grille et referma sa porte sans même attendre un dernier regard.

— Voilà, dit-il à haute voix.

27

Dans le silence de la nuit, Sylvie sursauta. Un claquement sec l'avait brutalement tirée du sommeil agité qui la faisait sans cesse se retourner violemment dans son lit totalement en désordre.

Tout de suite après celui qui l'avait réveillée, il y eut un autre claquement sec similaire au premier. Il lui fallut quelques instants et que se dissipent suffisamment les brumes du sommeil pour réaliser qu'il s'agissait du bruit familier de volets qu'on ouvrait sans ménagements.

Elle tourna la tête vers sa table de chevet. Les chiffres lumineux de son radio-réveil indiquaient trois heures trente.

Un long moment, elle resta allongée sur le dos. Son esprit tournait encore à vide. Et s'il se posait clairement la question de savoir qui pouvait bien ouvrir ainsi ses volets sur l'obscurité la plus complète, il lui fallut tout ce temps pour passer à la recherche logique de la réponse.

Elle allait pourtant de soi et ne tarda évidemment pas à s'imposer à elle. Ce fut tout à coup comme si elle s'éveillait vraiment.

« A cette heure-ci ? Qu'est-ce qui lui prend ? »

Elle repoussa violemment ses couvertures et se leva. Le froid la saisit. Elle s'enroula dans sa robe de chambre et revint jusqu'au pied de son lit pour mettre ses chaussons. Le carreau était glacé. Sans allumer, en tâtonnant, elle traversa sa maison, monta au premier et atteignit la petite chambre inoccupée, sous les combles, dont le chien-assis s'ouvrait sur les jardins.

La lune devait éclairer quelques contrées éloignées du ciel. Mais là, au-dessus du Crot-Peuriau, pour l'heure, une épaisse couverture de nuages semblait enfermer le pays dans un vaste chaudron d'obscurité épaisse.

Sylvie se tassa dans le coin de l'embrasure de la petite fenêtre. En s'habituant progressivement à l'obscurité, ses yeux lui révélaient peu à peu, devant elle, ce que sa mémoire savait déjà. De l'autre côté des jardins, le sien et celui de la Grande Cheintre, à peine séparés par un petit muret effondré par endroits, au-delà de la cour qu'avait si soigneusement nettoyée Michel et au milieu de laquelle elle l'avait surpris rêvant, la veille au soir, l'imposante maison des maîtres du domaine sortait lentement du néant.

Elle attendit encore quelques instants. Enfin commença de lui apparaître, au premier étage, le trou noir d'une fenêtre dont les volets étaient ouverts. Et, presque simultanément, elle commença de discerner une forme plus claire et floue, au beau milieu de ce rectangle plus noir encore que la nuit.

Quelques secondes encore, et elle n'eut plus de doute : c'était bien lui. Cramponné à la barre d'appui, il se tenait légèrement penché et semblait se balancer lentement d'avant en arrière.

« Qu'est-ce qu'il fait là ? » se demanda-t-elle. Elle le savait pourtant pertinemment, comme elle savait ce qui l'avait jetée au bas de son lit pour un bruit qui, en toute autre circonstance, ne lui eût tiré qu'un grognement d'ennui.

Mais il y avait en elle comme en lui cette force prodigieuse qui les projetait l'un vers l'autre avec l'énergie et la puissance de l'inéluctable. Ce volet qui avait claqué dans la nuit, après les mots terribles qu'ils avaient échangés dans la soirée, évidemment, ça ne pouvait être que lui. Et, dès qu'elle avait entendu, cela avait été comme s'il lui avait dicté les gestes qui l'avaient conduite jusqu'à cette embrasure de fenêtre.

Dans l'ombre, elle eut un demi-sourire. Elle qui avait tant de mal à s'arracher au confort douillet de ses couvertures, en temps normal !

Elle esquissa même le geste de poser la main sur la crémone. Il eût été si simple d'ouvrir la fenêtre. « Michel… » Dans la nuit, il se serait dressé, figé, dans l'encadrement de sa fenêtre. « Je suis là. Je t'attends. Viens. » Cela aurait été si simple, si évident.

Elle recula sa main et se tassa plus fort encore dans l'ombre, comme s'il avait pu la voir. Si elle avait pu prévoir… Bien sûr qu'elle n'aurait jamais cédé, voici plus d'un an, à l'envie soudaine de consoler qui s'était saisie d'elle. Qui pourrait jamais démêler ce qu'il y avait eu, dans ce moment d'égarement, de lassitude d'être seule, d'envie simplement physique de recevoir et de donner des caresses, de jouir et de donner de la jouissance, d'être femme comme d'être femelle, d'être la mère qui console et fait don d'elle-même, d'être l'amante.

Mais surtout pas l'épouse.

A cette idée, tout son être se raidit et se rebella. Elle s'était fait piéger. Bien sûr qu'elle savait qu'elle n'était même pas l'amante ; à peine la commodité. Et il lui faisait mal en prétendant le lui apprendre et en le lui répétant à chaque bout de phrase.

Bien sûr qu'elle mourait d'envie de se jeter vers lui, de se réfugier une fois pour toutes dans ses bras et de se fondre avec lui dans la plénitude de leur amour.

Et pourtant, honnêtement, du plus profond d'elle-même, elle ne parvenait pas à rejeter Gustave.

Tout la piégeait. Il lui semblait que, depuis son divorce, la sensualité de son corps et les attentes les plus profondes de son âme ne lui appartenaient plus. Tout cela avait d'abord été dans une telle déshérence qu'elle en avait souffert comme une bête. Parce qu'elle était femme et qu'elle savait mettre toujours en avant l'aspect aimable de son caractère, personne n'avait pu être assez proche d'elle pour mesurer à quel point cette solitude morale et physique l'avait blessée.

Gustave ne l'avait pas mesuré plus que les autres. Et s'il n'avait prétendu que combler ce manque, il est bien peu probable qu'elle l'eût ainsi accueilli. Mais, sans le savoir, il avait eu l'extrême habileté de substituer sa propre souffrance à celle de Sylvie. Dès qu'il avait réussi à faire naître en elle l'envie de le plaindre et de le protéger, il avait eu cause gagnée.

Elle ne pouvait même pas lui reprocher de l'avoir séduite ! Elle s'en était chargée toute seule ou, du moins, avait laissé les événements décider pour eux.

Pouvait-elle alors se douter du piège dans lequel elle tombait ? Lorsque, pour la première fois, avec fougue et passion, l'homme enlace et la femme se love dans ses bras, pense-t-il, pense-t-elle aux calculs, aux conséquences, aux équilibres remis en question, aux intérêts sordides ?

Bien sûr, elle avait eu des états d'âme. Un reste de solidarité féminine lui avait, un temps, fait prendre le parti de Juliette. Elle avait même prétendu écarter Gustave. Une aventure, à la rigueur. Mais plus longtemps… Et puis, il avait si bien su plaider sa cause, si bien décrit l'enfer quotidien de sa vie, selon lui.

Après tout, l'époux trahi l'a bien cherché. Si l'on trouvait toujours ce que l'on attend à la maison, on n'irait pas le chercher ailleurs… Et tant de fausses bonnes raisons similaires qui avaient fini par la rassurer, faute de lui donner tout à fait bonne conscience.

Et maintenant, que pouvait-elle faire ? Elle ne parvenait pas à concevoir qu'elle puisse rompre avec

Gustave. C'était moins par attachement que par une sorte de peur panique de la tourmente dont elle était persuadée que son geste la déclencherait. Bien sûr, il réagirait. Et malgré la singularité de leurs rapports qui n'allaient pas bien loin au-delà du seul plaisir physique, elle ne pouvait pas se faire à la perspective de lui faire mal et de devoir s'opposer à lui.

Et puis surtout, se détourner de Gustave pour répondre à l'appel insistant de Michel, c'était inévitablement jeter ce dernier hors de la Grande Cheintre tant il était évident que Gustave qui l'y avait installé pouvait l'en chasser du jour au lendemain.

Alors, que faire, à quel saint se vouer ?

Dans l'encoignure de sa fenêtre, la tête appuyée contre le mur, insensible au froid qui assaillait sa mince robe de chambre, Sylvie se refusait à lâcher du regard la silhouette qui continuait de se balancer lentement d'avant en arrière, dans la fenêtre du premier étage de la Grande Cheintre.

De temps à autre, Michel se redressait. Il disparaissait dans l'ombre de la pièce. Elle frémissait d'angoisse. Mais, assez rapidement, elle discernait à nouveau la tache blanche de son visage légèrement en retrait. Il avait simplement changé de position. Puis, dans un mouvement convulsif de colère, d'impuissance et de désespoir, il se jetait à nouveau sur la barre d'appui à laquelle elle devinait qu'il se cramponnait des deux mains.

Malgré l'obscurité, plus qu'elle ne voyait vraiment, à ce qu'elle discernait de son agitation, elle imaginait ses pensées et en était bouleversée. Au sentiment de culpabilité qui la déchirait répondait curieusement la conscience très nette de l'impossibilité matérielle dans laquelle ils étaient de se retrouver.

Il y avait ceux qui étaient originaires du pays. Ils n'étaient plus bien nombreux, à peine majoritaires. Mais peu importait. Ils étaient profondément liés entre eux, qu'ils le veuillent ou non, par des siècles de rapports accumulés. Plus importants encore, peut-être, que les vivants de moins en moins nombreux, il y avait ceux du cimetière et l'immense réseau des parentés et des cousinages qu'ils avaient tissé et auquel se rattachaient les vivants. Et puis il y avait, parallèlement, comme surimprimé, le réseau des intérêts plus forts encore, plus imbriqués, plus cruciaux.

Ceux-là n'en finissaient pas de se chamailler entre eux et de régler des comptes aussi vieux que le monde. Mais ils étaient indissociables, mêmes doigts d'une même main autour de laquelle ne pouvaient que graviter selon son bon vouloir ceux que le hasard avait amenés là.

Les pièces rapportées, comme ils disaient avec un rien de commisération dans le sourire, étaient bien accueillies. On n'en était tout de même plus au temps où l'on jetait des cailloux aux étrangers. Mais ils resteraient des pièces rapportées à tout jamais, qu'aucun mort au cimetière, qu'aucune parenté, qu'aucun bout d'acte de propriété, aussi mince et dérisoire soit-il, ne rattacherait jamais à ceux originaires du pays.

A la rigueur, on leur ferait l'aumône d'un second rôle. La maîtresse que concède l'épouse pour ne plus être importunée par son mari et pourvu que soient sauvegardés les intérêts et les apparences…

Sylvie, toujours dans son coin d'ombre, fit la grimace. Elle, Michel et tous les nouveaux venus au pays, à qui aucun lien de parenté locale n'avait permis de pénétrer cette formidable toile d'araignée de filiations et de propriétés superposées, ne pourraient jamais prétendre à d'autres liens. Et eux-mêmes, entre eux, ne seraient jamais que des satellites tournicotant inlassablement autour de l'étonnante galaxie des gens du pays sans jamais être bien capables de se rencontrer autrement que par quelques sourires aimables et n'engageant à rien.

« Qu'est-ce que je fous là ? » se demanda tout à

coup Sylvie. « Utilité pour Gustave, incapable de maîtriser assez ma propre destinée pour me lier réellement à qui j'aurais envie de me lier… »

Elle aurait voulu hurler au-delà des jardins : « Plus solitaire que nous, tu meurs ! »

« Lui, pourtant ! » L'idée lui était venue, fulgurante. Après tout, Michel, peut-être, en était. Lui, peut-être, avait tout naturellement sa place dans les arcanes complexes de ce réseau de parentés et d'intérêts auquel se reconnaissaient et se rattachaient tous les gens originaires du pays.

Lui, peut-être, alors seulement, s'il prouvait de façon irréfutable que la grande famille des Grollier était la sienne et qu'il entrait donc de plein droit dans le lacis complexe de ses intérêts, pourrait prétendre au bénéfice des mêmes règles que les autres.

Alors seulement, peut-être, pourrait-il prétendre avoir plus de droits sur une étrangère que son cousin de la ferme d'en face…

Sylvie sursauta. Un bruit, en face, l'avait sortie de la somnolence dans laquelle elle s'était peu à peu laissée glisser, la tête toujours appuyée sur l'encoignure de la petite fenêtre.

« J'ai rêvé », se dit-elle.

Elle se pencha : tous les volets de la Grande Cheintre étaient clos.

« J'ai dû rêver », se répéta-t-elle.

Et, traînant les pieds, elle redescendit vers sa chambre.

« Tout de même, il faudra savoir », se promit-elle en se recouchant.

Elle posa la tête sur l'oreiller et s'endormit presque aussitôt.

Michel cherchait toujours le sommeil. Il avait cru le trouver en ouvrant grand la fenêtre et les volets de sa chambre et en restant là, face à la nuit, aussi longtemps qu'il le faudrait pour que le calme revienne en lui.

Il avait longtemps attendu. Toutes les idées les plus sombres et les plus absurdes avaient défilé dans sa tête. Il avait su les contourner, les unes après les autres, en gardant le regard obstinément rivé sur le ciel dans l'encre duquel défilaient des nuages qui, en captant un reste infime de luminosité qui montait de la terre, apparaissaient un peu plus clairs.

Parfois, incidemment, la lune, cachée derrière ces grosses masses moutonnantes, les surlignait d'un trait d'argent sur fond de velours qu'elle allumait par facétie, au passage. Puis l'obscurité se refaisait, d'autant plus épaisse qu'avait été lumineux le dessin de ce jet parfait lancé dans le cosmos.

Michel n'en détournait pas pour autant les yeux. Il soutenait ardemment du regard l'horreur de ce néant sur lequel béait sa fenêtre. Et il sentait que coulaient en lui des forces inconnues et étranges qui le rassuraient et apaisaient peu à peu son trouble.

Longtemps, il était resté ainsi appuyé des deux mains à la barre d'appui, se balançant doucement d'avant en arrière. Parfois, il se redressait, se reposait quelques instants dans l'ombre médiane de la chambre, puis replongeait vers ces présences cosmiques qui lui semblaient couler par sa fenêtre grande ouverte.

Un grand déchirement des nuages épais qui défilaient en courant d'ouest en est, dans le ciel nocturne, avait tout à coup trahi la lune qui, cette nuit-là, avait pourtant décidé de rester cachée aux yeux de la terre. Dans sa plénitude, elle apparut, toute ronde, avec comme un rien d'indécence, et sa lumière froide et plate balaya le monde.

A cet instant précis, le regard de Michel fut attiré par un mouvement imperceptible. Il fut probablement si furtif que, sur l'instant, il crut encore à un rêve. Et il allait à nouveau chercher du regard le fond de l'infini lorsqu'il ne put plus avoir de doute. On avait bougé dans l'angle du chien-assis du toit de la maison de Sylvie. Un flot puissant de lumière lunaire l'avait inondé au moment précis où quelque chose ou quelqu'un s'était agité derrière cette petite fenêtre. Michel, cette fois, en était sûr.

Et tout l'apaisement, qu'il avait pris tant de soin à établir en lui depuis qu'il était là, devant cette fenêtre grande ouverte sur la nuit, avait sur l'instant cédé la place à la tension la plus extrême. Hormis elle, qui pouvait bien bouger derrière le chien-assis qui coiffait le toit de sa maison ? Mais qu'y faisait-elle ?

La percée, dans le couvert des nuages, dura suffisamment longtemps pour qu'il puisse se convaincre que Sylvie était bien là, au-delà de la cour et des jardins, dans l'encoignure d'une fenêtre où il ne pouvait pas douter qu'elle soit venue pour l'observer.

Un instant, il eut la tentation de se jeter en avant en hurlant son nom. Le moment d'après, il se reculait pour que l'ombre le gagne et le dissimule totalement à la vue qu'elle pouvait avoir, depuis son poste d'observation.

Il ne savait plus quelle contenance prendre. Pourquoi était-elle là puisqu'elle ne voulait pas de lui ? Pourquoi s'obstinait-elle à ne pas vouloir de lui puisqu'elle montrait tant d'attention à ses propres préoccupations qu'elle était là à l'observer, dans la nuit froide ?

Depuis combien de temps était-elle là ? Ce face-à-face, d'une maison à l'autre, à l'instant même où il luttait férocement contre lui-même pour admettre qu'il devait renoncer à elle, lui parut tout à coup totalement intolérable. Il se rejeta brutalement en arrière, jusqu'au milieu de la pièce où, au pied de son lit, haletant, le souffle court, il tenta vainement, durant de longues minutes, de reprendre son calme.

Elle ne lui laisserait donc aucun répit ? Et en admettant, par des gestes comme celui-ci, après la tendresse avec laquelle elle recevait ses caresses, à quel point elle lui était attachée, elle ne lui laisserait donc aucune possibilité de s'échapper ?

Que ne lui avait-elle jeté son indifférence avec mépris à la figure. Au moins les choses auraient été claires et faciles à vivre.

Alors que là…

Rageusement, il revint à la fenêtre. Dans la nuit que les nuages avaient reconquise, le chien-assis comme tout le reste de la maison s'étaient fondus dans la plus totale des obscurités. Il eut encore très brièvement la tentation de lancer l'appel de son désespoir, de toute la force de ses poumons.

Un reste de raison le retint.

Il ferma brutalement ses volets et se jeta sur son lit.

Comment, dans un tel désarroi, pouvait-il espérer être rejoint par le sommeil ?…

Une lueur grise se faufilait entre les lames des volets lorsque lui revint violemment la conscience de cette horripilante question. Il se tourna vers son réveil. Il était bientôt sept heures.

Il eut un sourire amusé, se mit sur le dos et se glissa les mains sous la nuque. Il avait donc dormi tout ce temps ! Et elle ? Qu'avait-elle dit en l'entendant refermer ainsi brutalement ses volets ? Avait-elle réussi à s'endormir aussi vite que lui ?

Et l'Ouasse était-il devant sa porte ? A cette idée, Michel grimaça. Elle lui faisait physiquement horreur. Mais que faire ? Il n'était pas sitôt réveillé que déjà l'assaillait ce qui, peu à peu, il le sentait bien, tournait à l'obsession. Et, tout à coup, il en eut peur.

Par un moyen ou par un autre, il lui fallait absolument s'en sortir. Il y avait bien la solution de partir. Il avait bien fui le Nord. Une fuite de plus ou de moins… Certes, l'image qu'il pouvait se faire de lui-même finirait bien par s'en ressentir. Mais puisque le choix ne lui était pas laissé…

Mais alors, l'œuf ? Qui lui dirait ? Curieusement, à chaque fois que l'idée de partir lui venait à l'esprit, l'énigme de cet œuf semblait s'ériger en barrage pour le retenir.

« Bah, pensa-t-il. Il suffit que j'aille voir le père Fossurier. Lui me dira. Après, je pourrai partir. »

Il savait bien que ce n'était pas vrai, que les choses n'étaient pas si simples et qu'il ne devait pas trop compter sur Gaston Fossurier pour les lui simplifier. Mais il lui fallait bien au minimum se donner l'illusion d'une issue !

Et elle ? Le laisserait-elle partir ainsi ? Il suffirait de s'éclipser à un moment où elle ne serait pas là. L'affaire serait jouée. Et il savait tout aussi bien qu'il n'en aurait pas le courage.

C'était comme une idée de suicide. C'est si facile, quand on se croit au fond du trou, au bout du rouleau, d'imaginer de mettre fin à tout. C'est si facile... Jusqu'à ce que la main doive se lever pour entamer le premier des nombreux gestes contre nature qu'il faudra accomplir.

Le plus difficile, le point précis que, fort heureusement, on ne franchit que rarement, c'est celui où s'opposent la lâcheté de l'abandon et le courage qu'il faut pour accomplir l'acte d'abandon.

Autant il savait l'avoir été dans le Nord en fuyant ses responsabilités, autant Michel, cette fois, n'avait nullement envie d'être lâche. Et il voyait bien plus d'absurdité que de courage à l'acte de partir.

Il fallait donc croire qu'il avait au fond de lui la ferme volonté de se battre. Comment ? Par quels moyens ? Il n'en savait fichtre rien. Mais allait-il abandonner cette femme qu'il aimait, qui l'aimait, la nuit venait de lui en donner un indice de plus, et que rien d'autre ne retenait loin de lui que le piège sordide des façons de faire locales dans lequel elle reconnaissait elle-même s'être laissé prendre ?

Tout à coup, il se figea dans son lit, les yeux rivés au plafond. L'idée était donc là ! Entrer dans leur jeu ! Voilà ce qu'il fallait faire ! Ah, ils l'avaient enfermée dans les mailles étroites de leurs secrets sordides ? Ah, ils l'avaient reléguée sur la face pile, celle du non-dit, celle de l'hypocrisie et du pas fréquentable qu'on cache là délibérément pour que paraisse plus nette, plus présentable, plus honorable la face face ?

Eh bien lui, Michel Grollier, le peut-être cousin de la moitié du pays, le peut-être maître de la Grande Cheintre et le peut-être aussi bien rien de tout cela, simple pièce rapportée que demain ils jetteraient dehors, lui n'avait rien à cacher. Lui agissait au grand jour, sur la face face, celle des gens honorables ou du moins supposés tels, tant qu'ils savaient user de la face pile pour dissimuler en toute impunité leurs petites turpitudes quotidiennes.

Michel était trop nouveau dans le pays. Il n'en était pas encore là.

D'un coup de reins, il fut hors de son lit dont les couvertures volèrent au travers de la pièce. Il était très fier de son idée.

« Le petit déjeuner pour la ruminer, se dit-il ; la matinée pour la peaufiner. Avant midi on passe aux actes ! »

28

Juin avait un peu tardé. Mais il allait enfin tenir
ses promesses. Les pluies de mai, abondantes au
point de saturer la terre et de faire sortir les ruisseaux
et les torrents de leur lit, s'étaient obstinées de longs
jours encore. La terre, chaude de ses amours avec le
printemps exultant, fumait doucement au travers
d'une végétation dont il semblait que rien ne pourrait plus arrêter le foisonnement.

Dans la permanence de cette brume légère, même
aux heures les plus chaudes de la journée, il semblait que le pays entier se dissolvait doucement en
ondes tremblant au flanc des coteaux, au long des
haies et sur les grandes futaies dont les lointains éva-
nescents se perdaient dans les plis diaphanes de
nuées aux lents mouvements erratiques.

Malgré les bottes de caoutchouc dont il était
chaussé, Gustave, qui allait à grands pas le long
d'une haie, sentait l'humidité monter peu à peu le
long des jambes de son pantalon qui lui collait désa-
gréablement à la peau. L'Ouasse, qui allait et venait
devant lui, trempé comme une soupe, ressemblait
plus à un chiffon qu'à un chien.

Gustave allait en mâchouillant un long brin
d'herbe au bout duquel dansait le petit épi duveteux
des graminées. Il ne quittait pas des yeux l'immensité d'herbe qui s'étendait à sa droite. Et il n'en finis-

sait pas d'évaluer la quantité de balles de foin qu'il pouvait en escompter.

Après la longue somnolence de l'hiver et le lent réveil du printemps, la grande frénésie estivale ne demandait plus qu'à se libérer. Cela faisait des jours et des jours qu'il avait sorti le matériel. La faucheuse rotative, la toupie et la fourche spéciale qu'il fallait maintenant adapter à l'avant du tracteur pour pouvoir manipuler les lourdes balles rondes que vomirait la presse, à espaces réguliers, sur les prés aussi propres que des pelouses anglaises, lorsque, sous les ardeurs du soleil de la Saint-Jean, passerait le grand carrousel de la fenaison.

En attendant, sous son hangar, à l'abri de la pluie qui s'obstinait, il avait occupé d'interminables heures à réviser toute cette mécanique et à la débarrasser de la rouille accumulée depuis que, en août de l'année précédente, il l'avait remisée avec soulagement.

Une année était passée. Et l'impatience était revenue, intacte, de se ruer à nouveau, comme à l'assaut, dans l'immensité de cette marée verte sur laquelle la douce brise d'ouest qui, depuis des semaines, escortait l'obstination de la pluie, roulait sans fin une houle lourde et lente.

Alors, n'y tenant plus, chaque matin ou presque, en sortant de chez Sylvie, il partait à la découverte. Car c'en était une, chaque jour répétée. Il avait beau savoir les énormes quantités d'herbe que semblait gonfler à l'infini l'alchimie mystérieuse de l'eau et de la chaleur versées à pleins boisseaux sur l'exubérance de la vie printanière, il avait beau savoir par cœur les étranges courants qui parcouraient en tous sens ses prés et le dessin complexe qu'ils y traçaient de la récolte qu'il pouvait en espérer, depuis le tapis épais et inextricable, juteux, des fonds les plus gras, jusqu'aux pelouses maigres mais savoureuses et odoriférantes des coteaux rocailleux, il lui fallait arpenter les plateaux, les croupes et les vallons où se nichaient ces trésors végétaux et en reprendre à chaque fois l'évaluation soupçonneuse.

Et puis, ce matin, deux jours après le changement de lune, le coq, sur le clocher de l'église, avait cessé de défier l'épaisseur grise des nuées que le vent d'ouest faisait déferler, sur les plaines du Nivernais, comme autant de lourdes divisions montant à l'assaut du réduit des collines morvandelles. Renonçant enfin à prétendre les arrêter de sa seule suffisance, le chantecler de fer-blanc que Gustave ne manquait jamais de consulter, chaque matin, s'était enfin tourné vers l'est.

Cette fois, il ne s'agissait plus qu'il manque le moindre boulon ou le plus petit graisseur à la lourde artillerie qui n'attendait plus que l'azur du ciel pour déferler sur la campagne. A n'y pas manquer, ce serait pour demain matin ou, au pire, après-demain.

Gustave se serait laissé aller avec plaisir à la véritable frénésie qui se saisissait jadis du pays lorsque l'instant crucial approchait ainsi où, à l'époque, pouvait être lâchée une armée de faucheurs sur les prés à peine secs. Les « dards », longtemps battus, à coups de marteau brefs et répétés, tant qu'avait duré cette interminable attente, au coin de l'aire de grange, sur la petite enclume carrée fichée dans le sol, commençaient d'emplir l'air du sifflement lent et rythmé que rendait l'herbe tranchée en se couchant avec grâce sur l'outil.

Alors, entraient dans la danse les faneurs et les faneuses qui, le long râteau de bois à la main, à longueur de journée, allaient derrière les faucheurs, soulevant l'herbe, l'aérant, la retournant pour que puisse mieux la sécher le soleil qu'on avait tant attendu et qui, d'un instant à l'autre, avait transformé l'atmosphère humide et tiède en fournaise.

Puis, après un, deux, voire trois jours de séchage, venaient les chars traînés par les bœufs. Les charger, sur le champ, les décharger, dans le fenil, faisait encore partie du cérémonial. Il se prolongeait couramment plusieurs semaines et se terminait immanquablement par un bouquet de fleurs des champs fiché sur une fourche brandie haut au-dessus du dernier char.

Ensuite, c'était la fête. Jusque tard dans la nuit, on chantait, on dansait, on mangeait, on buvait. Ce qui n'empêchait pas d'être au travail, à la première heure, le lendemain, chez un voisin avec qui on était « en compte » et à qui, en contrepartie d'un coup de main similaire, on venait apporter le renfort de ses bras pour que lui aussi en ait fini avec ses foins avant que n'éclatent les orages.

Octave avait renoncé depuis longtemps à faire les foins. Et lorsque, à son tour, le dernier agriculteur du pays à avoir exercé en même temps que Gustave avait décidé qu'il n'était plus de son âge de se laisser gagner par la grande fièvre de juin, celui-ci, sans autres bras à sa disposition que les siens, s'était retrouvé seul face à cet ouvrage qui recrutait jadis les plus grandes armées de travailleurs qu'ait connues l'agriculture locale.

Techniquement, cela ne posait aucun problème. Avec la faucheuse, la toupie, la presse et le tracteur qu'il fallait, Gustave se faisait fort de rentrer seul le foin nécessaire à son troupeau en moins de huit jours. Il avait pourtant bien plus de bêtes à nourrir que tous ces hommes qui s'échinaient, jadis, durant des semaines pour engranger de quoi faire passer l'hiver à leurs trois vaches et quatre broutards.

Mais en parcourant ses prés et ses champs à grandes enjambées, alors que s'annonçait le beau temps, il ne pouvait pas s'empêcher d'énumérer les bouchures au coin desquelles, il n'y avait pas si longtemps, il aurait été certain de se faire héler par tous ceux qui, comme lui, venaient supputer du jour et de l'heure où il serait raisonnable d'attaquer en grillant la politesse aux plus prudents ou à ceux dont les prés, plus humides, interdisaient qu'on y entre avant que le soleil y ait fait totalement son ouvrage.

Il y avait bien sûr pour lui quelque chose d'un peu morose à devoir assumer sa solitude au milieu de ces immensités d'herbe. Et Gustave le ressentait avec peine.

Il avait vaguement espéré que Michel se lancerait aussi dans l'aventure des foins. Après tout, n'était-il pas le maître de la plus grande surface semée en herbe de toute la commune ? Mais, à vrai dire, il ne savait plus très bien s'il fallait ou pas défendre un point de vue qu'il avait pourtant créé lui-même de toutes pièces !

Les choses s'étaient compliquées à plaisir, il fallait bien le reconnaître. Pouvait-il se douter, ce pauvre Flûtot, que l'oiseau rare tombé du ciel qu'il avait cru dénicher sur les bancs de l'église, alors même qu'on enterrait l'Octave, se montrerait à la fois si indépendant et si attaché à la Grande Cheintre qu'il avait réussi à y franchir le cap de l'hiver sans jamais se départir de son sourire ?

Au point qu'il en était devenu exaspérant et que Gustave ronchonnait en pensant au sang-froid qu'il avait réussi à lui faire perdre. Parce qu'il y avait, par-dessus le marché, cette histoire avec Sylvie dans laquelle il ne parvenait plus trop à se retrouver. Bien sûr, la jeune femme lui avait assuré qu'elle ne le quitterait pas. Mais elle ne l'avait évidemment pas totalement rassuré et d'autant moins qu'il sentait bien qu'elle n'était plus tout à fait la même depuis qu'il y avait ce Michel qui lui trottait dans la tête.

« Faut-il que je sois bête », se répétait-il à tout bout de champ. « C'est peu de dire que j'ai mis le loup dans la bergerie. Et qu'est-ce que j'en ai de plus ? »

Surtout si, comme aimait à l'insinuer ce vieux

drôle de père Fossurier, l'Octave Grollier n'était même pas propriétaire.

Alors qui ? Et une fois de plus, Gustave retrouvait sur le chemin de ses inquiétudes cet exaspérant Grollier de la ville qu'il avait eu l'idée complètement saugrenue d'installer lui-même à la Grande Cheintre. Sylvie, bien sûr, lui avait parlé de ces deux cadres retrouvés par Michel, l'un chez Octave, l'autre dans le grenier de sa maison du Nord, à la fois curieusement identiques et différents de celui qui se trouvait depuis toujours sur le buffet de la salle, chez lui, et dont, sur l'instant, il ne s'était même pas souvenu.

Ce jour-là, lorsque le souvenir lui en était tout à coup revenu, Gustave s'était précipité. Et il était tombé en admiration devant cet objet tellement inclus dans son décor quotidien qu'il aurait fallu qu'on l'ait changé de place pour qu'il se distinguât, dans la vue qu'il avait de son environnement, d'un vaste ensemble un peu flou et rassurant.

Les enfants étaient à l'école. Juliette était partie à l'aube pour son magasin de lingerie féminine. Gustave prit délicatement le cadre et, le tenant précautionneusement des deux mains, il se laissa tomber sur le banc, le dos à la table.

Il lui semblait avoir toujours connu cet homme bien charpenté, au visage anguleux souligné de cette formidable moustache. Et si sa tenue de matelot avait de quoi surprendre, le petit « trois-mâts », dans sa bouteille, avait suffisamment nourri les rêves de Gustave enfant pour qu'il ait capté tout le souvenir qu'il gardait de l'étrange objet.

Et voilà qu'il en existait deux autres, l'un orné d'une rose des sables et l'autre d'un œuf mystérieux, qui intriguait tant Sylvie, et dont Gustave, pourtant, avait tout de suite compris le sens.

Il gardait parfaitement le souvenir de ce jour où

un homme vêtu comme celui du cadre qu'elle lui avait décrit lui en avait remis un, à lui, Gustave, alors qu'il devait avoir cinq ou six ans et qu'on commençait à peine à l'appeler le Flûtot, du même sobriquet que son grand-père. Bien sûr, cet homme n'était pas un vrai galvacher. Il n'y en avait déjà plus. Mais les attelages de bœufs étaient encore bien plus courants, à cette époque-là, que les tracteurs. Et les bouviers, à chaque fois que l'occasion leur en était donnée, aimaient à faire revivre le souvenir encore tout frais de ces grands départs vers le Berry, la Champagne ou même les Ardennes.

Seule la mécanisation avait pu avoir raison de la migration lente et obstinée des galvachers quittant chaque année le pays en mai pour ces lointains horizons, et n'en revenant qu'à la Saint-Martin.

La tradition voulait alors que les enfants, le jour du grand départ, accompagnent les attelages jusqu'à un col, au-dessus du pays, que marquait une croix dont il était convenu qu'ils ne devaient pas la dépasser. Là, la longue colonne s'arrêtait. On ne badinait pas avec cet instant d'attention offert à ceux dont on attendait, après tout, qu'ils assurent la relève.

Chaque galvacher ouvrait alors son coffre, meuble petit mais précieux où il serrait tout son maigre bien, accroché au flanc du char à quatre roues. Dans les cris et rires des enfants impatients et complices de son jeu, il faisait semblant d'y chercher longuement quelque chose qu'il aurait peut-être bien pu oublier au pays. Il faisait durer le plaisir, retardant ainsi de quelques instants celui où, inexorablement, il faudrait se quitter.

Puis, il se redressait enfin, brandissant triomphalement et délicatement un œuf qu'il remettait alors à son fils, son neveu ou son cousin. L'enfant, bien plus émerveillé par la tradition du geste que par l'objet lui-même, s'en saisissait avec précaution. Et, debout, là, au bord du chemin, au pied de cette croix qui marquait, pour un temps encore, la limite extrême de son univers, il attendait les mots sans lesquels tout cela n'aurait rien été.

— Enfant, lui disait alors l'adulte, que ta vie soit aussi pleine, aussi lisse et aussi parfaite que peut l'être cet œuf.

Parce que la vie était bien trop rude pour qu'on puisse perdre son temps en vains attendrissements, ces mots dits, il se détournait et revenait à ses bêtes. La colonne d'attelages se remettait en marche, au pas lent mais régulier des bœufs. Les enfants, leur œuf en main, la regardaient passer, s'éloigner, disparaître entre les talus du Touron.

Alors seulement, en bandes joyeuses mais privées de gambades — il ne s'agissait pas de rapporter une omelette —, les enfants reprenaient le chemin du Crot-Peuriau.

Cette histoire-là, Gustave la tenait de son grand-père qui, comme tous les gamins du pays, n'avait pas manqué un seul départ de galvachers jusqu'à ce que vienne son tour de dépasser la croix et de voir disparaître derrière le col l'horizon familier du Crot-Peuriau.

A quel enfant avait-il donné son œuf, le grand-père, lorsque lui aussi était parti à la galvache ? Cela devait se passer aux alentours des années 1912 ou 1913. C'est dire combien avaient été peu nombreuses, pour lui, les occasions de sacrifier à cette tradition en étant du côté du donneur d'œuf.

Bien sûr, lui avait eu la chance d'en revenir, de la Grande Guerre. Mais « stropia », comme on disait alors. Et puis, sans totalement disparaître, les départs pour la galvache s'étaient faits de plus en plus maigres et de plus en plus rares. Peu à peu, les tracteurs avaient eu raison des bœufs.

Seule, en fin de compte, était restée la tradition de l'œuf. Et Gustave n'avait pas été peu fier et heureux, au dernier jour de l'an, lorsqu'une vieille tante, à qui ils étaient allés présenter leurs vœux, en avait déposé un dans chacune des petites mains tendues de Julie et d'Hervé. Bien qu'intimidés, ils ne s'étaient pas montrés surpris. Ils connaissaient par cœur l'histoire de l'œuf ! Et c'est la vieille tante qui en avait été émue aux larmes.

S'il semblait tout de même curieux que le même personnage paraisse sous trois apparences différentes, il n'y avait par contre rien de surprenant à ce que la photo qui le représentait en tenue de bouvier, appuyé au joug d'un bœuf, soit accompagnée de cet œuf symbolique. Michel, pourtant, à ce qu'en disait Sylvie, faisait une véritable fixation sur ce qui lui apparaissait comme un mystère et se persuadait que là derrière se cachait la solution de son problème.

« Il n'a peut-être tout de même pas tout à fait tort », grommela Gustave. Car s'il ne savait pas qui était cet homme, il gardait parfaitement le souvenir, par contre, de sa grand-mère Pauline à qui il arrivait, lorsqu'ils étaient entre eux et que les portes étaient bien fermées, d'évoquer brièvement un certain Ludovic qui lui faisait mouiller les yeux. Et elle les portait immanquablement sur ce cadre. Il y avait une telle rigueur quasi automatique dans ce geste dont jamais, jusque-là, Gustave ne s'était étonné, qu'il s'était pourtant inscrit dans sa mémoire de façon indélébile et à tout jamais lié à cet objet étonnant.

Le tout était maintenant de savoir qui était ce Ludovic. Si l'on pouvait admettre qu'il se trouve également en photo chez Octave Grollier, il devenait crucial de savoir ce qu'il pouvait bien faire dans une maison du Nord, chez des Grollier dont il faudrait bien un jour trouver ce qui les liait, à travers cet étrange personnage, à ceux du Crot-Peuriau.

Mais Gustave ne serait pas celui par qui passerait la solution de l'énigme. A vrai dire, il s'en souciait peu et moins encore depuis que Michel semblait prendre un malin plaisir à se mettre en travers des visées du Flûtot.

« Ce jour-là, grommela-t-il, j'aurais mieux fait de me pendre plutôt que de me cuiter ! »

Mais il était un peu tard !

Il continuait d'aller du même pas rapide au long de ces prés gros d'herbe. Mais, signe évident chez lui de mauvaise humeur, il avait enfourné les deux mains au fond des poches et marchait front bas.

Bien sûr, il y avait les terres de la Grande Cheintre dont il commençait de craindre qu'elles lui passent sous le nez. Mais, depuis quelques jours, il y avait plus grave encore. A vrai dire, ce n'était encore qu'une impression, un mauvais pressentiment. Il aurait pourtant juré que le comportement de ses amis à son égard avait changé. En quoi ? Il aurait été bien incapable de le dire. Quelques sourires entendus, d'imperceptibles silences, des regards ironiques échangés, quelques mots à l'interprétation douteuse... Et le Flûtot craignait le pire.

Sylvie l'accueillait, comme d'habitude, chaque matin ou presque. Leurs caresses étaient les mêmes, leurs étreintes inchangées. Et pourtant quelque chose n'était plus comme avant. Dans sa tête ? Dans la réalité ? Il ne savait plus.

Déjà, l'inquiétude le minait.

Et eux se souciaient d'un œuf...

29

Lorsque, trois jours après qu'il eut confronté Sidonie à sa méticuleuse mise en scène, Michel entra chez Marcel à l'heure du café, il put s'estimer satisfait. Manifestement tout avait marché exactement comme il l'espérait. Il lui avait suffi, pour s'en convaincre, de rencontrer le sourire totalement ambigu de Marcel qui, sans se départir de l'air hautain qu'il affectait facilement de prendre à son égard, avait réussi à y ajouter une dose suffisante de salacité pour qu'il comprenne que l'affaire était en bonne voie.

Elle ne lui avait coûté que le prix de quelques flacons de produits de toilette féminins, une ou deux crèmes, une chemise de nuit très vaporeuse négligemment pendue à la patère, derrière la porte de la chambre, sous une robe de chambre qui ne lui était manifestement pas destinée, et des chaussons bleu turquoise bordés de fourrure synthétique. Il avait poussé le goût du détail jusqu'à acheter quelques revues féminines qu'il avait savamment disposées, bien en vue, sur la table de chevet à droite de son lit dont il occupait ordinairement le côté gauche.

Il s'était en fait beaucoup amusé à peaufiner le décor, le plus difficile ayant été de faire en sorte que la chemise de nuit, la robe de chambre et les chaussons n'aient tout de même pas l'air trop neufs. Il avait abondamment feuilleté les revues, les avait pliées sur quelques pages significatives, telles que le courrier du cœur ou l'inévitable sondage sur la sexualité des hommes. Il avait même réussi à créer de toutes pièces, sur le bord d'une tasse dont il venait de déguster le café, une fausse trace de rouge à lèvres mal essuyé !

Et, comme toutes les semaines, il avait abandonné sa maison aux mains expertes et néanmoins fort curieuses de Sidonie, la brave femme du pays qui lui faisait son ménage.

Elle était adorable, Sidonie. Ils étaient les meilleurs amis du monde. Mais il savait, pour l'avoir mille fois entendue le tenir au courant de toutes les affaires du pays dont il n'avait que faire, qu'elle était la meilleure pipelette qui puisse se trouver loin aux alentours du Crot-Peuriau.

Ainsi, le crime fut vite établi et connu de tous.

Restait cependant à identifier la victime, à moins que ce ne soit la coupable, ou bien un peu des deux ! Et, là, il fallait que l'occasion s'en présente et que Michel sache en user adroitement.

Il n'eut guère à attendre. Un jour que, à dessein, il terminait un peu tard de déjeuner, elle n'était pas arrivée depuis cinq minutes qu'il se voyait déjà reprocher le manque d'un produit d'entretien dont il ne savait même pas, l'instant d'avant, qu'il pouvait exister.

— Et ça se trouve où, votre truc ? demanda-t-il négligemment.

— Ben, où voulez-vous que ça se trouve ? lui fut-il vertement répondu. Pas à la boulangerie ? Bon, ben alors !

Le temps de ce commentaire plein de bon sens, et il avait pesé le pour et le contre. C'était bien le moment d'y aller.

— C'est que je ne descends pas à la ville comme ça, moi.

— Ben faudra vous décider. Parce que, moi, j'en ai besoin.

Il fit semblant de râler. Elle insista. Il laissa le jeu se prolonger juste ce qu'il fallait. Puis il estima que l'attention était suffisamment en éveil.

— Bon, lâcha-t-il le plus innocemment du monde. Quand Sylvie descendra à Autun, je lui mettrai ça sur la liste des courses.

Le balai qu'agitait frénétiquement Sidonie l'instant d'avant s'arrêta net et resta figé dans la position où sa stupeur, feinte ou réelle, l'avait trouvé.

— Ah, parce que… fit-elle très finement.

Michel parvint à un chef-d'œuvre d'étonnement et de gêne artistement mêlés sur son visage.

— Ben oui, quoi. Il n'y a pas de mal à ça, non ?

— Oh non. Ce n'est pas ce que j'ai voulu dire…

Le discours dut se prolonger bien plus longtemps que cela. Mais il n'en entendit pas plus, ayant prestement filé comme s'il avait encore beaucoup de choses, et des pas plus belles, à dissimuler.

Le soir, lorsqu'il rentra, il lui sembla qu'il y avait quelque chose de bâclé, ou, tout au moins, de fait sans beaucoup de soin, dans le travail de Sidonie. Comme si, pour le punir de ces faveurs octroyées à quelqu'un d'autre qu'à elle-même, elle avait retranché du temps qu'elle lui donnait l'amour presque maternel qu'elle y associait jusque-là.

Comme si, depuis Honorine et Octave, la Grande Cheintre n'avait plus le droit de recevoir autre chose que la rigueur morne des existences sans espoir, la nouvelle des galipettes de son nouveau maître, dont on disait qu'elle était le théâtre, s'était déjà répandue à travers le pays comme une traînée de poudre. Michel vit sans déplaisir bon nombre de lèvres se pincer. Mais lorsque, par-dessus le marché, on sut qui était la complice de ce qui prenait, pour certains, des airs de profanation, Michel craignit quelques jours d'être dépassé par ce qu'il avait lancé.

Il craignit surtout pour Sylvie, que son rôle de secrétaire de mairie mettait quotidiennement en contact direct avec toutes ces lèvres pincées et ces regards noirs qu'il rencontrait désormais régulièrement. Mais il se raisonna vite. Quoi que puissent en penser toutes ces bonnes âmes, s'aimer n'est toujours pas un crime, surtout quand il ne peut pas être pris prétexte de quelque adultère que ce soit pour en faire un scandale.

Or, à son plus grand désappointement, rien de tout ce qu'il avait pu craindre ou espérer ne se passa. Que les âmes bien pensantes du pays soient choquées lui importait peu. De toute façon, pour ce qui le concernait, il n'avait jamais le moindre contact avec elles. Et, dans la mesure où elles ne s'en prenaient pas à Sylvie, peu lui importait qu'elles pincent les lèvres ou pas.

Seules comptaient, bien évidemment, les réactions de ladite Sylvie et, surtout, celles de Gustave. Au point où on en était, ils ne pouvaient pas ne pas être au courant.

Et pourtant, rien…

Après avoir tondu ses moutons, Michel, par précaution, les avait gardés à proximité de la Grande Cheintre où il les rentrait tous les soirs pour qu'ils puissent abriter leur nudité à la bonne chaleur de la bergerie. Puis, en même temps qu'ils commençaient à se refaire une toison de laine, la température s'était faite plus douce. L'herbe abondante, dans les petites ouches qui entouraient la ferme, permit à Michel d'attendre que cesse la pluie avant de séparer les jeunes mâles, qu'il engraisserait au Pradet, des brebis, qui allaient remonter sur le Haut-Foron.

Enfin, un beau matin, ce fut l'enchantement d'un ciel d'azur que l'arrière-garde des nuages avait eu le bon goût, durant la nuit, de laver avec tant de soin et d'énergie qu'il suffisait de lever les yeux pour croire se perdre dans son infinie profondeur.

Dès l'aube, les deux fermes qui se faisaient face, en bas du pays, se mirent à grouiller d'activité. Chez Gustave, le tracteur n'en finissait pas d'aller et venir et de manœuvrer bruyamment, comme dans l'urgence.

Chez Michel, il lui fallait séparer les mâles des brebis. Dans sa bergerie qu'il avait scindée en deux parcs, il dut longtemps batailler pour parvenir, seul, à trier ainsi son troupeau. Lorsqu'il y fut parvenu, il lui fallut encore décider les jeunes mâles à s'éloigner des brebis qui, attendant leur tour, appelaient désespérément.

Lorsqu'il y parvint enfin, il était en nage. Il n'eut pourtant que le temps de se précipiter pour se mettre à la tête de son troupeau, un seau dans une main, son long bâton dans l'autre, et le chant régulier et monotone des bergers, qu'il avait réinventé, aux lèvres. Bien sûr, au moment précis où il franchissait dans cet équipage les grilles de la Grande Cheintre, Gustave sortait de sa ferme au volant de son tracteur et Sylvie, son gros cartable à la main, tournait la clef dans la serrure de sa porte.

Il n'était pas question de reculer. La confrontation, d'ailleurs, ne dura que quelques très brefs instants. Gustave dut bien s'arrêter. Michel, du même pas régulier bien réglé sur l'allure de ses moutons, passa devant le nez du tracteur.

Leurs regards se croisèrent, vides !

L'un comme l'autre avait réussi à ne laisser transparaître aucune émotion. C'est tout juste si Michel, avant de devoir affronter Sylvie, eut le temps de se faire la remarque que le Flûtot n'avait vraiment pas l'air aimable.

La jeune femme, elle, par contre, n'était qu'un lumineux sourire. Elle était venue jusqu'au portillon de sa cour devant lequel était garée sa voiture et elle attendait que le berger et le troupeau défilent devant elle. Elle s'émerveilla de la docilité avec laquelle les moutons suivaient Michel.

— Ce n'est pas moi qu'ils suivent, dit-il. C'est le seau et ce qu'il y a dedans.

Elle rit aux éclats. Il fut ébloui par sa beauté. Et il était déjà passé, furieux que l'échange se soit limité à ces banalités.

Gustave, lui, n'avait pas redémarré. De la cabine de son tracteur, serrant convulsivement le volant, il observait. Il vit le sourire épanoui. Il ne comprit pas ce qu'ils se disaient. Il entendit et vit le rire éclatant. Et il dut refréner la furieuse envie de frapper qui montait en lui. Il attendit que Sylvie ait fini de contempler le troupeau qui défilait devant elle. Puis il embraya doucement et vint arrêter son tracteur le long de la voiture dont elle avait déjà ouvert la porte.

Leurs regards se croisèrent. Le sien était au bord de la folie meurtrière. Le sourire que la jeune femme allait lui destiner, comme elle l'avait destiné à Michel puis aux moutons, s'éteignit brutalement sur ses lèvres.

— Qu'est-ce qui te prend ? demanda-t-elle.

Dans sa cabine, il n'entendit pas les mots. Mais il comprit sur les lèvres. Il fut sur le point de répondre. Mais il comprit juste à temps qu'il ne serait plus alors en mesure de maîtriser la folle colère qu'il sentait bouillir en lui. Sans un mot, il embraya à nouveau et s'éloigna lentement, persistant jusqu'au bout à fixer Sylvie silencieusement et durement.

Sidérée et paniquée, elle eut le temps de voir, dans le regard de son amant, autant de fureur que d'angoisse.

Quand, revenant d'avoir installé ses agneaux sur le Pradet, Michel ouvrit la barrière de sa bergerie et appela ses brebis, le soleil était déjà haut dans le ciel et commençait de brûler. C'était là une sensation nouvelle qui lui plaisait et sous laquelle il avait tendance à se prélasser, comme sous une caresse.

Comme les mâles, les brebis emboîtèrent le pas sans rechigner au bâton, au seau et à la mélopée. Il lui fallait, cette fois, traverser tout le bourg. La place était pratiquement vide. Il en prit la diagonale et passa à égale distance de l'église et du café de Marcel.

Celui-ci était nonchalamment appuyé au chambranle de sa porte grande ouverte.

— Oh, Michel, lança-t-il. Tu viens boire un coup ?

Et, se retournant, il battit le rappel de l'épicier et du facteur qui avaient déjà choisi la fraîcheur de l'ombre du café et celle du glaçon qui barbotait dans leur verre. Ils apparurent au coin de la porte, joviaux, comme d'habitude, et comme si rien ne s'était passé.

— Laisse-les donc aller. Ils connaissent le chemin.

— Il y en a qui ont de la chance, tout de même, toujours à se promener.

— Alors ? Tu viens le boire, ce coup ?

Il y avait là, tout à coup, une amabilité et un enthousiasme qui tranchaient radicalement avec l'ambiance des jours passés.

— J'arrive ! cria Michel. Le temps de monter au Haut-Foron et je suis là. Vous m'attendez ?

Ils éclatèrent de rire et disparurent à nouveau dans l'ombre fraîche du café. Michel sourit. C'était là, à n'en pas douter, un effet tout à fait imprévisible de ce qu'il avait confié à cette brave Sidonie. Et, cette fois, le doute n'était plus permis : Gustave était au courant et il semblait bien, par-dessus le marché, que, comme de bien entendu, les rieurs avaient tout à coup changé de camp pour se rallier, sans qu'il le leur ait demandé, à celui à qui l'on prêtait cette bonne fortune.

« On ne prête qu'aux riches ! » jubila Michel en dépassant les dernières maisons du bourg et en se laissant gagner par le plaisir de monter à nouveau vers le Haut-Foron.

« Ah, bien sûr, pensa-t-il encore, il faut que je m'attende à une réaction. Le Gustave, m'est avis qu'il ne doit pas trop apprécier. »

Il n'en souriait qu'à moitié, vaguement inquiet et conscient d'avoir semé un vent dont il risquait de récolter une sérieuse tempête. Il n'était même pas sûr d'y gagner quoi que ce soit. Ce n'était d'ailleurs pas son but. Il cherchait simplement à créer un orage tel, entre Gustave et Sylvie, que cette dernière ne pourrait pas, selon lui, ne pas remettre les pieds sur terre et comprendre alors à quel point elle n'était que l'objet de Gustave et de son entourage.

Quant à la gagner à sa propre cause, ce serait alors une autre affaire. Le champ ainsi rendu libre devrait faciliter les choses. Mais, d'un autre côté, il était en train de réaliser que Sylvie pourrait peut-être ne pas trop apprécier. Et cela, bêtement, risquait tout de même pour le moins de lui faire perdre le précédent bénéfice !

« Bof, on verra bien », se dit-il, fataliste. Derrière lui, les jeunes brebis, que ne protégeait plus leur épaisse toison, marchaient tête basse et étroitement serrées les unes contre les autres pour s'abriter mutuellement des ardeurs du soleil. L'allure s'était ralentie. On montait sans se presser et Michel aimait ce train de sénateur qui, sans qu'il ne cesse d'égrener sa lente mélopée, lui permettait de marcher le nez au ciel, observant tout et rien, se gorgeant du spectacle à la fois totalement statique et jamais deux fois identique des haies, des taillis, des pelouses hirsutes et des hêtres majestueux qui bordaient le chemin.

Quand ils atteignirent enfin le Haut-Foron, il n'eut qu'à s'écarter pour que les brebis, reconnaissant la friche où elles se trouvaient si bien, le doublent et, l'oubliant instantanément, se mettent à brouter avec frénésie. Sans se séparer, elles se dirigeaient vers l'ombre que dispensait un bouquet d'épines. Michel ferma la clôture et, indifférent au soleil, resta un long moment, là, debout, comme à son habitude, pour le seul plaisir d'admirer la vie de ses bêtes.

— J'ai bien cru ne jamais vous rejoindre.

Il sursauta presque, tant il s'attendait peu à être surpris là-haut. Le père Fossurier n'avait sacrifié que sa cape au soleil. Sous le même chapeau de feutre, il portait encore sa veste de velours côtelé noire sur un gilet de la même couleur strictement boutonné. Il transpirait abondamment et s'essuyait le visage d'un grand mouchoir de vichy bleu.

— Oh, monsieur Fossurier, fallait pas vous presser comme ça. C'est plus de votre âge, des gamineries pareilles. Vous allez attraper du mal !

Le vieux, rangeant d'une main son mouchoir au fond de la poche de son pantalon rayé, balaya l'objection d'un geste ample, de l'autre.

— Je t'ai vu passer dans le village. Ça tombait bien : il fallait que je te parle.

— Et pourquoi vous n'êtes pas venu à la Grande Cheintre ? J'y étais, tous ces jours-ci.

Il eut un petit geste excédé, comme si tous ces préliminaires l'ennuyaient profondément.

— A la Grande Cheintre ! fit-il d'un ton un peu méprisant. Et pourquoi pas chez cette Sylvie, pendant que tu y es ?

C'était donc ça ! Michel se fit très attentif.

— Ça aurait pu, ironisa-t-il tout de même. Mais ce n'était peut-être pas nécessaire.

— Je ne te le fais pas dire.

Le ton était cassant et ne méritait pas la réplique. Michel s'abstint donc de répliquer et attendit que Gaston Fossurier veuille bien s'expliquer.

— Qu'est-ce qui t'a pris d'aller raconter partout que tu couches avec elle ?

Cette fois, il ne serait pas dit que le père Fossurier avait la manie de tourner autour du pot ! Michel en eut quelques instants le souffle coupé. Mais il se reprit vite.

— Où vous avez vu que c'est moi qui dis ça ?

Le vieux eut un sourire narquois.

— Faut pas me la faire, Michel Grollier, dit-il. La Sidonie, imagine-toi que je la connais depuis bien avant toi. Et crois-moi que je la connais bien mieux que toi. Je la connais comme on dit dans la Bible, si tu vois ce que je veux dire. Parce qu'il fut un temps où elle était appétissante, la Sidonie, sûr. Très appétissante, même. Et, en ce temps-là, j'y ai bien goûté un petit peu… et même beaucoup. Seulement, là, elle savait tenir sa langue… Enfin, façon de parler… Elle savait se taire, quoi, vu que ça la concernait.

» Alors qu'aujourd'hui, elle a bien du mal à admettre, cette vieille folle, qu'un garçon comme toi ne voie rien d'autre que ce qu'elle est, c'est-à-dire une chouette juste bonne à faire les ménages, et encore. Ça, tu vois, la Sidonie, elle est bien brave, mais elle ne peut pas le comprendre. Qu'est-ce que tu veux y faire ? Alors, pour se venger, elle cancane, elle radote, elle ragote. C'est son plaisir, qu'est-ce que tu veux. On ne va tout de même pas la chasser pour ça, non ?

» C'est bien ce que tu t'es dit. Avoue. Ne dis pas le contraire. Et tu as vu juste. Elle a cancané exactement comme tu le voulais. Je ne sais pas ce que tu lui as raconté. Mais, à ce que je crois, elle a bien dû en rajouter quelques bonnes poignées.

» Le pire et le plus drôle, c'est qu'elle croyait bien se venger de toi, la vieille ouasse. Mais, mon gaillard, elle a surtout réussi à te faire une réputation à tout casser ! Avec ça, tu n'as plus qu'à demander !

Il riait doucement, le père Fossurier. Comme s'il prenait un plaisir personnel aux bonnes fortunes supposées de Michel qui n'en revenait pas.

— Et c'est pour me dire ça que vous avez risqué l'infarctus en me rejoignant ici ?

Gaston Fossurier redevint tout à coup très grave et très digne.

— Sûr que non, dit-il. Écoute, gamin, on se connaît suffisamment maintenant pour se dire les choses comme elles sont. Il vaudrait peut-être mieux qu'on ne nous voie pas trop ensemble. C'est pour ça que j'ai préféré monter ici.

L'air sidéré de Michel ne lui échappa pas.

— Bien sûr qu'il n'y a pas de mal à ce qu'on se voie. Mais tout de même... Tu sais que la Juliette m'appelle « mon oncle » ? Bon. Le Gustave, il va réagir, sûr. Là, tu as pris tes risques. C'est ton affaire. Mais moi, je ne suis pas trop mécontent que tout le pays rigole de cette affaire-là. Nécessairement, ça l'éloigne de cette Sylvie qui commençait à prendre un peu trop d'importance, le Flûtot. Maintenant, de deux choses l'une, ou bien il dément et c'est le scandale. Et il n'aura pas les rieurs de son côté, tu peux me croire. Ou bien il se tait. Et, à mon avis, c'est bien ce qu'il va être obligé de faire.

— Et alors ? fit Michel qui partageait tout à fait le point de vue du père Fossurier mais ne voyait toujours pas pourquoi tout cela nécessitait le secret d'une entrevue au Haut-Foron.

Le vieux lui adressa un sourire plein de malice.

— Et alors ? répéta-t-il. C'est fort simple : mon petit gars, je ne sais pas si, avec une histoire pareille, tu vas gagner les faveurs de la Sylvie. Je te le souhaite. Mais c'est ton problème. Seulement, je peux te dire une chose : ce que tu as gagné pour de bon, c'est la Grande Cheintre et le droit de t'en faire appeler le maître.

Ce n'était pas vraiment ce qu'attendait Michel ni, à vrai dire, la première de ses préoccupations. Il eut l'air tellement sceptique que Gaston Fossurier crut bon de frapper énergiquement le sol de sa canne.

— Sûr, que tu es le maître de la Grande Cheintre.

Et il ne s'agit pas qu'il y en ait un qui me dise le contraire.

— Quel rapport ?

— C'est pourtant pas bien difficile à comprendre. Imagine un instant que le Gustave prétende, ces jours-ci, revenir sur tout ce qu'il t'a dit et qui l'a fait t'installer là où tu es. Du coup, tout ton beau plan autour de la Sylvie tombe à l'eau. Pour les gens, tu n'es plus rien. Et, du coup, c'est lui qui redevient tout. Comprends-tu ? Sans tout cela, les gens, de la Grande Cheintre, ils s'en fichaient comme de leur première chemise. Là, tout par un coup, parce qu'il y a une femme là-dessous, elle devient le nœud du problème. Les gens, ils pensent que celui qui tient la Grande Cheintre tient Sylvie. Et moi je dis : qui tient la Grande Cheintre protège le mariage de Juliette, ma nièce.

C'était là une vision des choses pour le moins retorse, que Michel n'avait pas encore envisagée. Il n'était pas du pays depuis assez longtemps. Il en restait bouche bée.

— Ah, ben oui, mais... finit-il par bafouiller. Suffit pas de dire. Il faut encore des preuves. Qui dit que je suis le maître ?

Gaston Fossurier détacha lentement son regard des brebis qui s'agglutinaient dans l'ombre de quelques arbustes. Et il le posa durement sur Michel.

— Tu te moques de moi ? demanda-t-il. Depuis le temps...

Michel eut la moue désabusée de l'enfant pris en faute à ne pas avoir appris ses leçons.

— Depuis le temps, dit-il, c'est facile à dire. Mais, vous, est-ce que vous m'avez aidé, est-ce que vous m'avez dit ce que vous savez ? Parce que vous savez, mais vous ne voulez rien me dire.

— Ce n'est pas à moi à dire. C'est à toi à trouver et à prouver. Jusque-là, c'était ton affaire. Maintenant qu'il y va de l'avenir de ma nièce et de ses enfants, c'est aussi mon affaire. Et tu peux croire que je ne te lâcherai pas.

— Alors, dites-moi.

— Quoi ? Qu'est-ce que j'ai à te dire ?

— L'homme des photos, l'œuf… Vous savez, vous, ce qu'il signifie, cet œuf.

— Sûr que je sais.

— Alors, dites, insista Michel.

Pour toute réponse, Gaston Fossurier écarta le pan de sa veste et tira de sa poche de gousset, par sa chaîne de métal doré, une belle montre oignon. Il fit jouer le ressort du couvercle. Pour ne pas avoir pris le temps d'emporter ses lunettes, il dut l'éloigner de ses yeux en se redressant et en tendant les bras.

— Ouh là ! La patronne doit attendre pour la soupe. Je vais encore me faire tirer les oreilles. A se revoir !

Rengainant sa montre, il pivota sur sa canne et, sans autre forme de procès, reprit le chemin du village.

— Cet œuf, voulut insister Michel. Vous me le direz, à la fin des fins, ce qu'il signifie ?

Gaston Fossurier était déjà loin. Sans se retourner, il eut, de la main dressée au-dessus de sa tête, un geste qui se voulait rassurant.

— Un jour, cria-t-il, je te dirai. Oui, sûr, je te dirai. Mais tu as encore beaucoup de choses à trouver et à apprendre avant.

Et, toujours du même pas alerte, il disparut dans le petit sentier qui coupait les méandres du chemin.

30

Ce fut le bruit de gargouille de la descente d'eau
de la gouttière, à droite de la fenêtre de leur
chambre, qui réveilla Gustave. Il fut long à comprendre. Le sommeil ne s'échappait pas aussi facilement que ça. Il se tourna et se retourna longtemps
dans son lit, alla même jusqu'à s'enfouir la tête
sous l'oreiller pour tenter d'échapper à la froide
conscience qui le réinvestissait par flots successifs.
Mais rien n'y fit. Il finit par s'allonger sur le dos de
tout son long et par admettre d'ouvrir les yeux.

Il glissa les mains sous sa nuque et pencha légèrement la tête vers la fenêtre. C'était à peine si une
vague lueur grisâtre permettait de distinguer les
interstices entre les volets et l'embrasure du mur,
auxquels il avait l'habitude de juger d'un premier
coup d'œil, à son réveil, de l'état du jour qu'il allait
affronter.

Et il pleuvait. Il fit la grimace. La colère serait
pour plus tard. Il se sentait comme un tout petit
enfant à qui un grand malheur donne furieusement
envie de se blottir et de pleurnicher. Pour se mettre
en colère, il faut se sentir de taille à défier l'adversité. Et là, le Flûtot, du fond de son lit, en reprenant
où il l'avait laissée, la veille au soir, l'épuisante énu-
mération de tout ce qui, ces jours-là, entravait son
plaisir d'exister, ne se sentait nullement en état de

défier qui que ce soit. Il aspirait au calme douillet du lit et du sommeil, un point, c'est tout.

Et voilà que la pluie le réveillait. Ce n'était pas vraiment pour le surprendre. Depuis la veille au matin, il savait qu'elle allait venir. Le vent revenu à l'ouest, les longues traînées blanchâtres qui avaient progressivement envahi le ciel, les contours trop nets, sur l'horizon, des plus lointaines collines et, pour corroborer le tout, la chute insidieuse et obstinée du baromètre ne lui avaient pas laissé la moindre illusion.

Pourtant, il s'était obstiné à continuer de faucher son herbe. Au lieu de se satisfaire de ce qui était déjà coupé, aux premières heures du jour, de le faner le plus vite possible et de tenter de le presser avant la pluie, l'esprit ailleurs, il avait continué de faucher, grisé par l'apparente facilité de l'opération, depuis la cabine de son tracteur qui fonçait au ras de l'épais paillasson d'herbe tranché net par la faucheuse au tour précédent. Dans le sifflement obstiné de celle-ci, Gustave pensait à autre chose. Et il lui avait fallu, sur le coup des onze heures du matin, le choc brutal, l'écart impressionnant du tracteur et, simultanément, le déchaînement des hurlements d'une mécanique forcée pour revenir aux réalités.

Il le savait, pourtant, qu'elle était là, cette grosse pierre affleurante que dissimulait à sa vue le flot d'herbe l'entourant. Cela faisait maintenant combien d'années qu'il l'évitait soigneusement, fenaison après fenaison ? Et là, il n'avait même pas ralenti. Du disque de la faucheuse qui l'avait attrapée, il ne restait quasiment plus rien. Mais le plus grave devait se trouver dans la transmission et le bâti de l'outil qui avaient dû gravement souffrir.

Aveuglé par les multiples colères qui s'additionnaient en lui, il était rentré à la ferme. Et, au lieu de se rendre à la raison, de repartir aussi vite faner son foin déjà coupé, alors que le soleil, au plus haut de sa course, aurait eu tôt fait de le sécher, il s'était bêtement acharné à démonter l'outil accidenté. Il y avait passé l'heure de midi et avait même bien entamé l'après-midi avant de pouvoir s'accabler du bilan des dégâts et de se résoudre à aller atteler sa toupie.

Mais il était trop tard. Il avait certes passé le restant de l'après-midi, presque jusqu'à la nuit, à faner. Il avait tout fané. Et il avait réalisé au moment de rentrer que, une fois de plus, il aurait mieux fait de réfléchir avant de soulever son herbe et de la gonfler d'air. L'absence presque totale de rosée, autre mauvais signe annonciateur de pluie, lui avait permis d'aller bêtement au bout du geste qui rendait son herbe plus vulnérable à l'eau qu'elle allait recevoir.

Simplement couchée au sol, telle que l'avait déposée la faucheuse, en longs andains réguliers, elle ne risquait pas grand-chose et pouvait attendre le retour du soleil plusieurs jours sans vraiment se déprécier.

Alors que là, ainsi éparpillée et dressée dans l'air par la faneuse, en quelques heures, elle ne serait plus qu'un vilain tapis jaunâtre qui, au mieux, pourrait à la rigueur faire office de litière et, au pire, serait brûlé sur-le-champ pour faire l'économie du passage de la presse.

Jamais, par le passé, Gustave ne se serait rendu coupable de telles étourderies. Il savait mener son affaire. Nul ne le lui contestait.

Mais, là, il n'avait pas sa tête à lui. Ses gestes n'étaient dictés que par l'habitude. Il agissait sans la moindre réflexion et se plantait ainsi bêtement sur des détails.

Et maintenant, il pleuvait. Pour éviter de faire toutes ces bêtises, il ne pouvait tout de même pas rester caché toute la journée au fond de son lit !

« Elles m'y attireraient bien ! » maugréa-t-il en

pensant à Sylvie et en tournant doucement la tête vers le lit voisin où reposait Juliette. Que lui avait-il pris, l'autre soir, de venir le rejoindre ? C'était bien la première fois, depuis près de six ans qu'ils faisaient lits séparés.

Son premier geste avait été de la repousser. Il pensait déjà à Sylvie qu'il retrouverait au bout de la nuit. Mais elle avait su s'y prendre. Il avait perdu le souvenir de la sensualité pourtant bien réelle, il avait pu en juger, des caresses de sa femme. Peut-être même en avait-elle rajouté. Il n'avait pas résisté longtemps. A dire vrai, cela avait été un sacré moment de plaisir !

Depuis, il s'était reproduit à plusieurs reprises. Et, sans qu'il y comprenne grand-chose, Juliette se montrait d'une amabilité souriante et presque complice à son égard qui le laissait pantois.

A vrai dire, cela ne changeait pas grand-chose à ce qu'il pensait. Il restait toujours aussi attaché à Sylvie. Et, surtout, il ne parvenait pas trop à croire qu'il puisse encore exister quelque chose de bien réel entre Juliette et lui. Et ce n'était qu'en jouisseur qu'il acceptait tranquillement ses effusions. Cela ne lui semblait rien changer à l'équilibre paisible, cynique et égoïste qu'il avait donné à sa vie moins sentimentale que sexuelle.

Jusqu'à ce qu'éclate la bombe ridicule des ragots de la Sidonie. Lui-même, bien sûr, n'y avait pas eu droit. Et d'ailleurs il avait peut-être mieux valu qu'il ne se trouve pas chez Marcel, où elle ne dédaignait pas, à l'occasion, de venir déguster son petit blanc sec, lorsque cette vieille folle, à ce qu'on lui avait raconté, faisant preuve d'une imagination indiscutablement fertile, avait prétendu narrer dans le détail les amours supposées de Michel Grollier et de Sylvie. A la seule façon un peu pincée qu'elle avait de dire « la petite secrétaire de mairie », on imaginait toutes les turpitudes qu'on était, selon sa sagacité, en droit d'attendre d'une telle créature.

La bande des joyeux drilles, qui assistaient à la péroraison, s'était évidemment fait un malin plaisir d'en rajouter. Pour Marcel, interrogé discrètement plusieurs jours après ce morceau de bravoure, c'était une des plus franches rigolades qu'il ait vécues depuis qu'il tenait ce caboulot.

— Et pourtant, disait-il, tu sais que j'en ai vu !

Bien sûr que Gustave savait. Puisqu'il avait été de tous ces irremplaçables moments ou presque. Sauf de celui-là. Et il ne le regrettait pas tant il se demandait quelle contenance il aurait bien pu prendre. Il lui aurait tout de même été difficile de s'étouffer de rire avec les autres et d'en rajouter, comme il savait si bien le faire ordinairement. A la réflexion, il pensait même que cela aurait été nettement au-dessus de ses forces. Faire taire la commère eût été certainement hautement improbable. D'autant plus qu'il aurait eu quelques difficultés évidentes à apporter les preuves de sa bonne foi !

Il s'en était suivi un vilain jeu du chat et de la souris dont Gustave ne pouvait pas dire qu'il en gardait un souvenir attendri. Car, si personne en dehors de Michel, qui n'avait certainement pas parlé, n'était clairement au courant de la liaison secrète et si bien dissimulée qu'il entretenait avec Sylvie, des bruits insistants couraient. On en parlait à demi-mot, par perfides insinuations, plus redoutables encore que des certitudes !

Il était donc virtuellement cocu pendant que Michel était proclamé amant en titre. Et lui, qui était bien placé pour savoir que tout cela était totalement faux, de ce fait même, ne pouvait pas démentir !

Les premiers jours, il n'y avait guère eu que quelques vagues allusions. De quoi le mettre mal à l'aise, rien de plus. Puis, progressivement, il avait senti que le ton changeait à son égard. Il devenait condescendant. C'était tout juste si on ne prenait pas pitié de lui en lui tapant gentiment dans le dos. En fin de compte, comme il s'était bien gardé de réagir et avait même réussi à prendre à chaque fois l'air étonné et un peu ballot de celui qui n'est pour rien dans ce coup-là, on l'avait purement et simplement oublié. On avait oublié du même coup les prudentes précautions oratoires dont on usait dès qu'il apparaissait. Et il avait même fini par être prié de s'esclaffer bruyamment comme tout le monde à l'énoncé des galipettes et gaudrioles prêtées au couple scandaleux du moment.

Gustave, à vrai dire, n'avait pas apprécié du tout. Mais il n'avait rien pu y faire. Il n'avait même pas pu s'esquiver. C'eût été avouer. Et il lui avait été particulièrement odieux de devoir, en somme, hurler avec les loups bon gré, mal gré.

De jour en jour, la situation lui était devenue de plus en plus intolérable. D'autant plus que, bien évidemment, elle n'avait pas tardé à avoir de sérieuses répercussions sur ses rapports avec Sylvie. La première fois qu'il lui en avait parlé, prudemment et à mots couverts, elle avait commencé par sembler tomber des nues. Elle avait exigé qu'il lui raconte tout et avait fini par en rire de bon cœur.

— Voilà, dit-elle enfin sur un ton sentencieux. Toi, tu as la réalité en secret. Lui, le pauvre, il a le rêve en public !

« Le pauvre » avait été de trop. Bêtement, Gustave, qui n'était pas du tout d'humeur à passer quoi que ce soit au dénommé Michel, avait vu de la part de Sylvie, dans ce « pauvre »-là, une commisération bien proche de l'aveu.

Elle avait haussé les épaules.

— Tu ne vas pas commencer ?

— Si, avait-il bêtement prétendu insister.

Et il s'était enferré en laissant libre cours à son amertume et à ses inquiétudes.

— Il n'y a pas de fumée sans feu, déclara-t-il

pompeusement. Tu ne me feras pas croire ça. Et moi je dis…

Elle l'avait interrompu sèchement.

— Tu dis ce que tu veux. Et moi je sais ce qu'il en est. Maintenant, si tu ne me crois pas, tu es libre.

Et, sans autre forme de procès, elle lui avait désigné la porte. Il en était resté sidéré.

— Tu ferais ça ?

— Si tu m'y obliges, oui, sans hésitation.

Depuis, ils ne pouvaient pas se quitter sans s'être plus ou moins accrochés. Elle semblait parfaitement sereine et d'autant moins perturbée que sa détermination était totale. Mais lui ne savait plus où donner de la tête.

Alors que Juliette se faisait de plus en plus pressante, alors que se multipliaient les soirs où, dans la douceur estivale, elle lui offrait tant de caresses et de plaisir qu'il finissait par se soupçonner d'y reprendre goût, il lui était de plus en plus intolérable d'imaginer que puissent être vraies les histoires que l'on continuait inlassablement de faire courir, dans le pays, au sujet de Sylvie et de Michel.

Il jeta un coup d'œil à son réveil. Il n'était pas loin de cinq heures. Et il pleuvait toujours. Les gargouillis persistants de la descente d'eau le lui confirmaient.

Un instant, il eut la tentation de tendre le bras vers le lit jumeau. C'eût été si facile. Dans la douceur de la nuit de juin, Juliette dormait nue sous un simple drap. Le jour gris qui filtrait par les interstices des volets lui suggérait plus qu'il ne lui montrait les formes d'un corps plantureux, solide, dont il savait toute l'énergie alliée à une étonnante élégance et à une sensualité dont il n'avait plus aucune raison de douter.

Il eût été si facile d'étendre le bras et de caresser, un peu au hasard, quelques instants, avant de franchir l'étroit couloir séparant les deux couches.

C'eût été si facile.

Mais c'était un geste qu'il n'avait plus fait depuis plus de six ans. Il ne sut pas s'y résoudre. Et puis, surtout, Sylvie l'attendait. Il se leva silencieusement. Juliette parut ne rien entendre. Il quitta la chambre sans qu'elle ait bougé.

A quelques jours de la Saint-Jean, malgré la pluie et le ciel plombé de grisaille, lorsqu'il ouvrit la porte, il faisait déjà presque jour. Comme d'habitude, il resta quelques instants sur le perron, baignant son corps et son esprit de la fraîche pureté du matin.

L'Ouasse l'avait entendu. Il vint le rejoindre. Gustave lui accorda machinalement les caresses matinales. Et le chien, comme si c'était l'évidence, prit de lui-même le chemin de la rue. Gustave sourit.

— Tu sais où on va, hein ? Allez, vas-y, conduis-moi.

Frétillant d'aise, le chien fila devant. Gustave lui emboîta le pas. Sous l'ouche de la Grande Cheintre, ils prirent le petit sentier chevelu, à gauche, qui contournait la grande bâtisse et ses dépendances. Bien qu'ils n'aient qu'un petit pré à traverser, après l'avoir quitté, pour se trouver au bout du jardin de Sylvie, ils étaient aussi trempés l'un que l'autre lorsqu'ils l'atteignirent.

Le propriétaire, heureusement, n'avait pas encore cédé aux canons de la modernité qui voulait qu'on clôture étroitement sa propriété, quel qu'en soit l'état. Dans une haie vive qui jaillissait d'un muret de pierres sèches plus ou moins effondré, il suffisait de se faufiler, par l'un ou l'autre des multiples passages qu'elle offrait. Prudent, Gustave n'utilisait jamais deux fois le même pour que la trace de ses allées et venues presque quotidiennes ne s'imprime pas dans le décor.

— Tu ne bouges pas, dit-il bien inutilement à l'Ouasse en atteignant la porte de derrière de la maison de Sylvie.

Pendant qu'il l'ouvrait d'une clef sortie de sa poche, le chien s'était assis dans l'encoignure, déjà occupé à attendre. Gustave lui déposa une rapide caresse sur le haut de la tête et entra.

La maison était encore totalement baignée d'ombre et de sommeil. Il se déchaussa, abandonna sa veste, trempée, à la poignée de la porte, puis, sans hésitation, il gagna la porte de la chambre de Sylvie. Il la poussa doucement et se glissa dans la pièce.

Dans la moiteur d'un matin de juin, la jeune femme dormait elle aussi sous un simple drap. Elle ne bougea pas. Gustave se déshabilla rapidement, jetant ses vêtements en désordre sur une chaise qu'il manquait une fois sur deux, déjà captivé par les formes qu'il devinait, alanguies sous la toile souple qui en suggérait les contours, s'alliant objectivement à l'ombre de la pièce pour les rendre plus désirables encore.

Puis il contourna le lit et vint se glisser sous le drap.

Elle tressaillit légèrement lorsque leurs peaux se frôlèrent.

Elle eut un long grognement encore embrumé de sommeil.

Il vint doucement se serrer contre elle.

Elle se lova au creux de lui.

— Tu es tout frais, murmura-t-elle d'une voix presque enfantine.

— Et toi tu es toute chaude, dit-il en la caressant.

Blottie contre lui, en chien de fusil, elle lui tournait le dos. Longtemps, elle s'abandonna au jeu sensuel de ses mains, s'y prélassant et y offrant son corps par un doux enchaînement de mouvements très lascifs.

Puis, enfin réveillée et livrée aux vagues du désir qui allait la submerger, elle se tourna lentement vers lui. Sans cesser de la couvrir de baisers et de la caresser, il l'attira à lui et glissa sa jambe entre ses cuisses.

Enfin, dans la pénombre de la chambre, leurs regards se trouvèrent.

Et Sylvie eut un brutal mouvement de recul.

Contredisant tout ce qu'exprimait son corps emporté lui aussi par le désir, le regard de Gustave n'était qu'inquiétude et soupçon.

Elle se réfugia au bord du lit.

— Quoi encore ? dit-elle durement et avec déjà comme un sanglot dans la voix.

Il esquissa le geste de la poursuivre, de continuer ce qu'exigeait son corps. Mais, une fois de plus, la détermination du regard de Sylvie le figea sur place. Il comprit que quelque chose venait de se rompre.

— Rien, dit-il.

Et il se détourna comme un gamin qui veut cacher sa peine.

— Alors pourquoi ?

Mais elle ne revint pas vers lui. Tendu comme une corde, il espéra longtemps le contact de sa peau sur la sienne, il attendit passionnément le contact de ses seins dans son dos. En vain.

— Ça ne peut plus durer, dit-elle.

Il sentit qu'elle se retournait dans le lit et lui tournait le dos.

— A qui la faute ? demanda-t-il bêtement.

Il y eut un long silence, peut-être l'espoir d'un geste, d'une main tendue qui pouvait encore éviter que tout se rompe. Il dura ce qui leur parut, à l'un comme à l'autre, une éternité. Puis, soudain, Sylvie jaillit de sous le drap. Elle s'enroula vivement dans sa robe de chambre et contourna vivement le lit.

— Bien sûr, dit-elle d'une voix blanche, le qu'en-dira-t-on... Il a plus d'importance, pour toi, que tout ce qu'il peut y avoir entre nous. Ma parole, elle ne pèse pas bien lourd, devant les ragots d'une Sidonie. J'aurais dû m'en douter. Tu penses, les ragots, ça peut faire perdre la terre, les ragots. Parce que ta femme, elle aussi, elle en a peur, des ragots. Je sais bien qu'elle est au courant, ta femme. Ou alors, il faudrait qu'elle soit obtuse, aveugle, complètement bouchée. Bien sûr qu'elle sait. Bien sûr que ça l'arrange. Tant qu'on n'en parle pas. Tout le monde sait. Tout le monde est au courant que monsieur baise en douce. Mais, pour la bonne règle, pour la façade, parce qu'il y a de la terre en jeu, personne, jamais, ne dira rien…

» Jusqu'à ce que…

Elle était déchaînée. Lorsque, tout à coup, elle lui tourna le dos, sa robe de chambre vola gracieusement autour d'elle, révélant par bribes une nudité que sa détermination rendait plus attirante encore. Elle ne vit pas le geste que Gustave, suffoqué, ne sachant plus où donner de la tête, eut de la main vers elle.

En battant sèchement contre le mur, les volets qu'elle ouvrit à la volée le firent se crisper dans le lit. Il lui sembla qu'elle étalait leur dispute par tout le village.

Elle prit tout de même soin de fermer la fenêtre avant de revenir vers lui en serrant le nœud de la ceinture qui fermait sa robe de chambre. Lui, résigné mais toujours aussi perdu, s'était assis au bord du lit et tirait à lui ses vêtements, un à un. Elle s'arrêta au milieu de la chambre.

— C'est fort simple, dit-elle. Puisque tu ne veux pas croire qu'il n'y a rien entre Michel et moi, maintenant, il faut que tu saches. Si tu peux. Ou bien tu te décides à admettre et tu laisses dire. Les gens finiront bien par oublier. Ou bien tu rectifies le tir et tu dis la vérité. Ce n'est pas moi qui t'en empêcherai. J'en serais même très flattée. Tu penses ! Gustave Grollier dit le Flûtot qui préfère sa maîtresse secrète à vingt bons hectares de terre ! Alors là, il y aurait du nouveau sous le soleil !

» Mais bien sûr que tu n'oseras pas. Pourquoi oserais-tu aujourd'hui plus qu'hier ? Pourquoi serais-je, comme ça, du jour au lendemain, plus importante que la terre ? Alors, mon petit vieux, puisque tu ne veux pas admettre, puisque ton petit orgueil ne peut se satisfaire ni d'une situation ni de l'autre, il faudra bien que tu te résignes.

Sans un mot, il s'était habillé. Toujours debout au milieu de la chambre, au bout de son discours, elle se trouvait un peu sans voix. Il alla à la porte, posa la main sur le bec-de-cane et tourna vers elle un visage totalement inexpressif, fermé, buté.

— C'est bon, dit-il. J'ai compris. C'est la dernière fois, c'est bien ça ?

Ce fut plus fort qu'elle : elle eut le mouvement de se jeter dans ses bras.

— Mais tu ne veux donc pas comprendre ? Rien. Il n'y a rien entre Michel et moi. Il sait, pour nous. Et je ne lui ai jamais laissé le moindre espoir.

Il la repoussa doucement.

— Ça doit être qu'il a pris si fort ses désirs pour des réalités que la Sidonie y a cru, voilà tout, voulut-il ironiser. Mais ça ne fait rien, ajouta-t-il. De toute façon, tu as raison. Il me faut choisir. A ceci près que je n'ai pas le choix.

Elle se tenait à deux pas de lui, ulcérée. Elle eut un nouveau mouvement de révolte.

— Ah, non, dit-elle. Celle-là, tu me l'as déjà faite. « Les terres, les hectares, qu'est-ce que je serais, qu'est-ce que je ferais, sans les terres ? » Cette fois, ça ne prend pas. Le choix, on l'a toujours. A condition de le vouloir.

— C'est ça, dit-il en ouvrant la porte. A condition de vouloir…

Au dernier moment, elle renonça à le suivre. Il se retourna brièvement, dans le couloir. Leurs regards s'accrochèrent. Ils eurent l'un et l'autre l'impression

qu'une glace avait tout à coup été dressée entre eux.
Un moment, ils se dévisagèrent en silence. Puis
Gustave s'éloigna. Debout dans la porte de sa
chambre grande ouverte, elle entendit celle du jardin se refermer doucement.

— Le salaud, murmura-t-elle sans plus retenir les
larmes qui coulaient en deux traits d'argent sur son
visage ravagé.

Elle avait tout à coup la sensation atroce de s'être
laissé souiller durant des mois et des années.

— La terre, dit-elle encore à haute voix. Ils tue-
raient père et mère, pour la terre...

31

Il pleuvait toujours. L'Ouasse, en jaillissant du petit sentier, dont on avait depuis bien longtemps oublié de tailler les haies, fit trois bonds désordonnés sur la route et s'ébroua énergiquement.

Gustave était insensible à la pluie. Il regarda son chien faire, puis leva un regard inexpressif sur le paysage noyé d'eau et à demi gommé par la brume. Il se sentait parfaitement incapable de raisonner ou de décider quoi que ce soit. A tout hasard, il fit trois pas en direction de sa ferme. Puis, sans l'avoir prémédité, il fit demi-tour et partit sur la route, vers les prés. Il se laissa porter par l'habitude et suivit l'Ouasse pour qui le choix entre l'attente dans son trou, à l'étable, et la promenade, même sous la pluie, n'avait pas posé de problème.

Au reste, ce fut le chien qui conduisit l'homme jusqu'au Pradet. Lorsqu'ils l'atteignirent, la pluie cessa. Gustave s'arrêta à la barrière de son pré et s'y accouda. Ses bêtes, indifférentes à l'eau qui dégoulinait de leurs flancs, broutaient paisiblement non loin de la clôture. Il put les compter et les examiner sans entrer dans le pré. Il le fit machinalement, comme s'il lui fallait une justification pour être venu jusque-là.

Puis il leva le nez. De l'autre côté du vallon, les moutons de Michel piquetaient de taches blanches le pré dont il avait réussi à broyer tous les genêts, les ronces et les épines qui l'encombraient. Seules avaient déjà repoussé de grandes taches de fougères qui maculaient le coteau.

Plus loin, au-delà de cette première ligne de crêtes, la grisaille du ciel se levait lentement et découvrait, par plans successifs, des immensités de monts et de forêts noires dont montaient d'innombrables fumerolles blanches.

« Les renards fument la pipe », pensa Gustave. « On n'en a pas fini avec la pluie. » La réflexion avait été instinctive. A vrai dire, il ne s'en souciait pas le moins du monde. Son esprit, débridé, courait sus à un flot de sensations et d'idées qui se bousculaient dans sa tête et ne lui laissaient aucun repos.

Loin, très loin à l'est, le soleil perça. Ou, plus précisément, une large déchirure dans la couverture uniformément grise du ciel révéla tout à coup un pan entier d'azur dont s'écoula le flot des rayons du soleil, en larges pinceaux d'or.

Gustave, toujours accoudé à sa barrière, se laissa captiver. Les couleurs riches de vie qui étaient nées loin sur l'horizon s'approchaient lentement, en même temps que continuait de se déchirer l'univers en noir et gris des jours de pluie. Et la nature à l'exubérance triste et dégoulinante d'eau qui en était née, à l'instant où la touchait le large trait d'or que distribuait le soleil encore caché derrière les nuages, se mettait spontanément à vivre et à resplendir.

Gustave, bêtement et sans qu'il y eût de rapport évident, revit tout à coup le présentateur de télévision marchant à pas lents dans le décor de rêve d'une île lointaine, sous un ciel trop bleu pour être tout à fait réel, et dans le chantonnement discret du ressac baignant la plage blonde toute proche.

Pourquoi cette brève irruption du soleil faisait-elle tout à coup renaître le rêve en lui ? Déjà, les nuages organisaient la contre-offensive et regagnaient peu à peu l'espace brièvement abandonné à l'azur et à la lumière. La grisaille reprenait les droits que lui concédait le vent d'ouest avec qui elle avait fait alliance.

Mais il avait suffi de sa brève défaite pour que renaisse en Gustave le mirage dérisoire d'horizons lointains juste faits pour nourrir en lui l'illusion de départs qu'il ne prendrait jamais. Il était ainsi fait que ses yeux, son cœur et cet infiniment petit que, faute de mieux, on dénomme l'âme avaient curieusement développé en lui une propension au rêve et à l'abstraction d'autant plus grande et plus forte que tout cela reposait fermement sur un bloc à jamais adhérent à la terre, au roc, au bois et à l'eau de ce pays.

Seul son rêve partirait, il le savait bien. Il appartenait à cette terre bien plus qu'elle lui appartenait. C'était là une lourde certitude depuis toujours existante au plus profond de lui. Mais en émergeant tout à coup au grand jour de sa conscience, elle transformait le doux rêve en cauchemar. La tranquille utopie qu'il caressait, de temps à autre, dans ses moments d'incertitude, comme un chat dont le ronronnement rassure, prenait brutalement des airs de havre illusoire et inaccessible entrevu depuis un quotidien devenu insupportable.

Enfin, il comprenait pourquoi, à quelques mois de là, il avait bêtement exigé de ses enfants qu'ils aillent se coucher plutôt que de regarder ce documentaire dont, littéralement et physiquement, il avait eu peur. Sans s'en rendre compte, il redoutait déjà, à ce moment-là, que les failles et les fissures qui n'allaient pas manquer d'altérer le bloc pourtant apparemment si solide dont il était fait ne lui laissent pour seul refuge que ce rêve dont il savait toute l'inconsistance.

Lentement, sans rien perdre de son apparente solidité, le plafond des nuages se levait. Et dans le grand espace qui se creusait ainsi entre la terre et le lourd couvercle que le vent d'ouest avait posé sur elle, l'atmosphère se faisait d'une étonnante limpidité, repoussant très loin, vers des infinis qu'il n'identifiait même plus, les limites d'un noir paysage de collines et de forêts si denses, tellement vierges de la moindre percée, qu'il lui parut tout à coup que c'était comme s'il était seul au milieu d'immensités désertiques.

Si, au moins, tel avait pu être le cas... Mais il allait bien lui falloir redescendre, rentrer à la ferme où approchait l'heure du casse-croûte matinal. Les enfants étaient là. Et Juliette aussi, dont c'était le jour de congé. Il ne pouvait pas ne pas faire acte de présence. Les sourcils, immédiatement, allaient se froncer s'il n'apparaissait pas. Il lui faudrait faire cohabiter en lui l'angoisse panique de perdre Sylvie avec l'amabilité forcée et le sourire hypocrite qu'il devait à Juliette en gage des étonnantes amabilités dont elle le gratifiait de plus en plus souvent. Et, pardessus le marché, sans rien laisser paraître de tout cela, il lui faudrait faire bonne figure devant les enfants.

Il crut que ce serait au-dessus de ses forces et comprit tout à coup ce qui avait pu pousser Michel à fuir, là-haut, dans le Nord, lorsque, un beau matin, il avait réalisé que trop de choses se liguaient contre lui. Mais Gustave sut dans le même temps que même cette porte-là lui était fermée.

Du moins ne concevait-il pas qu'il puisse faire le geste énorme de la pousser. Bien sûr, il y avait la terre. Mais il y avait plus encore le poids énorme, écrasant, de tant de choses accumulées dans le périmètre moral de sa possession. Certes, il ne pouvait pas concevoir d'abandonner la terre. Que ferait-il d'autre ? Mais ce n'était pourtant pas là l'essentiel. Bien plus importante encore était toute une complexe accumulation d'éléments qui paraissaient se dresser irrémédiablement entre cette porte et lui.

Il savait pourtant qu'il était le dernier des Flûtot. Qu'importait donc qu'il préserve ou pas un relais qu'il n'aurait jamais à passer ? Il ne pouvait pourtant pas concevoir qu'il en soit autrement. Cela tenait à quelque chose de bien plus solide et de bien plus profond que tous les renoncements à la tentation desquels il pourrait avoir envie de céder.

Il y avait la tradition des Grollier, paysans au Crot-Peuriau, tous ceux qui étaient au cimetière ; il y avait le métier, quoi qu'on en dise, quoi qu'on s'en plaigne. Il y avait la quotidienneté de la continuation. Gustave sentait profondément ancrée en lui la filiation de chacun de ses actes avec ceux exécutés tout aussi modestement, tout au long de leur vie, par des Grollier dont il importait moins de savoir le nombre que d'être conscient de l'étonnante pérennité de leurs gestes quotidiens.

Peut-être serait-il le dernier. C'était même très vraisemblable. Mais, quoi qu'il fasse, et quel que soit son désir de ne pas perdre Sylvie, il savait qu'il ne saurait jamais rompre délibérément le fil dont il avait hérité en succédant à son père. Il y aurait coïncidence parfaite entre sa disparition et l'interruption de cette si vieille chaîne. Il ne pouvait pas concevoir qu'elle puisse cesser d'exister avant lui.

Alors, qu'il le veuille ou non, dès lors qu'il avait accepté l'héritage, il lui fallait endosser les habits moraux et les façons de faire de tous ceux qui l'avaient précédé. A ceci près qu'il était désormais le dernier, seul agriculteur encore en activité au Crot-Peuriau. Et cela faussait quelque peu les règles antérieurement admises.

Bien sûr que chacun de ses ancêtres, l'un après l'autre, aurait usé de tous les moyens en son pouvoir, chacun dans son temps, pour mettre la main sur les terres de la Grande Cheintre, si elles s'étaient trouvées à être disponibles. Bien sûr qu'il ne s'agissait pas, pour eux, d'écarter une épouse pour préférer une maîtresse. Non pas qu'ils n'aient pas eu chacun les leurs, fort vraisemblablement. Mais, si tel était leur désir, les règles du temps faisaient qu'il ne leur était pas besoin de mettre tant de choses en jeu pour en arriver à leurs fins.

Gustave n'en était tout de même pas à regretter ce temps-là ! Mais il ne lui venait pas à l'esprit que le rapport presque obsessionnel, qu'il avait à la terre et à tout ce qui l'entourait, ne pouvait que lui poser de sérieux problèmes lorsqu'il prétendait par ailleurs vivre très librement avec son temps.

Et c'était ce Michel, ce petit homme de la ville, de rien du tout, qui faisait ainsi voler en éclats toutes les paisibles certitudes sur le confortable coussin desquelles vivait Gustave depuis toujours. Il lui avait paru pourtant si insignifiant, le jour de l'enterrement d'Octave Grollier, ce cousin tombé du ciel, qu'il l'avait lui-même, et bien imprudemment, mis en place là où il comptait le manœuvrer juste le temps qu'il fallait avant de l'écarter.

Là où il était bien loin de penser que ce serait lui, Gustave Grollier, dont se jouerait ce citadin d'apparence si peu redoutable.

Gustave, les mains au fond des poches et l'air sombre, s'était résolu à rentrer à la ferme. L'Ouasse filait toujours devant lui, rebondissant d'un fossé à l'autre, rebroussant chemin, repartant aussi vite d'où il venait, haletant et trempé comme une soupe.

— Toi, ce soir, il faudra que je te change ta paille, lui dit Gustave pour se donner une contenance, en le quittant sur le perron de la maison.

Il frotta énergiquement ses chaussures sur le grattoir scellé dans le mur, à gauche de la porte. Il battit encore vigoureusement des pieds sur le dallage, en même temps qu'il ouvrait, comme pour bien prévenir qu'il arrivait.

— Oh ! Tu es trempé !

Même les enfants qui étaient attablés devant leur

petit déjeuner en restèrent sans voix, la tartine à la main et le regard stupéfait allant alternativement du père à la mère. Il n'y avait eu aucune acidité, aucun reproche dans la voix de leur mère. Tout juste une inflexion presque tendre qu'eux-mêmes n'y avaient jamais entendue, du moins à l'adresse de leur père, et qui renvoyait Gustave à des temps bien proches de leur mariage.

Ils n'étaient pourtant pas au lit. Et il n'eut aucune envie de céder à la tentation. Les bonnes résolutions qu'il avait tenté de prendre au Pradet avaient déjà volé en éclats.

— Et alors ? fit-il en grognant. Faut bien que le travail se fasse. Si personne ne veut m'aider…

Il y avait tant de mauvaise foi inutile dans ces quelques mots que Juliette ne put s'empêcher de marquer le coup. Ses yeux s'embuèrent très brièvement de larmes qu'elle sut pourtant retenir. Les enfants, retrouvant là un ton plus conforme à leurs habitudes, après un dernier regard à demi compatissant pour leur mère, avaient replongé le nez vers leur bol de chocolat.

Sans même prendre la peine de se déchausser, maculant le carrelage de longues traînées boueuses, Gustave vint s'asseoir au bout de la table.

En même temps qu'il accrochait sa veste au portemanteau, une inquiétude de plus l'avait tout à coup assailli. Pourquoi donc Juliette se mettait-elle en frais de toutes ces chatteries au moment précis où il redoutait de perdre Sylvie ? Curieusement, jusque-là, il n'avait pas fait le rapprochement. Et le malheureux concours de circonstances dont il se croyait la victime prit tout à coup des allures de complot.

Tout ça, bien sûr, n'était qu'un coup monté.

Par qui ?

En s'asseyant, il fronça les sourcils. Qui donc pouvait avoir intérêt à le rabibocher avec sa femme ?

Qui d'autre que Michel, bien sûr ?

Juliette, l'air de rien, s'empressait. Elle avait disposé devant lui, autour de son bol habituel, tous les éléments dont elle savait qu'il les appréciait pour son petit déjeuner. Cela faisait deux ou trois semaines qu'elle se donnait cette peine à chaque fois qu'elle le pouvait. Jusque-là, par indifférence, il avait laissé faire. Mais, tout à coup, il en fut exaspéré.

— Me voilà devenu gâteux, ou quoi ? gronda-t-il tout à coup. Je ne suis plus assez grand pour sortir mes affaires moi-même ?

Elle s'arrêta net de beurrer une tartine dont il réalisa alors qu'elle lui était destinée. Il haussa les épaules et se mit ostensiblement à s'en préparer une lui-même. Juliette resta un long moment immobile, le couteau dans une main, la tartine dans l'autre, à ne plus trop savoir qu'en faire. Puis elle poussa un profond soupir, posa sèchement le tout sur la table et se tourna vers les enfants.

— Allez, dit-elle d'un ton volontairement enjoué qui ne trompa personne. On se dépêche. Il ne fait pas trop mauvais. Vous allez pouvoir sortir un peu.

— Papa, tu m'as promis ! s'exclama tout à coup Hervé. Tu m'emmènes avec toi ?

Gustave, furieux contre lui-même et contre le monde entier, avait fait mine de se plonger dans la lecture d'un journal qui traînait par là. Il eut de la main un vague geste de dénégation.

— Tu m'avais promis ! s'insurgea le gamin.

Tout cela formait un bourdonnement, une sorte d'agitation parasite autour de lui qui l'exaspérait copieusement. Une seule idée, une idée monstrueuse occupait son esprit, y enflait, y prenait des proportions tellement démesurées que rien d'autre ne pouvait cohabiter.

Bien sûr, ce ne pouvait être que ça. C'était tellement évident. Et il n'avait pas compris plus tôt ! Fallait-il qu'il soit bête, aveugle, inconscient. Bien sûr que, depuis le premier jour, le premier instant, ce Grollier de malheur, sans autre argument que son nom, n'avait travaillé à rien d'autre qu'à s'installer à ses dépens.

La Grande Cheintre d'abord où il fallait bien qu'il ait de bonnes raisons de pouvoir rester pour que, depuis le temps, ni le notaire ni l'un ou l'autre des cousins ne se soient étonnés de sa présence.

Bien sûr qu'il le savait dès le départ. Bien sûr qu'il n'avait débarqué au Crot-Peuriau qu'en apprenant la mort d'Octave Grollier. Sinon, pourquoi serait-il entré dans l'église au moment précis de son enterrement ?

Bien sûr qu'il avait fait la bête quand Gustave, avec une candeur, une naïveté dont il se serait battu, avait cru malin de l'utiliser pour occuper le terrain. Le terrain même dont il devait se demander, en arrivant, quelle bataille il lui faudrait livrer pour faire reconnaître son bon droit à s'en intituler le maître. Il avait dû bien rire, ce maudit moutonnier auquel Gustave, aux premiers jours, ne donnait pas trois mois avant qu'il renonce.

Et puis la Sylvie ! Fallait-il qu'il soit bête. Il n'avait pas pensé à ça plus tôt. Il fallait tout de même qu'il soit retors, le Michel, pour avoir su à ce point capter la confiance du Flûtot. Au point que celui-ci lui avait dit, sans la moindre méfiance, sans même voir à quel point il se piégeait lui-même, ce qu'il comptait faire de Juliette et de leur mariage lorsqu'il ne serait plus dépendant des terres qu'elle avait mises dans la corbeille.

L'autre malin ne l'avait évidemment pas laissé voir. Il était plus futé que Gustave. Mais bien sûr qu'il n'avait pas fallu lui faire un dessin. Dès qu'il avait découvert sa liaison avec Sylvie, il avait parfaitement su ce qu'il lui restait à faire pour se débarrasser des visées du Flûtot sur les terres de la Grande Cheintre.

Faire courir le bruit que Sylvie fricotait avec lui et, dans le même temps, rabibocher Gustave avec la

Juliette ! Ça alors, il fallait y penser ! Il fallait même être diablement tordu pour monter des plans pareils.

Le nez dans son café au lait, Gustave fulminait en même temps qu'il jubilait. Par-dessus le bord de son bol, il ne quittait pas Juliette des yeux.

« Ah, mon cochon, pensait-il, t'as cru être le plus malin. Il s'en est fallu de peu. On peut bien le dire. Mais à malin, malin et demi. Attends voir, je vais te l'arranger, moi, ton beau plan. »

— Tu m'emmènes, dis ?

Hervé, lui, n'avait pas renoncé. Et l'innocence de ses six ans n'avait que faire du regard furibond que son père s'obstinait à poser sur sa mère. Imprudemment, en se levant de table, il voulut venir cajoler son père dans l'espoir que celui-ci céderait.

Les larmes lui vinrent pourtant instantanément aux yeux, en même temps qu'une expression de douloureuse déception brouillait sa gentille frimousse, lorsque Gustave le repoussa rudement en se levant si brutalement qu'il en renversa sa chaise.

— Toi, hurla-t-il tout à coup en ignorant le gamin et en pointant un doigt agressif sur Juliette, il vaudrait peut-être mieux que tu t'occupes de tes enfants plutôt que d'écouter les fadaises de l'autre allumé d'en face. Ah, il est beau, votre plan ! Parce que tu crois que je n'ai pas compris ? Trop bête pour y voir clair, le Flûtot, peut-être ? Eh bien je m'en vais te le montrer, moi, si je suis trop bête.

Juliette, sidérée, n'eut que très brièvement le loisir d'essayer de comprendre. Hervé, hurlant autant de colère que de peur, s'était jeté dans ses jambes et Julie, un peu paniquée, se serrait contre elle. Elle choisit d'ignorer les propos incohérents de Gustave et de ne se soucier que de ses enfants.

Elle eut tout de même une pensée rapide pour le père Fossurier. « Il en a de bonnes, l'oncle, pensa-t-elle. Reconquérir cette espèce d'ours mal léché. Je voudrais bien l'y voir. Maintenant, j'ai compris. C'est bien fini. »

Le lourd panneau de chêne de la porte avait longuement vibré tant Gustave l'avait claqué violemment. Il traversa sa cour, la rue, puis la cour de la Grande Cheintre en courant presque.

— Eh bien, tu tombes bien, toi. Viens donc voir.

Gustave en resta saisi de stupeur sur le pas de la porte. Quand, sans même avoir frappé, il avait fait brutalement irruption dans la salle de la maison de la Grande Cheintre, Michel avait levé la tête vers lui. Et il lui avait semblé, tant ils étaient proches l'un de l'autre, que sa chevelure se séparait doucement de celle de Sylvie.

Épaule contre épaule, ils étaient en fait penchés l'un et l'autre sur des documents étalés sur la grande table dont ils occupaient presque toute la surface.

Gustave en resta quelques instants totalement désarmé. Puis l'idée l'effleura encore brièvement qu'il était aussi bien que Sylvie soit là. Elle allait voir ce qu'elle allait voir. Et on verrait bien, après, si les yeux doux de ce satané moutonnier l'intéressaient encore. Il eut le geste d'aller vers eux. Il ouvrait la bouche pour les sortir à grand fracas de leurs paperasses, lorsqu'une voix le cloua à nouveau sur place.

— Alors, le Flûtot, on ne dit plus bonjour ?

D'un bloc, il pivota sur ses talons et fit un quart de tour. Les deux mains appuyées sur sa canne dressée entre ses genoux, Gaston Fossurier se tenait très droit, sur sa chaise, dans l'ombre, au fond de la pièce.

— M'sieur Fossurier... Si je m'attendais...

Le vieux eut un geste énergique du menton.

— Ah, mon gars, dit-il d'une voix sentencieuse, quand on choisit de prendre des chemins tortueux, il faut s'attendre à y faire des rencontres imprévues.

32

— Voilà, dit Sylvie en s'écartant pour que Gustave puisse voir. Ce grand beurdin de Michel ne s'en occupait pas. Monsieur ne savait pas comment faire ! Alors, sans rien lui dire, j'ai pris le taureau par les cornes. Ça ne m'était pas difficile, à moi, depuis le secrétariat de mairie. J'ai écrit dans le Nord. Je n'ai pas eu de mal à retrouver l'état civil de la famille Grollier. Ça s'est compliqué un peu quand il a fallu remonter dans le temps. Mais enfin, avec un peu de perspicacité et sans lâcher le fil, j'ai retrouvé.

— T'as retrouvé quoi ?

— Ludovic Grollier, tu connais ?

S'il connaissait ! C'était donc ça. On en était donc là. Gustave, perplexe, laissa son regard errer de l'un à l'autre. Sylvie jubilait déjà, Michel semblait dans ses petits souliers et Gaston Fossurier, dont il se demandait bien ce qu'il faisait là, avait le sourire engageant de celui à qui on n'a plus grand-chose à apprendre.

— Alors, tu connais ou pas ? s'impatienta Sylvie.

— Je connais, je connais, c'est vite dit. J'ai entendu parler, c'est tout. C'est ma grand-mère, quelquefois, qui disait ce nom-là. Mais pour dire qui c'était…

Et puis, après tout, il n'était pas là pour ça. Et la parfaite aisance de Sylvie, pour qui rien ne semblait exister de leur liaison secrète, de ses remous et de ce que disait le pays de ses rapports avec Michel, le mettait particulièrement mal à l'aise.

— Mais, j'avais autre chose à vous dire, dit-il à brûle-pourpoint.

— Marche, fit la voix paisible de Gaston Fossurier, du fond de la salle. T'as le temps. C'est pas encore aujourd'hui que tu te remettras à tes foins. Alors écoute donc. Ça va t'intéresser.

— Assieds-toi, l'invita Michel.

Gustave hésita encore un instant. Où était sa grande colère ? N'allait-il pas encore se faire embobiner ? Mais comment refuser, devant Sylvie et devant Gaston Fossurier ? A contrecœur, il admit et s'assit.

— Bon, dit-il. Si vous avez quelque chose à dire, faites.

Sylvie prit un document devant elle et lut.

— Ludovic Grollier, né le 16 décembre 1892 à la Grande Cheintre, commune du Crot-Peuriau, de Ferdinand Grollier et de Antoinette, son épouse, née Muselier. Première communion en mai 1903 ; certificat d'études avec mention « bien », s'il vous plaît, en juillet 1904. Après, plus rien. Porté disparu en novembre 1920. Frère aîné de Fernand Grollier, né le 23 avril 1894, mort au champ d'honneur en septembre 1916, et de Pauline Grollier, épouse Vilatte…

— Ma grand-mère, dit Gustave.

— Exactement. Et jamais elle ne t'a parlé de ce Ludovic ?

— Sûr que si. Enfin, ça lui arrivait, de temps à autre, un mot, un bout de phrase. Avec de l'émotion, beaucoup d'émotion dans la voix. A chaque fois qu'elle prononçait ce nom-là, Ludovic, elle se tournait vers le cadre, sur le buffet.

— Celui du marin, dit Michel.

— Oui, celui du marin.

— Et c'est tout ?

— C'est tout.

Tous les trois, d'un même geste, se tournèrent vers Gaston Fossurier. Jusque-là, il était resté parfaitement silencieux. Il se tenait très droit, tête haute, comme s'il voulait leur en imposer. Il eut un bref sourire qui parut illuminer l'ombre dans laquelle il se tenait.

— Non, Gustave, dit-il, ce n'est pas tout. Je t'ai parlé de Ludovic Grollier, souviens-toi, chez Marcel. Souviens-toi de ce que mon père m'en avait dit. Il a disparu, un beau jour, suite à une dispute avec son père.

— Je me souviens, reconnut Gustave. Mais alors, quel rapport ?

— Le rapport ? D'abord c'est que c'est bien le même Ludovic. Et c'est bien l'homme des photos. Mais son histoire, mon gars, alors là, son histoire... C'est grâce à Sylvie qu'on a retrouvé. D'un travail que ça nous a demandé ! Mais on a fini par comprendre.

Gaston Fossurier alla jusqu'à la porte et l'ouvrit. La pluie n'était plus qu'un souvenir. Et la resplendissante lumière d'un beau jour d'été donnait à la nature gorgée de vie l'opulence de charmes à la sensualité quasi féminine.

— Tu permets ? demanda-t-il à Michel en désignant la porte qu'il avait laissée grande ouverte.

— Bien sûr.

Le vieux revint à pas lents vers la table. Il semblait plongé dans une profonde réflexion. Il prit une chaise, la tira jusqu'à la porte et s'assit en pleine lumière.

— Venez donc, dit-il. Il fait un temps à se souvenir.

Même Gustave n'eut pas l'idée de discuter. Ils vinrent s'installer en face du père Fossurier, sur le perron de la Grande Cheintre.

— C'est une histoire… fit le vieux.

Il hésita encore quelques instants, comme s'il lui fallait, juste après la toute première mesure, accorder l'instrument dont il allait jouer en solo.

— C'est par hasard qu'on a compris, dit-il. Moi, je savais qu'il avait disparu, c'est tout. Et puis, j'avais entendu parler, comme ça, sans détails, de ce monsieur, ce propriétaire forestier qui se faisait appeler l'Empereur du désert. Mais, faut dire, des originaux, c'est pas ce qui a manqué, dans l'histoire de nos forêts. Alors, qu'il se fasse appeler comme ça ou autrement… Je n'ai pas fait le rapprochement avec Ludovic Grollier. C'est Sylvie qui a eu l'idée. Pas vrai Sylvie ?

Elle eut l'air gêné.

— Oui, enfin, bon, fit-elle. C'est vrai. Ce sont des détails, les gens du pays n'y pensent plus. C'est surtout quand monsieur Fossurier est venu chercher lui aussi ce que l'état civil disait des Grollier à cette époque-là. J'ai fouiné avec lui. On a sorti la matrice cadastrale de l'époque. On voulait savoir au nom de qui étaient les terres de la Grande Cheintre. Maintenant, avec l'informatique, ça ne poserait plus de problème. Seulement, ce serait si simple que nous n'aurions pas eu à fouiner. Et c'est comme ça que je suis tombée sur ce nom-là. Dybaule… Ça ne vous dit rien ? Moi j'avais déjà entendu. Ça m'étonnait. J'ai cherché. Sur le plan cadastral et dans mes souvenirs. Sur le premier, j'ai trouvé que c'était, au changement de siècle, le plus gros propriétaire forestier du coin. Dans les seconds, je savais qu'il y avait quelque chose. Mais je n'arrivais pas à situer. Jusqu'au jour où j'ai fait de la tarte.

La bouche de Gustave s'arrondit en cul-de-poule et son bon regard jovial traduisit le plus grand étonnement. Michel, lui, fronça les sourcils. Qu'est-ce que c'était que cette histoire de tarte ? Que venait-elle faire là-dedans ?

— Brusquement, reprit Sylvie, par ce genre de

rapprochements dont on ne sait pas trop bien comment ils se créent, ça m'a rappelé ma mère et le paquet de sucre roux qu'elle utilisait dans les mêmes circonstances. Je le revois encore. Et je revois surtout sa marque, Dybaule, inscrite en belles lettres cursives jaunes et noires sur un fond de beau ciel bleu dominant une scène champêtre très début de ce siècle. Le sucre et la forêt. Bien sûr, je ne pouvais pas connaître les liens étroits qui les unissaient. J'ai tout de même parlé de ça à monsieur Fossurier, quand il est revenu. Et c'est lui qui m'a appris que les sucriers du Nord et de Picardie, à une époque, ont été les plus grands propriétaires forestiers du Morvan. Et puis, comme ça, pour l'anecdote, il m'a raconté ce qu'il savait de ce Dybaule qui possédait presque toutes les forêts du Crot-Peuriau et qu'on appelait l'Empereur du désert sans trop savoir pourquoi. Ça m'a intriguée. L'époque correspondait à celle de la disparition de Ludovic Grollier. Je me suis documentée. J'ai eu la chance de tomber sur des gens qui savaient, qui m'ont prêté des livres. Je les ai passés à monsieur Fossurier.

Elle se tut et se tourna vers le vieil homme. Toujours aussi droit sur sa chaise, les mains superposées sur le pommeau de sa canne, il suivait le récit de la jeune femme en souriant.

Leurs trois regards étaient tournés vers lui. D'un petit geste vif, il fit claquer la pointe ferrée de sa canne sur la pierre de la porte, et il attaqua.

— En ce temps-là, dit-il…

33

— En ce temps-là, dit Gaston Fossurier, la Grande Cheintre était le vrai cœur du Crot-Peuriau. C'était la vie du village, que cette ferme-là. Sans elle et sans ces vingt, trente, cinquante, peut-être soixante attelées de bœufs, les meilleures années, de quoi auraient-ils survécu, tous les pauvres gars du pays qui n'avaient pour tout bien que quelques arpents de mauvaise terre tout juste capable de fournir de maigres navets et un peu de seigle une année sur deux ?

» Alors, vous pensez, le maître de la Grande Cheintre, c'est pas pour dire, mais, en ces temps-là, il était plus puissant que le seigneur. Parce qu'il y avait bien encore des seigneurs, à l'époque, plus à l'ancienne mode, tout de même. Mais qui savaient bien passer toujours régulièrement, à la Saint-Martin, pour se faire payer le dû. Parce que la terre leur appartenait encore, à ces seigneurs-là.

» Sauf… Sauf celle de la Grande Cheintre, justement, que le maître précédent avait eu la fierté de pouvoir racheter.

» C'était quelqu'un, ce maître-là. C'est lui qui avait senti juste à temps le grand besoin que les grandes plaines agricoles allaient avoir des bœufs, des bras et du savoir-faire des galvachers. C'était au temps où se construisaient les usines et les villes qui allaient avec. Il fallait nourrir tout ce monde qu'on y entassait. Et c'était à ces grandes plaines-là qu'on avait assigné la charge de fournir de quoi calmer leurs grandes faims.

« "D'accord, qu'elles avaient dit. Mais il nous faut à nous aussi des bras pour nous aider à abattre tout cet ouvrage."

» Alors on avait dit aux galvachers d'y aller. Et le maître de ce temps, comme il avait été assez malin pour voir venir le coup, il a été un des premiers à y monter avec ses attelées de bœufs. Il a eu de la chance. Il a travaillé comme une bête. Il a gagné beaucoup d'argent. Et, quand il est redescendu à la Grande Cheintre, il était le maître du Crot-Peuriau. Il a racheté ses terres. Et le seigneur, de ce jour-là, lui a mis chapeau bas.

» C'est lui qui aimait les belles choses et qui a si bien meublé cette maison.

» Seulement, ce maître-là ne s'appelait pas Grollier. Son nom, c'était Muselier. Son prénom, je ne sais pas, je ne l'ai pas retrouvé. Mais ça ne fait rien. L'important c'est qu'il n'avait qu'un enfant, une fille, Antoinette. Antoinette Muselier qu'il a élevée lui-même parce que sa femme était morte en couches. Il aurait pu se remarier, avoir d'autres enfants. Non. Il a élevé cette Antoinette-là comme un gars et il lui a donné la Grande Cheintre dans son entier.

» Mais avant ça, il l'a mariée, son Antoinette. Apparemment, il a longtemps cherché, hésité. Peut-être bien aussi qu'elle n'a pas été facile à décider, l'Antoinette, vu qu'elle avait un sacré caractère.

» Et puis voilà qu'un jour arrive à la Grande Cheintre un nouveau commis, Ferdinand Grollier. D'où il venait ? Qui il était ? Personne n'en sait rien. Toujours est-il que le voilà qui, en quelques mois, devient le vrai patron du domaine. Le vieux Muselier vieillissait. Antoinette était tombée raide amoureuse. Le Grollier, il n'y a pas eu besoin de lui faire un dessin. Vite, très vite qu'il l'a mariée, l'Antoinette.

» Et quand le vieux Muselier est mort, ça a été le début du règne des Grollier sur la Grande Cheintre et sur le Crot-Peuriau. Un drôle d'oiseau, que ce Ferdinand Grollier. Un maître, pour sûr. De tout le temps qu'il a régné sur le domaine, il n'y en a pas eu beaucoup pour tenter l'aventure de lui tenir tête. D'autant moins que la Grande Cheintre des Muselier, qui n'était déjà pas rien, n'a fait que croître et embellir sous sa poigne.

» Dieu sait pourtant s'il l'avait dure. Pour tout le monde. Pour lui d'abord, pour ses commis et même pour sa femme. Il lui a fait trois enfants, deux gars, Ludovic et Fernand, et une fille, Pauline. Ta grand-mère, Gustave. Mais ça ne l'empêchait pas, à ce que l'on disait, de battre l'Antoinette, comme plâtre !

» Le temps n'était pas où une femme battue, surtout la maîtresse d'un tel domaine, pouvait se rebeller. Elle n'a rien dit, l'Antoinette. Elle s'est contentée d'attendre son heure. Et, pour tout dire, elle n'est pas venue bien vite.

» Souviens-toi, Gustave, je t'ai raconté ce que mon père m'avait confié de ces temps où, brusquement, sans trop qu'on sache pourquoi, Ludovic, devenu un jeune homme, en est venu à mettre en question l'autorité du père. Jusqu'au jour où il a disparu.

» C'est ce qu'on a retrouvé de l'histoire de l'Empereur du désert qui nous a permis de comprendre. Le vieux Ferdinand Grollier, non seulement il battait sa femme, mais il menait une vie impossible à tout son entourage. Et plus il vieillissait, plus il devenait brutal et odieux. C'est contre ça que Ludovic s'est révolté. Et il aurait bien pu avoir gain de cause si la famille ne s'était pas divisée en deux clans. D'un côté Antoinette, Ludovic et Pauline ; de l'autre, Ferdinand et Fernand. Le frère puîné, pas fou, avait compris.

» En ces temps, le droit d'aînesse, même si l'Empereur l'avait aboli, au début du siècle, ça voulait encore dire quelque chose. La Grande Cheintre devait revenir à Ludovic. Les deux autres, Fernand et Pauline, on avait gagné assez de sous pour les désintéresser. Et c'est bien ce qui s'est passé pour Pauline.

» Mais Fernand a vu sa chance. Les sous, lui, ça ne lui suffisait pas. Ce qu'il voulait, c'était garder la Grande Cheintre. Faut dire, pour les seconds de famille, à l'époque, qu'est-ce qu'ils connaissaient de la vie, hors la ferme où ils étaient nés ? On leur donnait des sous comme pour se débarrasser d'eux, pour qu'ils plongent dans l'inconnu et qu'ils n'encombrent plus l'aîné à qui restait le seul bien qui comptait : la ferme, la terre.

» Alors, bien sûr, le Fernand que l'idée de devoir partir ne réjouissait pas de trop, il s'est dit "pourquoi pas moi ?". C'était la règle, en ce temps-là. A la moindre faiblesse de l'aîné, les cadets attaquaient. Et que le meilleur gagne !

» Et il a bien failli gagner, le Fernand. Peut-être même qu'il a cru avoir gagné. Mais ce n'était pas si simple. Sûr qu'il ne devait pas tout savoir, le Fernand.

» Les choses se sont envenimées. Le Ludovic, il devait bien avoir aussi mauvais caractère que le père. Ça a dû se battre là-dedans comme des chiffonniers. Et l'autorité du père a été suffisamment remise en cause pour que, un beau jour, le vieux menace de tuer la mère. Ils savaient tous qu'il en était capable. Il était assez madré, par-dessus le marché, pour faire porter la responsabilité de son acte par l'un ou l'autre de ses enfants, et de préférence Ludovic, bien sûr.

» Celui-ci était jeune. Il a compris que jamais plus il ne pourrait supporter de vivre près de son père. C'était l'un ou l'autre. Il a compris aussi que sa mère serait toujours malheureuse tant qu'il serait là, face au Ferdinand. Alors, il a décidé d'aller se placer.

» Remarquez, c'étaient des choses qui se faisaient, à l'époque. L'héritier d'un domaine, avant d'avoir à en assumer la responsabilité, allait souvent voir ailleurs comment ça se passait. Maintenant, on parlerait d'un stage. Pour ainsi dire, il allait se mettre en stage pour apprendre les façons de faire des autres.

» Peut-être bien qu'il n'avait pas l'idée de partir pour de bon, le Ludovic. Peut-être qu'il se disait qu'une saison ou deux loin de la Grande Cheintre, ça arrangerait les choses. Avec le caractère qu'il avait, sûr qu'il ne devait pas entendre renoncer totalement, laisser la place à son frère. Il devait d'ailleurs savoir par sa mère que Fernand se faisait beaucoup d'illusions…

» Le voilà donc à la foire de la Saint-Ladre d'Autun, le premier septembre 1910 avec, à la main, sa pique de bouvier qui était le signe distinctif de ceux de sa profession qui cherchaient à se louer. Il se tient dans le coin de la place du Champ qui leur était réservé, pas loin de l'endroit où se dresse maintenant le monument aux morts.

» Il n'a pas dû attendre bien longtemps. Un groupe d'hommes s'approche. Celui que les autres semblent entourer avec beaucoup de prévenances et de respect repère tout de suite Ludovic. Et lui aussi le remarque. Leurs regards se croisent, s'accrochent. Là, il se passe quelque chose. Quoi ? Allez donc savoir ! Toujours est-il que l'homme ne discute même pas les conditions de Ludovic. Il l'embauche en le prévenant simplement qu'il va aller travailler, avec les bœufs qu'il achète, dans une grande exploitation betteravière du Nord.

» Ça se faisait beaucoup, en ce temps-là. A ce qu'il paraît, qu'avec leurs seuls chevaux, là-haut, et dans leurs lourdes terres très grasses, ils ne s'en sortaient plus à charroyer toutes les betteraves qu'ils produisaient. Mais il n'y avait pas que ça. Ils avaient découvert que la pulpe des betteraves, ce qui reste après qu'on en a extrait le sucre, c'était un aliment formidable pour engraisser les bœufs. Alors, ils étaient venus par ici pour nous acheter nos bêtes qui revenaient de la galvache maigres comme des clous ! Ils ne les payaient pas trop cher et ils les montaient là-haut, dans leurs plaines, à pleins wagons des trains tout neufs qui sillonnaient le pays depuis quelques années. Là, ils commençaient par remettre tout ça en état en les faisant passer sur leurs pâturages qui sont tout de même plus épais que nos maigres coteaux. Puis ils faisaient le choix. Ceux qui étaient trop fatigués étaient bons pour l'abattoir. Les autres étaient remis au travail, soit dans les sucreries, soit, surtout, dans les grandes fermes de la région.

» Ce n'était pas mal vu, comme commerce. A ceci près qu'ils se sont vite aperçus que ce n'est pas si simple que ça de s'occuper de bœufs, de savoir les entretenir, les atteler, les faire travailler. A l'époque, c'était un métier, celui de bouvier. Et tous ces gens des plaines, des pays de chevaux, ne savaient pas faire. Alors ils sont revenus par ici. Et, cette fois, ils ne se sont pas contentés d'acheter des bœufs. Ils ont embauché avec les hommes capables de les mener.

» Et c'est comme ça que des morvandiaux se sont retrouvés dans le Nord. L'habitude s'est vite prise de travailler avec ces gens-là. Ils étaient plutôt de bon commerce. Et puis, ils avaient des sous, beaucoup de sous. Et pour nos pays qui ont toujours plus ou moins crevé de faim, c'était une aubaine à ne surtout pas manquer.

» On l'a si peu manquée qu'ils ont vite compris qu'il y avait d'autres affaires à mener avec nous. Nos forêts étaient à vendre ; pas toutes, mais presque. Or, nos forêts, à l'époque, c'était tout de même le chauffage de Paris et, pour une bonne part, les charpentes de toutes les constructions du baron Haussmann. Ce n'était tout de même pas rien. Elles étaient à vendre parce que le Second Empire avait ruiné les rentiers qui en possédaient une bonne partie et parce que les notables, les petits hobereaux de la région qui possédaient le reste, vendaient à tour de bras pour réinvestir leur argent dans l'industrie en plein développement, au Creusot ou ailleurs.

Gaston Fossurier s'interrompit tout à coup. Bien au-delà du clocher de l'église, son regard s'était perdu dans l'azur parti à la reconquête du ciel. Ils respectèrent sa méditation.

— Quelle époque, finit-il par dire dans un nostalgique hochement de tête. Vous vous rendez compte ? Nos hommes et nos bœufs pour le sucre, nos forêts pour le chauffage et la construction de Paris ! Le pays bouillonnait d'activité. On n'arrivait pas à faire face à tout le travail qui s'offrait. Tous n'étaient pas riches, bien sûr. Mais aucun n'était malheureux, je peux vous l'assurer. Alors, bien sûr, pour un jeune comme Ludovic Grollier, partir là-haut, dans le Nord, vers leurs grandes usines, leurs fermes immenses, c'était l'aventure, l'Amérique, quoi !

» Étonnez-vous, après ça, qu'il ait suivi son nouveau patron. L'étonnant aurait été qu'il ne le fasse pas. Monsieur Jacques. C'est comme ça qu'on appelait Jacques Dybaule, sucrier, héritier et maître d'une fortune colossale.

» Seulement voilà, ils n'ont pas pris le chemin du Nord. Monsieur Jacques a dû vouloir passer une inspection de ses forêts avant de regagner le Nord. Comme Ludovic était bien placé pour les connaître par cœur, au lieu de l'envoyer vers ses sucrières, comme on disait à l'époque avec les bœufs qu'il avait achetés et quelques autres jeunes bouviers qu'il avait embauchés, il l'a gardé avec lui.

» Qu'est-ce qui s'est passé entre les deux hommes ? Va savoir ! Toujours est-il que près de dix ans plus tard, ils étaient toujours ensemble et que ni l'un ni l'autre n'avaient mis les pieds dans le Nord. »

34

Après avoir servi de guide à Monsieur Jacques à travers toutes ses possessions forestières du Morvan, Ludovic Grollier crut bien qu'ils allaient enfin prendre le chemin du Nord où l'attendaient les bœufs pour l'entretien et la conduite desquels il pensait avoir été embauché.

Ce qui fut fait ; mais après que se furent écoulées dix années d'une vie aventureuse qui devait apporter amplement la preuve à ce natif du Morvan que la mer n'était décidément pas son élément et lui faire néanmoins connaître le désert, quelques îles paradisiaques et le gigantisme tout neuf de l'Amérique.

— Maintenant, lui dit Monsieur Jacques au soir de leur dernière visite à la dernière parcelle de forêt de ses vastes propriétés, je t'attache une fois pour toutes à ma personne. En somme, tu es mon valet de pied.

Remarquez bien qu'il ne lui avait pas demandé son avis et n'avait en rien justifié cette étrange promotion à laquelle rien, dans les antécédents de Ludovic Grollier, ne semblait le prédisposer.

Disponible pour toutes les découvertes, comme son âge pouvait l'être, il ne discuta pas et eut ainsi le loisir de commencer sa découverte du monde par Paris où Monsieur Jacques possédait, entre plusieurs propriétés, un hôtel particulier où il vint prendre des quartiers manifestement provisoires.

Ludovic n'eut aucun mal à deviner que l'on préparait là une expédition lointaine. Monsieur Jacques, d'ailleurs, ne s'en cachait pas. Mais il n'avait pas non plus pour habitude de prendre son valet de pied pour confident. Et c'est pourquoi celui-ci ne comprit le sens réel de la rocambolesque aventure dans laquelle l'entraînait Monsieur Jacques que plusieurs mois plus tard.

Entre-temps, il est vrai, il eut tout loisir de s'étonner lorsque Jacques Dybaule, le prenant à part, lui précisa tout de go que, dorénavant, il ne serait plus question de s'adresser à lui autrement qu'à la troisième personne et en lui donnant du « Sire ». Plus question de familiers « Monsieur Jacques » pour s'adresser à Jacques premier, Empereur du désert.

Il eut également le plaisir de faire la connaissance de Mademoiselle Sophie. Et, bien avant qu'il lui soit de même précisé qu'il lui faudrait à l'avenir lui servir du « Votre Altesse », il avait appris de sa bouche même que la comédienne de boulevard débutante qu'elle était prenait pour une chance inespérée d'être devenue la maîtresse de Monsieur Jacques bien avant que ne lui vînt cette impériale métamorphose.

A vrai dire, dès le premier instant, Ludovic Grollier était tombé éperdument amoureux de Mademoiselle Sophie. Amour totalement platonique et absolument silencieux, cela allait de soi. Mais amour tout de même. Et, dès lors, le jeune Ludovic était prêt à fermer les yeux sur toutes les excentricités de ses maîtres pourvu qu'il puisse, en tout bien tout honneur, les rouvrir sur Son Altesse impériale, la charmante Mademoiselle Sophie.

Lorsqu'on quitta Paris pour Cherbourg, il suivit. Lorsque, dans le grand port normand, on escalada la passerelle d'une élégante goélette blanche, sa solide démarche de Morvandiau connut bien quelques hésitations. Surtout qu'il était chargé d'une quantité invraisemblable de bagages et de paquets.

Il parvint miraculeusement à leur éviter un plongeon dans l'eau du port. Un quidam en tenue de marin lui indiqua, comme étant celle de Son Altesse impériale Sophie première, une cabine où il les déposa religieusement tout en veillant bien à ne pas montrer sa surprise.

Il lui fut plus difficile d'affecter de n'attacher aucune importance au léger et complexe mouvement de haut en bas, de droite à gauche et d'avant en arrière qui lui semblait affecter le plancher de ce bateau. Il lui fallut pourtant encore, en compagnie de quelques robustes portefaix, franchir de nombreuses fois, dans les deux sens, cette étroite passerelle dominant si dangereusement un élément bien peu coutumier dans son environnement ordinaire pour que, enfin, tous les bagages des Altesses soient embarqués.

Avant que les amarres soient larguées, il eut encore le temps de remarquer sur le pont quelques rutilants uniformes de maréchaux, généraux et autres officiers d'état-major. Après, la vérité oblige à reconnaître que Ludovic Grollier perdit pour longtemps la conscience de ce qu'il avait été, de ce qu'il aurait pu devenir, et de ce qu'il était.

Le savait-il bien, d'ailleurs ? Car, après plusieurs jours de mer, lorsque les brumes du mal du même nom commencèrent enfin à se dissiper, le valet de pied de Son Altesse impériale Jacques premier, Empereur du désert, en tâchant de reprendre son service auprès de ses maîtres et surtout de sa maîtresse, commença par réaliser que les uniformes rutilants qu'il n'avait fait qu'apercevoir, juste avant que le bateau n'appareille, outre qu'ils avaient déjà été remis dans la naphtaline, étaient portés tout bêtement par les amis de Monsieur Jacques et de Madame Sophie.

Ceux-ci, d'ailleurs, qu'aucun service impérieux et

impérial n'appelait à se secouer, persévéraient avec une belle constance à se montrer totalement allergiques à tout déplacement sur l'élément liquide. Ils voguaient pourtant. Et, autant que puisse en juger Ludovic à qui, bien sûr, Son Altesse impériale Jacques premier, Empereur du désert, n'avait pas fait la moindre confidence, cette situation ne semblait pas devoir s'interrompre rapidement.

Cela dura, effectivement. Des jours et des jours dont Ludovic, alternant les états de semi-convalescence avec ceux de totale révolte gastrique, avait perdu le compte lorsque la belle goélette blanche jeta enfin l'ancre. Du moins est-ce ce qu'expliqua fort aimablement à Ludovic un marin du navire dont on avait affalé les voiles et qui faisait fort inconfortablement le bouchon face à une plage démesurément longue, au nord comme au sud. Elle était bordée d'étranges collines d'un beau blond doré qui, elles aussi, se suivaient jusqu'à l'horizon.

Curieux paysage dont le Morvandiau qui l'observait depuis la lisse du bateau ne pouvait évidemment pas imaginer qu'il ne soit fait que d'eau et de sable, à l'exclusion totale de tout autre élément. Le même marin qui lui avait expliqué, l'instant d'avant, la manœuvre de l'ancre, vint s'accouder à côté de lui.

— Cap Juby, dit-il.

Ludovic le regarda avec des yeux ronds. Pour tenter de comprendre tous ces événements invraisemblables qui se suivaient à un tel rythme que l'un semblait pousser l'autre, fallait-il, par-dessus le marché, admettre de parler un langage de lui jusque-là totalement inconnu ? C'était, à vrai dire, plus que n'en pouvait supporter le futur maître de la Grande Cheintre. Et il ne fut pas loin, en cet instant précis, de déclarer forfait, même si les conséquences possibles de ce geste inconsidéré lui paraissaient pouvoir être sans commune mesure avec sa portée réelle.

N'avait-il pas vu Son Altesse impériale, dans un

des rares moments de lucidité que lui avait laissés le mal de mer, montrer les signes de satisfaction les plus évidents après qu'un marin, coupable d'un délit mineur, eut été fouetté, attaché par les poignets au mât d'artimon, avant d'être jeté, chargé de fers, à fond de cale ?

— Cap Juby, avait fort heureusement cru bon de préciser le marin, pourtant d'ordinaire peu loquace, c'est pas gai, pas vrai ? C'est pourtant là qu'on vient.

Il expédia loin dans le flot un jet de salive couleur tabac à priser, hocha la tête deux ou trois fois avec fatalisme et s'éloigna en haussant les épaules.

« Bienvenue au pays », pensa Ludovic chez qui c'était là l'ultime manifestation d'humour dont il se sentait capable. Il n'y avait, autour de lui, et jusqu'à l'infini sur lequel son regard se blessait de ne plus trouver la rassurante limite des collines chapeautées de forêts épaisses, que le bleu de la mer et l'or des dunes de ce Cap Juby à qui il attendait avec résignation d'être présenté. Et, par-dessus leurs têtes, encore du bleu, rien que du bleu.

« Par pitié, implora Ludovic, un peu de verdure… »

35

*Le jour à Cap Juby soulevait le rideau et la scène
m'apparaissait vide. Un décor sans ombre, sans
second plan. Cette dune toujours à sa place, ce fort
espagnol, ce désert. Il manquait ce faible mouvement qui fait, même par temps calme, la richesse des
prairies et de la mer* [1].

Accoudé à la lisse du bateau, alors qu'il contemplait avec stupeur le paysage pour le moins aride du
Cap Juby, à l'extrême pointe ouest de l'Afrique,
Ludovic Grollier cherchait inconsciemment ce
« faible mouvement » dont il ne savait pas qu'il était
sa richesse de jeune paysan morvandiau.

Et il se prit d'aversion pour ce pays aux sables
immobiles.

Heureusement pour lui, ils n'y restèrent que le
temps de quelques pas sur cette terre inhumaine où
le midi est caniculaire et la nuit de glace. Le temps
d'une pensée pour la famille et surtout pour la mère
et la sœur restées chères au cœur de l'exilé.

L'idée de la photo fut de Son Altesse impériale
Jacques premier qui tenait à ce que soient fixés pour
la postérité tous les instants de cette prise de pouvoir.

Car, sitôt descendu de la chaloupe qui les avait

1. Antoine de Saint-Exupéry, *Courrier Sud*.

amenés de la goélette, Ludovic, surpris, l'avait vu se saisir d'un long tube noir que lui tendait son aide de camp. Il en avait sorti un étendard aux couleurs flamboyantes qu'il avait pensé brandir jusqu'au sommet de la dune.

En définitive, vu l'inconfort de l'escalade et le temps prévisible pour atteindre le sommet de ce tas de sable dont l'Impératrice se plaignait déjà de l'intrusion qu'il se permettait de faire dans ses escarpins et qu'il lui brûlât sa peau au teint d'albâtre, il fut décidé qu'une petite butte dominant légèrement le cordon littoral ferait amplement l'affaire.

Son Altesse impériale s'y rendit donc, seule. Depuis le sommet de cette éminence, au pied de laquelle ses fidèles sujets, béats d'admiration, se tenaient en cercle, Jacques premier fit un tour complet sur lui-même en portant très haut son étendard, puis, d'un geste magnifique, signifia au monde la naissance d'une nouvelle puissance en fichant sa hampe dans le sable.

Ce geste essentiel étant accompli, Son Altesse impériale estima qu'elle avait suffisamment affronté les rigueurs du désert. Par insouciance et esprit d'aventure quelque peu frondeur, comme il convenait à son âge, Ludovic Grollier se désigna lorsque le nouvel Empereur demanda des volontaires pour, selon lui, assurer le premier contingent de colonisation de ces terres dont il prétendait faire un nouvel Éden.

Et qui donc assurerait les fonctions essentielles de valet de pied auprès de Son Altesse impériale ? Ludovic Grollier fut énergiquement prié d'oublier son goût pour une aventure qui tentait tellement les « pionniers » potentiels qu'on se serait vite aperçu que son nom était le seul figurant sur la liste. On dut donc opérer d'office la mutation en colons de cinq marins de la goélette qui se montrèrent, en fin de compte, fort peu fiers, malgré ce que leur en disait leur Empereur, de ce qui ne leur apparaissait pas du tout comme une promotion. A leur tête, et sans qu'il lui soit permis de discuter les ordres, fut nommé un Maréchal d'empire arbitrairement choisi parmi les amis de Jacques premier.

Certains de ceux-ci, d'ailleurs, commençaient à se demander s'il avait été bien raisonnable de s'engager à sa suite dans ce qui leur était apparu, au premier abord, comme une nouvelle extravagance d'un fils de famille tout à fait coutumier du fait, et revêtait peu à peu la forme d'une aventure politico-militaire se prenant très au sérieux bien que n'ayant pas la moindre petite chance d'aboutir.

Bien en prit à Ludovic d'avoir été ainsi remis d'autorité dans son seul rôle de valet de pied. Car, pour être d'opérette, le Maréchal d'empire et son armée de cinq hommes ne s'en retrouvèrent pas moins prisonniers du désert lorsque la goélette reprit le large. A son bord, l'Empereur, fort satisfait d'avoir pu garder son valet de pied, le réprimanda vertement pour avoir eu simplement l'idée d'abandonner son service. Mais ce furent les reproches beaucoup plus circonstanciés et démonstratifs de l'Impératrice qui retinrent l'attention de Ludovic Grollier.

Alors que le navire cinglait à nouveau vers une destination qui lui était inconnue, il se reprochait amèrement de n'avoir point compris plus tôt et se jurait, à la vie à la mort, de ne plus s'éloigner d'un pas de la destinée de Sophie, ci-devant comédienne de boulevard, et dont il réalisait enfin qu'elle se retrouvait un peu prisonnière de son dernier rôle, comme lui l'était de celui de valet de pied que lui avait imposé l'Empereur.

La navigation, cette fois, ne dura guère. Et, un beau matin, par le hublot de sa cabine, Ludovic Grollier, bouvier morvandiau de son état, découvrit, émerveillé, la baie de Las Palmas, sur l'île de la

Grande Canarie. L'Empereur, en attendant que son Maréchal et ses premiers colons lui transmutent en Éden le sable de Cap Juby, avait choisi de prendre ses quartiers dans un décor nettement moins aride.

Alors que, entre deux cocktails et quelques promenades dans l'enchantement de l'arrière-pays, on était très occupé à dresser, sur le papier, les organigrammes des futures administrations, à nommer les ministres, officiers généraux et autres grands ingénieurs, ce fut pourtant là que la nouvelle parvint à la Cour et y fit l'effet d'une bombe : les Maures avaient osé s'en prendre à l'Empire et avaient tout bonnement enlevé... la totalité de sa population ! Et ils avaient, par-dessus le marché, l'outrecuidance de réclamer une rançon dont le montant, pour le moins coquet, révélait, de leur part, une connaissance certaine des choses du monde européen et, plus précisément encore, du montant de la fortune de Jacques Dybaule.

Car c'était bien à lui qu'ils s'adressaient, ignorant totalement Son Altesse impériale Jacques premier du désert.

La remise de l'ultimatum qu'ils lui faisaient parvenir par un brave homme d'intermédiaire fut un véritable morceau de bravoure. Ce fut l'occasion pour Jacques Dybaule alias Jacques premier de se mettre dans une terrible colère dont il était convaincu qu'elle était pour le moins fondatrice de son état impérial. Il fit pourtant l'erreur de l'achever en refusant tout net de payer le moindre centime de rançon et en menaçant le négociateur de coups de bâton.

On eut toutes les peines du monde à lui faire entendre raison sur ce seul dernier point. Il finit par chasser l'homme comme un malpropre. Mais il ne céda rien, par ailleurs, quant à la rançon dont il interdit même qu'on y fasse allusion devant lui.

On voulut lui faire entendre qu'il en allait tout de même de la vie de six hommes et que, s'il ne voulait pas dépenser d'argent pour eux, il faudrait bien que soient envisagés les autres moyens de nature à leur faire recouvrer la liberté. Il éluda, prétendit se remettre en colère, et força son entourage à en revenir, de gré ou de force, aux plans mirifiques qu'il faisait pour le prochain établissement de son empire.

Sa modeste fonction de valet de pied faisait passer Ludovic Grollier pour quantité si négligeable que tous les propos les plus graves et les plus de nature à engager l'avenir pouvaient se tenir devant lui au même titre que devant les meubles. Il entendait tout de même. Et si, stylé, il n'en montrait rien, il n'en commençait pas moins à s'inquiéter. Non pas pour lui mais pour sa chère Sophie dont il redoutait de plus en plus qu'elle se soit livrée entre les mains d'un fou.

Que faire, pourtant, si loin de la mère patrie ?

Plus que jamais, il se jura de rester fidèlement attaché aux pas de la jeune femme à qui allaient, de plus en plus souvent et de plus en plus fort, ses plus secrets soupirs.

Entre-temps étaient revenues de France, où on avait expédié les plaques, les photographies réalisées lors du bref séjour à Cap Juby au cours duquel s'était déroulée la si belle cérémonie du drapeau. Dans sa grande magnanimité, Son Altesse impériale Jacques premier, Empereur du désert, offrit à chacun de ses sujets un très beau portrait de lui-même en pied et en grand uniforme à côté de la fameuse bannière plantée dans le sable de Cap Juby. Il était accompagné du cliché que chacun avait pu se faire faire dans la tenue et la position de son choix.

Ludovic eut tout d'abord une pensée émue pour les six détenus dont les portraits devaient s'empiler dans un coin des bagages de Son Altesse impériale. Pour ne pas faire autrement que les autres, il se rendit ensuite dans une petite échoppe de Las Palmas où on lui avait indiqué qu'il pouvait à bon compte faire encadrer la photo de l'Empereur dont il était de bon goût qu'elle trônât en belle place dans sa chambre.

Le marchand lui proposa plusieurs formules. Il trouva vite l'encadrement le plus simple et le plus économique qui convenait à la photo impériale. Mais il se posait la question de savoir sous quelle forme adresser à sa mère et à sa sœur le splendide portrait que le photographe avait fait de lui vêtu d'une gandoura maure, chaussé de naïles, enturbanné et sur fond de dunes blondes.

Il finit par craquer pour un cadre étrange sur le socle duquel était fixée une sorte de pierre blonde plus étonnante encore. On lui expliqua ce qu'était une rose des sables. Il sacrifia une bonne part de ses maigres économies pour l'achat de cet objet surprenant qu'il fit expédier, lesté de sa photo, à l'adresse d'Antoinette et Pauline Grollier, à la Grande Cheintre, commune du Crot-Peuriau, département de la Nièvre, en cette bonne terre de la République de France.

Puis il l'oublia. Les événements, il est vrai, étaient de nature à retenir toute son attention. Il y avait tout d'abord les rangs qui se clairsemaient autour de Jacques premier. Indéniablement, les rats quittaient le navire dans la coque duquel la colère et l'indifférence impériales à l'égard du sort des six otages avaient créé une très grave avarie ! Une avarie, pour tout dire, irrémédiable. Et s'il restait encore quelques irréductibles autour de l'Empereur du désert, ils persistaient moins pour sa gloire que pour ne pas abandonner totalement les six malheureux à leur triste sort.

Ludovic Grollier, lui, tenait bon pour veiller sur Sophie qui n'était déjà plus pour lui que Madame Sophie pour qui il se serait fait tailler en pièces sans la moindre hésitation.

Et puis, par un curieux concours de circonstances auquel ne furent étrangers ni les déserteurs ni ceux qui tenaient bon mais les avaient chargés de cette mission, l'opinion publique française apprit que six hommes étaient livrés à la cruauté supposée de quelques indigènes du désert par la faute d'un capitaliste ambitieux et un peu fou qui prétendait se tailler un empire dans cette portion d'Afrique alors encore dépourvue de frontières précises.

Un journaliste de renom et aux idées particulièrement progressistes se saisit de l'affaire, la monta en épingle.

On s'émut. On questionna. On gronda. On s'emporta tant et tant que le gouvernement, qui n'avait pas besoin d'ajouter cette préoccupation à tant d'autres, résolut d'envoyer sur place une unité de sa glorieuse marine et quelques fantassins avec la mission explicite de ramener sains et saufs les six otages.

Ah ! il avait fière allure, le croiseur qui vint croiser dans les eaux de Cap Juby ! Il suffit d'ailleurs qu'un petit détachement de fantassins débarquât pour que les Maures, qui n'étaient pas gens plus méchants que d'autres, s'empressent de rendre à leurs six prisonniers une liberté qu'à tout prendre ils ne leur avaient guère ôtée. Ils prétendirent les avoir simplement « invités » dans leur campement, à deux ou trois jours de marche de là. Et — faut-il que ce soit bête ! — ils avaient quelque peu oublié de leur indiquer par quel chemin regagner leurs pénates !

Cette fois, sentant bien que leur vie valait tout de même plus que le petit bénéfice qu'ils escomptaient de l'opération, ils prirent soin de les raccompagner jusqu'à Cap Juby. Et l'affaire aurait pu se terminer autour du thé à la menthe qu'on servit aux troufions français, sur la plage à quelques encablures de laquelle le glorieux croiseur se balançait doucement en tirant sur sa chaîne d'ancre. Le sultan du Maroc voisin et Sa Majesté la Reine d'Angleterre, plus lointaine mais toujours à l'affût de telles occurrences, eurent pourtant le mauvais goût d'élever une véhémente protestation.

Comment ? Un vaisseau de guerre français dans les eaux sahariennes ? Intolérable et annonciateur, bien évidemment, des pires visées impérialistes…

Le gouvernement de la République, soulagé d'avoir glorieusement sauvé ses six ressortissants, n'en eut pas moins toutes les peines du monde à se sortir de ce guêpier diplomatique dans lequel l'avait fourré Jacques premier, Empereur du désert. On lui fit savoir sans ménagements que la plaisanterie avait suffisamment duré et on l'invita très fermement à abandonner ses ambitions africaines et à regagner le pré carré national.

Il dut s'y résoudre. Et Ludovic Grollier qui, au plus fort de son mal de mer, lors du voyage d'aller, s'était bien juré qu'on ne l'y reprendrait plus, pour ne pas abandonner dans la tourmente sa chère Sophie et dans la perspective joyeuse de revoir les vertes campagnes de France, dut se résoudre à subir à nouveau l'épreuve d'une longue, très longue navigation jusqu'à Cherbourg.

36

Il en est souvent ainsi de l'inconstance humaine qui peste, vitupère et voue, un jour, aux gémonies ce que le lendemain elle regrettera amèrement d'avoir perdu.

Ludovic Grollier ne mesura à quel point il s'était laissé gagner par l'appel du voyage qu'en retrouvant l'hôtel luxueux, mais sans le moindre exotisme, que possédaient les Dybaule, dans le Paris resplendissant que le baron Haussmann avait laissé à la jeune République. Et Ludovic Grollier se mit à s'y ennuyer copieusement.

Plus excentrique que jamais et confronté à toutes les tracasseries que lui valait la suite de ses aventures sahariennes, Jacques Dybaule, ci-devant Empereur du désert, ne fut pas même effleuré par l'idée que le jeune Morvandiau pourrait avoir le mal du pays. Et Ludovic Grollier ne pensa pas à le sortir de son erreur puisque, à vrai dire, hormis cet ennui que lui inspirait Paris, l'envie de retrouver la Grande Cheintre et les luttes qu'il y avait laissées ne le travaillait pas. Sa grande préoccupation, celle pour laquelle il aurait affronté tous les ennuis du monde, était bien plutôt de ne pas perdre de vue sa chère Sophie.

Elle-même, d'ailleurs, ne parut pas retrouver Paris avec beaucoup d'enthousiasme. Toutes ces aventures n'avaient en rien entamé l'attachement qu'elle manifestait à Jacques Dybaule, au grand dam de son valet de pied. En somme, comme ce dernier, dans l'ombre du richissime aventurier, la modeste comédienne continuait de jouer son rôle en aspirant à de nouveaux départs et à de nouvelles découvertes.

Le jeune Ludovic s'ouvrit-il à la charmante Sophie de l'amour dont il brûlait pour elle ? Nul, jamais, ne le sut. Mais il est curieux de constater combien ces deux âmes que tout rapprochait, leurs origines populaires comme leur âge et le penchant naturel qu'elles ressentaient l'une pour l'autre, restèrent d'une fidélité indéfectible à l'égard d'un homme qui, par contre, ne leur était commun en rien.

Ils n'eurent en fait à ronger leur frein que peu de temps. Très vite, la somme des ennuis, assignations et autres réquisitions, qui affluèrent en avalanche vers l'hôtel de Jacques Dybaule, l'incita à aller prendre l'air plus loin.

— Tout ça, disait-il d'un air sombre, pour avoir voulu planter un drapeau sur une dune…

Les marins de la belle goélette blanche étaient tout de même les plus acharnés à vouloir lui faire rendre gorge. Ils y avaient peut-être quelques bonnes raisons.

Ce fut pourtant un événement d'un ordre tout à fait différent qui fit que l'on boucla à nouveau les malles. L'Europe, au gré de Jacques Dybaule, bruissait un peu trop de bruits de bottes et de cliquetis d'armes. Au lendemain de l'attentat de Sarajevo, dans les premiers jours de juillet 1914, sans savoir que ce mois serait avant longtemps le dernier d'une paix d'ailleurs devenue bien fragile, Ludovic Grollier, valet de pied désormais attaché au service de Madame Sophie et qui ne semblait pas s'en plaindre, escaladait à nouveau l'échelle de coupée d'un navire, les bras encombrés de paquets et de valises.

Il ne s'agissait plus, cette fois, d'une belle goélette blanche mais d'un grand transatlantique. Ce qui n'empêcha pas Ludovic Grollier d'être malade comme un chien durant toute la traversée, ou presque. Il ne savait pas encore que c'était bien peu cher payer l'avantage d'échapper à la boucherie à laquelle, quatre années durant, allaient succomber des millions d'hommes parmi lesquels son propre frère.

Il lui arriva pourtant de se trouver nez à nez, alors que la clémence des éléments lui permettait d'assurer un service un peu chancelant auprès de Madame Sophie, avec le photographe emmené naguère par Son Altesse impériale Jacques premier du désert jusqu'à Cap Juby. Ils se reconnurent, sympathisèrent, et l'homme de l'art, captivé par cette tête moustachue de conducteur de vaches successivement rencontrée au cœur du désert puis au milieu de l'Atlantique, proposa à Ludovic de lui tirer le portrait en situation, en quelque sorte.

Celui-ci, bien sûr, accepta. Et nos deux compères, que l'entreprise amusait, partirent à la recherche d'une tenue de marin qui puisse convenir à ce paysan morvandiau au pied si peu aguerri à la chose maritime. C'était d'ailleurs là un des aspects de l'affaire qui les retenait et les amusait le plus.

Il leur fallut questionner bon nombre de marins avant que l'un d'eux consentît à leur indiquer un de ses collègues qui pourrait faire l'affaire. Ils le cherchèrent et finirent par le dénicher au carré des matelots, occupé à sculpter, de la pointe de son couteau, une minuscule coque de navire. Il accepta de louer une tenue de marin mais à condition que lui soit achetée, en prime, une de ses œuvres. Il s'agissait de beaux petits navires, des goélettes, des cap-horniers, des bateaux de ligne, soigneusement décorés et enfilés dans des bouteilles où ils naviguaient pour le reste des temps.

Ludovic revit sa rose des sables. Il pensa à sa mère

et à sa sœur. Le photographe lui laissa une plaque. A New York, il parvint à passer au-dessus de l'aversion que lui inspirait la ville monstrueuse pour faire développer sa plaque et en faire tirer une photographie au format d'un cadre à peu près similaire à celui qu'il avait trouvé à Las Palmas. Il installa lui-même la bouteille du trois-mâts devant le cadre, emballa soigneusement le tout et l'adressa à Antoinette et Pauline Grollier, la Grande Cheintre, commune du Crot-Peuriau, dans la Nièvre, en cette pauvre République de France que la guerre déchirait.

Mais que savait-il de la guerre, depuis le confortable appartement où s'étaient installés Jacques Dybaule et Sophie ? Ludovic ne voyait que le service de cette dernière. Dans ce pays de fous où tout, la ville, la taille des gratte-ciel, les gens toujours pressés, la langue, semblait le repousser et le confiner dans un isolement définitif, il n'avait de salut que dans l'attention méticuleuse qu'il portait au confort et aux aises de sa jeune maîtresse.

Encore ne fallait-il surtout pas se méprendre sur le sens de cette dernière formule. Il n'avait rien d'imagé et ne concernait strictement que la totale dépendance dans laquelle il se complaisait lui-même à l'égard de la jeune femme. Du moins n'eut-on jamais le moindre soupçon de ce qui aurait pu se passer entre eux, au-delà de ce seul rapport de subordination.

Même aux pires moments de ses excentricités, Jacques Dybaule, dont il faut bien arriver à écrire que son état mental commençait à se dégrader sérieusement, n'eut l'idée d'émettre le moindre doute sur la scrupuleuse fidélité avec laquelle Ludovic Grollier servait, à New York, ce couple étrange.

N'ayant jamais lu les journaux et ne saisissant de la langue anglaise que les quelques mots indispensables à ses rapports avec les commerçants du quartier, il avait vite cantonné son existence à l'appartement de ses maîtres et aux allées du parc sur lesquelles s'ouvraient leurs fenêtres.

Il y retrouvait un faux air de campagne, des oiseaux, des écureuils et même des traces de lapins ou de renards sans lesquels son âme simple de paysan aurait eu beaucoup plus de mal à se satisfaire de l'univers confiné dans lequel il lui avait fallu organiser son existence.

Il ne sut donc rien ou presque de l'horreur de la guerre qui déchirait l'Europe. N'ayant pas mis son adresse new-yorkaise au dos du paquet qu'il avait envoyé à sa mère et à sa sœur, il n'en attendait pas de réponse. Et Monsieur Jacques eut tôt fait, dans les mois qui suivirent leur installation américaine, de leur donner amplement matière à ne plus avoir le loisir de s'inquiéter d'autre chose que de ses frasques.

Elles devinrent, à vrai dire, quasi quotidiennes. Tout était matière à scandale. Dans sa paranoïa, il était capable de voir dans le moindre de ses interlocuteurs, qu'il s'agisse de l'épicier, du serveur d'un bar, ou même d'un agent de police, un complice de ces maudits Français qu'il reniait copieusement. Il leur reprochait, jusqu'à la haine, de n'avoir pas su mesurer ses mérites à ce qu'il estimait être leur juste valeur et, selon lui, de l'avoir persécuté.

Un mot, un regard qui lui déplaisaient et c'était la crise, le scandale, en pleine rue, au théâtre, dans une salle de restaurant ou dans un magasin. Il devenait rouge écarlate et plus rien ni personne n'était en mesure de l'arrêter.

A plusieurs reprises, il fallut l'intervention des policiers. Les premières fois, bons enfants, ils avaient patiemment attendu qu'il se calme avant de le renvoyer vers ses pénates. Mais, à force que cela se reproduise, il avait été repéré. Et, un beau jour, après, peut-être, qu'il eut dépassé la limite en rouant de coups un serveur de bar qu'il accusait d'être un agent du syndicat des matelots de Cherbourg, le sergent de police alerté, comprenant à qui il avait affaire, préféra prévenir un hôpital psychiatrique voisin plutôt que de devoir, une fois de plus, subir au poste le délire de ce fou furieux.

Ce jour-là, Madame Sophie, qui jusque-là avait affiché la plus grande sérénité face à l'accumulation de ces petits drames quasi quotidiens, crut défaillir lorsqu'elle fut avertie que Jacques Dybaule venait d'être interné sur décision du juge. Elle se précipita, fit des pieds et des mains pour le faire sortir d'un établissement assez sordide où l'on usait encore, à l'égard des fous, de techniques pour le moins contondantes et répressives.

— Qu'est-ce qu'elle a, à courir comme ça ? s'étonna la cuisinière française sur un ton vaguement méprisant. Au moins, pendant ce temps-là, il ne la bat pas.

Ludovic Grollier, à qui ces paroles faisaient mal, préféra piquer du nez vers le potage qu'il était venu avaler à la cuisine en attendant le retour de Madame.

C'était pourtant vrai qu'il la battait. De plus en plus souvent et de plus en plus fort. Ludovic avait voulu intervenir. Elle le lui avait formellement interdit et usait même de ses services pour se procurer les onguents, les pommades ou les lunettes teintées dont elle espérait camoufler les traces des coups qu'il lui portait.

Après tout, la cuisinière avait raison. Et Ludovic, surtout, fut vite ravi de l'occasion qui lui était ainsi donnée d'avoir Madame Sophie pour lui tout seul, ou presque. Il multiplia les attentions et les petits gestes discrets. Elle y fut très sensible et ne manqua pas de le lui manifester. Mais toujours apparemment de façon aussi platonique, irréprochablement fidèle à son rôle et n'imaginant probablement même pas que Ludovic puisse outrepasser le sien.

En souffrit-il ? Il aurait fallu pouvoir le lui demander. Mais personne, à ce moment-là, n'en eut l'idée.

Monsieur Jacques revint, assagi, artificiellement, pour un temps.

Et, bien sûr, il récidiva. Gravement, de plus en plus gravement. A chaque fois, dès qu'on estimait qu'il passait la limite, on le réinternait. Il séjournait quelques semaines dans cet hôpital psychiatrique puis en revenait toujours plus absent, plus tourné, semblait-il, vers un monde intérieur de lui seul connu.

Ses griefs à l'égard de la France et des Français qui, à son goût, avaient si peu su reconnaître ses grands mérites, se faisaient de plus en plus rares. C'était maintenant le monde entier à qui il avait des reproches à adresser. Et comme il ne pouvait pas régler ses comptes avec le monde entier, il s'en prenait à son entourage et, plus particulièrement, à cette pauvre Madame Sophie qu'il rouait de coups.

Pourtant, il craignait Ludovic et, dans une certaine mesure, il le respectait. Ce témoin silencieux et opiniâtre de ses multiples aventures et vicissitudes n'avait jamais dérogé dans sa fidélité et il était bien le seul à ne l'avoir assortie d'aucun avis, d'aucun conseil, d'aucun bavardage, d'aucun reproche. C'était probablement la constance de cette présence et de ce silence respectueux qui impressionnait suffisamment le dément pour qu'il ne s'en prenne jamais à lui.

Par contre, cette pauvre Madame Sophie pensait bien faire en meublant la désespérance de son amant de son inoffensif babil. Elle ne se rendait pas compte à quel point, bien loin de le détendre, en surajoutant ses propos à l'incohérence de sa pensée, elle ne faisait qu'aggraver le prodigieux désordre de son esprit.

Alors, à nouveau, il rentrait dans l'une de ses colères démentes. Elle, affolée, ne pouvait évidemment pas retenir ses larmes qui, en le culpabilisant, ne faisaient qu'ajouter à la furie destructrice de Jacques Dybaule qui se mettait à la battre.

Si Ludovic Grollier n'était pas rapidement intervenu, il l'aurait tuée. Mais le brave Morvandiau, malgré l'interdiction formelle de prendre sa défense que lui avait signifiée Madame Sophie, avait vite compris ce qu'il devait faire. Les autres membres du nombreux personnel attaché aux personnes de Jacques Dybaule et de Madame Sophie avaient eu beau protester, il ne leur en avait pas moins délégué d'autorité toutes ses autres fonctions pour pouvoir être toujours dans le voisinage du couple aux heures où il savait que le risque était le plus grand de les voir s'affronter. Et lorsqu'il entendait les hurlements de l'un comme de l'autre atteindre un point crucial, d'autorité, où qu'ils soient et quoi qu'ils fassent, il entrait dans la pièce où ils se trouvaient sans qu'on le lui ait demandé, prenait fermement Monsieur Jacques par les épaules sans le moindre ménagement et, sans hésiter à user de sa force de bouvier morvandiau, en serrant très fort au besoin, il l'emmenait ailleurs !

Jamais, à aucun moment, Monsieur Jacques ne reprocha son comportement à son valet de pied. Mais la situation n'en devint pas moins rapidement invivable. Elle demandait à Ludovic Grollier une vigilance de tous les instants, proprement épuisante et pratiquement impossible à tenir.

Le drame, d'ailleurs, en naquit. Un samedi soir, alors que le calme le plus parfait régnait dans le boudoir où Monsieur Jacques semblait plongé dans l'étude passionnée de quelques documents dont Ludovic ne connaissait pas l'origine, ce dernier, qui n'avait pas mis le nez dehors depuis des jours et des jours, sentit naître en lui l'envie de se changer les idées. Il alla en demander l'autorisation à Madame Sophie qui, dans son cabinet, s'occupait à quelques tâches de lingerie. Elle l'y encouragea et, le remerciant chaleureusement de la garde vigilante qu'il montait ordinairement autour d'elle, l'assura que rien ne pouvait plus la réjouir que de le savoir se divertissant un peu.

Il partit donc. Mais il prit fort heureusement la précaution de laisser à la femme de chambre de Monsieur Jacques l'adresse du bar où il espérait pouvoir rencontrer quelques connaissances qu'il s'était faites parmi les gens de maison d'origine française vivant à New York. Bien lui en prit. Car il n'était pas arrivé de vingt minutes dans cet établissement qu'il y était demandé au téléphone. La brave femme de chambre hurlait presque dans l'appareil tant elle redoutait le pire.

Ludovic Grollier héla un taxi. Il fit du plus vite qu'il le put. Mais, lorsqu'il fit enfin irruption dans le luxueux appartement de ses maîtres, trois hommes membres du personnel, embarrassés de leur prévenance à l'égard de Monsieur Jacques dont ils ne parvenaient pas à se défaire, tentaient tant bien que mal de le contenir pendant que la femme de chambre s'activait autour de Madame Sophie qui avait perdu connaissance.

Ludovic blêmit. Il fonça sur Monsieur Jacques. Et, écartant ses trois collègues, il eut très vite les quelques gestes énergiques et dénués de tout faux respect qui lui permirent de maîtriser son patron et de le conduire sans le moindre ménagement dans sa chambre où il le jeta littéralement sur son lit. Jacques Dybaule, plus encore que les autres fois, se mit tout de suite à sangloter piteusement en se recroquevillant en chien de fusil sur la courtepointe.

Il n'y avait plus rien à craindre de lui avant plusieurs heures, Ludovic le savait. Il se précipita donc dans le salon où Madame Sophie, qu'on avait allongée sur un sofa, reprenait lentement ses esprits. Usant d'une autorité que ne lui discutaient plus les autres membres du personnel, il les écarta en les remerciant pour ce qu'ils avaient fait en son absence, et s'agenouilla au chevet de sa maîtresse. Elle était couverte de bleus et d'ecchymoses. Elle eut pour lui un pauvre sourire.

— La prochaine fois, dit-elle dans un souffle que lui seul put saisir, je le tuerai.

Il comprit et, dès le lendemain, sans hésiter, se rendit chez un armurier où, sur ses propres économies, il fit l'acquisition de deux pistolets. Il les lui remit. Sans un mot, elle les rangea dans le tiroir de son secrétaire.

Dès lors, ils vécurent dans l'attente du drame inéluctable. Les regards qu'ils échangeaient étaient pleins de ce secret. Et il n'avait plus d'autre préoccupation que d'agir de telle sorte, d'être dans une telle position, lorsque surviendrait l'instant qu'ils attendaient plus qu'ils ne le redoutaient, que les soupçons pèsent immédiatement sur lui.

Ainsi leur vie devint-elle un enfer. Et celui-ci se prolongea de longs mois. Car Ludovic, rendu prudent par le précédent drame, s'était volontairement condamné à une sorte de réclusion totale. Il ne quittait plus Madame Sophie, rendant ainsi quasi impossible la réédition d'une scène d'une telle violence qu'elle en vienne à utiliser ses armes.

L'un et l'autre, pourtant, savaient qu'il en serait ainsi, tôt ou tard.

Ce fut dans cette ambiance qu'on apprit qu'en Europe la guerre avait enfin cessé. La nouvelle parut pourtant laisser Monsieur Jacques parfaitement indifférent. Et l'espoir, quelques instants nourri par Ludovic, de retrouver enfin les horizons moins inhumains de la douce France s'éteignit rapidement.

Seule restait l'insupportable tension dans laquelle ils vivaient et que continuaient de contenir leurs regards, lorsqu'ils se rencontraient, malgré les mois qui passaient.

Monsieur Jacques subit encore plusieurs séjours en hôpital psychiatrique. A chaque fois, il en revenait un peu plus détruit, hébété par les traitements qu'on lui faisait subir, de plus en plus fréquemment sujet à ses crises de démence. Bien sûr, le mal était irréversible. Mais il semblait à ce pauvre Ludovic que Madame Sophie, peu à peu, se laissait elle aussi glisser vers une forme de folie.

— Pourquoi ne rentrons-nous pas en France ? Qu'est-ce qui nous en empêche ? avait-il osé lui demander un matin, après une crise particulièrement violente, la veille au soir.

A chaque fois, durant quelques heures après celles-ci, s'établissait entre eux une sorte de complicité née du malheur dont Ludovic aurait bien voulu pouvoir profiter pour la sortir de l'atroce enchaînement.

De ses grands yeux verts dont le regard captivait Ludovic, elle l'avait longuement fixé.

— Pourquoi ? avait-elle fini par s'interroger. C'est vrai. Pourquoi ne partirions-nous pas pour la France ?

Un très bref instant, il avait brûlé d'espoir.

— Qu'y ferions-nous ? avait-elle simplement ajouté. Tu veux me le dire, mon brave Ludovic, qu'y ferions-nous, dans cette France dont ton maître ne veut plus entendre parler ?

Il eut sur le bout de la langue de lui dire la Grande Cheintre, de lui annoncer qu'il en serait un jour le maître et qu'il ne tenait qu'à elle qu'elle en devienne la maîtresse... Il n'osa pas.

Peut-être parce que, déjà, sans trop se l'avouer, il n'y croyait plus beaucoup.

Le drame survint un matin très tôt.

De sa chambre, c'est à peine si Ludovic entendit les deux détonations. Il tendait l'oreille lorsqu'on heurta violemment à sa porte.

— Monsieur Ludovic, Monsieur Ludovic, répétait la femme de chambre d'une voix blanche. Vite, venez vite, elle l'a tué.

Il n'y avait aucun étonnement dans le regard

qu'ils échangèrent lorsqu'il arriva dans la chambre de Madame Sophie. Elle se tenait très droite, à deux pas du lit sur lequel il gisait dans une mare de sang. Sa femme de chambre avait jeté un vaste peignoir bleu sur les épaules de la jeune femme que couvrait une trop légère chemise de nuit. Ses grands yeux verts semblaient manger son visage blême et refléter à la fois toute l'horreur de son geste et la détermination avec laquelle elle l'avait accompli. Elle tenait encore un pistolet dans chaque main.

Ludovic s'en saisit et les tripota énergiquement. Ne disait-on pas qu'on pouvait identifier un meurtrier aux seules traces invisibles qu'il laissait derrière lui ? Il enfourna les armes dans les poches de sa propre robe de chambre et conduisit Madame Sophie jusqu'à un fauteuil, au fond de la pièce. Elle se laissa faire.

— C'est moi qui ai tiré, lui dit-il. J'ai tiré pour vous défendre, d'accord. Mais c'est moi qui ai tiré. C'est bien entendu ?

A sa plus grande surprise, elle secoua doucement la tête de droite à gauche.

— Non, dit-elle.

— Si. Il le faut.

— Non.

Son ton, tout à coup, s'était fait tranchant. Ludovic en resta sans voix.

— Mais enfin, Madame...

— Inutile, Ludovic. Tu n'y changeras rien. J'irai jusqu'au bout [1].

---

1. L'épisode de « l'Empereur du désert » et de sa fin pitoyable à New York s'inspire fidèlement d'un fait réel. Il défraya la chronique durant un temps, au début de ce siècle, fut effectivement la cause d'un incident diplomatique entre la France, d'une part, l'Angleterre et le Maroc, d'autre part, et sombra dans l'oubli lorsque survinrent bien d'autres événements autrement plus graves.

Elle n'en démordit pas.

Et, lorsque arrivèrent les policiers, Ludovic Grollier n'était plus qu'un employé de maison sans histoire, sans passé et dont l'avenir ne lui appartenait pas.

37

— On aurait très bien pu ne plus jamais entendre parler de Ludovic Grollier, dit Gaston Fossurier.

Avec l'heure qui avançait, les derniers voiles de brume s'étaient déchirés. Il faisait lumineusement beau et Gustave, sans rien perdre du récit du vieux, surveillait tout de même le ciel avec intérêt.

— Ne te soucie donc pas, lui dit le vieux. On en aura fini bien avant que ce soleil-là ait séché ton foin. D'ailleurs, pour ce qu'il en reste…

Gustave eut l'air dépité d'un enfant pris en faute. Mais on pensait à autre chose. Sylvie et Michel, adossés à la rambarde en ferronnerie du perron, coude à coude, étaient toujours à New York où l'Empereur du désert venait de sombrer dans un décor dramatique. Gaston Fossurier s'intéressait évidemment moins au foin gâché du Flûtot qu'au dénouement de son histoire.

— On aurait très bien pu ne plus jamais entendre parler de Ludovic Grollier, répéta-t-il. Apparemment, en arrivant en France, il a voulu changer de nom.

» Faut dire… Ce retour, ça n'a pas dû être drôle. Sans rien pouvoir faire, alors qu'il pensait continuer à mener le jeu, quitte à en subir toutes les conséquences, il a vu emmener Madame Sophie, la femme à qui il portait un tel amour qu'il l'avait suivie de

France en Afrique et d'Afrique en Amérique, lui, le Morvandiau jusque-là jamais sorti de son trou. De cet instant-là, il n'a plus eu la moindre réaction.

» Tout espoir lui ayant été ôté de pouvoir la revoir, il s'est laissé aller jusqu'à ne plus guère être qu'un objet, un de ces meubles qu'on a rassemblés et mis dans la cale d'un bateau, à destination de la France où la famille Dybaule entendait rentrer dans son bien.

Dix ans plus tôt, il avait signé un contrat pour s'occuper des bœufs achetés par Jacques Dybaule. Sans rechigner, rentré en France, il admit qu'il lui restait à honorer ce contrat. Comme si ces dix années de bons et loyaux services en tant que valet de pied ne comptaient pas, au motif qu'il n'avait pas été embauché pour ça.

Sans un mot, oubliant totalement ce qu'il était quelques jours auparavant, il se retrouva bouvier dans une grande ferme du Nord. On l'avait logé dans une minuscule pièce aux murs blanchis à la chaux, sans autre confort qu'un lit au sommier de fer et à la paillasse emplie de paille d'avoine, une table de bois blanc et une chaise, un broc et une cuvette émaillée pour ses ablutions matinales. Sa porte ouvrait sur l'étable hébergeant les bœufs dont il avait la charge.

A cette date-là, son père, Ferdinand Grollier, était déjà mort. Et Antoinette traînait des vieux jours à jamais assombris par la disparition de ses deux fils. L'un, Fernand, était au cimetière. Sur la plaque de marbre qui dominait sa tombe, on avait fait graver la croix de guerre, qu'on lui avait octroyée à titre posthume, et la mention « tombé au champ d'honneur ». L'autre, Ludovic, avait été porté disparu.

Et c'était ce que ne pouvait pas supporter Antoinette. Elle avait gardé la photo du Saharien et donné l'autre, celle du matelot, à sa fille Pauline qui partageait avec sa mère la conviction qu'il n'était pas mort.

Mais les temps étaient à la normalisation de ces situations un peu floues par la mention « disparu » portée en marge de l'état civil.

Antoinette voulut se battre. En vain. Il y avait trop longtemps que Ludovic n'avait pas donné signe de vie. Et ces deux photos qu'elle brandissait comme des talismans ne pouvaient pas être considérées comme des éléments de nature à changer cet état de fait. Depuis la date de son départ, il s'était passé tant de choses, tant de millions d'hommes avaient été emportés par la tourmente que nul ne douta plus, bientôt, qu'il fût du nombre.

Sauf Antoinette et Pauline. Elles, jamais ne doutèrent. Et il aurait suffi, dès lors qu'il était en France, que Ludovic le fît savoir pour que tout rentrât dans l'ordre.

Mais il ne le fit pas. Et l'on aurait très bien pu ne jamais le savoir si, un jour qu'il travaillait paisiblement avec une attelée de bœufs dans un labour profond des belles et grasses terres à betteraves du Cambrésis, Ludovic ne s'était pas alarmé de la présence d'un homme qui s'agitait en bordure du champ. Sourcils froncés, sans rien varier de son allure ni du chant monotone dont il appelait ses bœufs, la pique à l'épaule, la pointe reposant sur le joug de celui de gauche, il continua son chemin sans perdre de vue le quidam.

Il lui fallut un bon moment pour comprendre que l'autre installait sur le talus un volumineux appareil photographique. Et il lui fallut se trouver pratiquement nez à nez avec lui pour qu'ils se reconnaissent.

— Ah, ben ça alors ! fit Ludovic.

— C'est pas Dieu possible ! s'exclama le photographe en hésitant encore à admettre l'étonnant hasard qui mettait cet homme une troisième fois sur sa route.

Abandonnant ses bœufs au bout du sillon, Ludovic vint à lui et, en le prenant aux épaules pour le serrer contre lui, lui ôta ses dernières hésitations. Il fallut expliquer. Se retrouver bouvier sur les terres à betteraves du Nord après avoir été sujet impérial au Sahara puis passager d'un paquebot transatlantique, après que quatre années de guerre eurent ravagé le pays, les hommes et leur cœur, autorisait quelque étonnement.

Sans plaisir, Ludovic dut parler de la maladie de Monsieur Jacques, des coups qu'il donnait à sa chère Madame Sophie, des pistolets et du drame final. Mais il expliqua aussi sa stupeur horrifiée lorsque, arrivant dans cette grande ferme miraculeusement préservée, juste à l'ouest des pires zones de combat, il avait appris ce qui s'était passé là quatre années durant. Il n'avait eu qu'à traverser quelques *mancodées* [1] pour découvrir la monstrueuse vérité des tranchées, des bois, des champs, des villages hachés par les bombardements.

Deux ans à peine s'étaient écoulés depuis que ceux-ci avaient cessé. Mais des plaines entières restaient figées dans l'hallucinante vision de ce qu'elles avaient subi lorsqu'ils faisaient rage.

Ce fut pour Ludovic l'atroce révélation de ce à quoi, sans le savoir, il avait échappé. Tout le monde, dans ce pays ravagé, ne parlait que des centaines de milliers de soldats dont les vagues successives avaient battu à ces côtes désolées et s'y étaient brisées. Les morts, les grands blessés, les ruines, les femmes à jamais en noir, tout cela était si lourdement prégnant que le drame que venait de vivre Ludovic lui parut tout à coup d'une totale dérision.

Qu'était-il, lui, le futur maître de la Grande

1. Ancienne unité de mesure du Cambrésis.

Cheintre, à s'agenouiller devant une femme et à craindre pour son sort, alors que son pays était ainsi mis à feu et à sang ? Il se sentit coupable de n'avoir même pas jeté un coup d'œil, durant toutes ces années, sur les journaux qui encombraient en permanence le cabinet de Monsieur Jacques et dont la lecture d'un seul, il en était convaincu, en le rendant à la conscience de ses devoirs, l'aurait jeté dans le premier navire en partance pour la France.

Il pensa alors se précipiter à la Grande Cheintre. Il alla même jusqu'à solliciter un congé de son contremaître. Mais ce brave homme ne se montra pas enthousiasmé à l'idée de devoir se passer de ses services durant plusieurs jours pour un motif si personnel, alors que pressaient les labours.

— Renseigne-toi d'abord, lui dit-il. Si ça tombe, de ta famille, il ne reste pas grand-monde.

Puis, voyant le trouble dans lequel sa réflexion jetait Ludovic, il ajouta :

— Tiens, parce que c'est toi, je vais m'occuper moi-même de cette affaire-là.

Il ne fallut guère plus d'une semaine pour que, un beau matin, il appelât Ludovic qui était en train de préparer ses bœufs avant de partir aux labours.

— Tiens, dit-il. J'ai ça pour toi.

Et il lui tendit une simple feuille de papier sur laquelle la main appliquée d'un scribe quelconque avait résumé le destin d'une famille de la façon la plus concise qui puisse se trouver. Ludovic Grollier apprit ainsi que son père était décédé à la veille de la guerre, que son frère était à compter parmi tous ceux qui n'étaient pas revenus des tranchées, et qu'il avait laissé un orphelin, que sa mère venait d'être portée en terre, que sa sœur était mariée depuis moins d'un an et que lui-même n'avait plus d'existence légale.

« Ludovic Grollier : porté disparu. »

Roulant des yeux effarés, il resta longtemps figé

face à cette invraisemblable mention dont il ne pouvait pas détacher le regard.

— Comme ça, t'es au courant, décréta le contremaître qui trouvait que la séance durait un peu longtemps. T'as plus besoin d'y aller voir, pas vrai ?

Et, faisant demi-tour, il s'éloigna nonchalamment. Ludovic partit au labour avec ses bœufs. De toute la journée, il n'eut d'autre pensée que celle de sa famille décimée et de sa non-existence. Ce qui l'avait le plus frappé, c'était la décontraction un peu cynique avec laquelle son contremaître s'était adressé à lui qui n'existait plus. Manifestement, il n'avait même pas pris le temps de lire le papier avant de le tendre à Ludovic.

Et celui-ci, effaré, découvrait ainsi qu'il pouvait continuer de vivre tout en n'existant plus.

A vrai dire, il n'eut même plus la tentation de se précipiter à la Grande Cheintre. Il aurait fallu, pour cela, que brûle encore vraiment en lui le désir d'en être le maître. Mais il avait frotté cette simple évidence, sur laquelle s'était pourtant bâtie sa jeunesse, à trop de réalités différentes. Il savait trop tout ce qui pouvait exister, le bon comme le mauvais, au-delà de la possession d'un domaine en Morvan dont la finalité, exclusive avant tout cela, s'était peu à peu diluée dans toutes les expériences qu'il avait vécues, depuis ce jour de Saint-Ladre où son regard avait croisé celui de Jacques Dybaule.

Et puis, à cette sorte de minoration, dans son esprit, du rôle de maître de la Grande Cheintre, s'était ajoutée, à l'instant précis où il lisait le papier que lui avait tendu le contremaître, une sorte de mauvaise conscience irrémédiable à l'égard de cette famille qu'il avait laissée se déliter et s'éteindre, alors que lui vivait tant d'aventures. Comment, après tout cela, pouvait-il encore prétendre être le maître ?

A tout jamais, lui qui n'existait plus, il lui fallait se fondre dans l'ombre. L'idée lui convint. Ludovic Grollier, du temps qu'il existait, aurait pu effectivement devenir le maître de la Grande Cheintre. Il avait été le valet de pied de l'Empereur du désert, l'humble chevalier servant de l'Impératrice. Il avait roulé sa bosse. Jamais il n'avait démérité aux yeux de sa belle comme aux siens.

Désormais, il n'était plus rien, plus même valet de pied de Madame Sophie, plus même Ludovic Grollier, « porté disparu ». Il n'était qu'un bouvier, le plus modeste des modestes bouviers et il y trouvait une étrange satisfaction.

Il ne pensa pas changer de nom. Simplement, il se fit appeler Louis, pour que, peu à peu, Ludovic se perde dans les brumes de plus en plus épaisses d'un salutaire oubli.

38

Lorsque le photographe sortit tout son matériel du coffre de son automobile qu'il avait arrêtée au bout du sillon de Louis, Ludovic eut quelque peine à retrouver une existence, le temps d'une conversation et de quelques clichés.

Brève remontée qui aurait pu n'être que le fugace rond à la surface de l'eau que fait la cabriole du poisson avant qu'il ne retourne à ses glauques profondeurs. Ce ne fut d'ailleurs que ça pour Louis Grollier. Il se contenta d'encadrer le portrait que lui donna le photographe de la même façon que l'avaient été, auparavant, ceux du Saharien et du marin.

Au moment de choisir l'objet symbolique qui le décorerait, comme l'avaient fait, avant lui, la rose des sables et le trois-mâts dans sa bouteille, la coutume de l'œuf, que remettaient aux enfants les galvachers sur le départ, lui revint à l'esprit. « Il me faut un *niau* », pensa-t-il, se souvenant avec attendrissement de cet œuf en bois dont l'Antoinette usait indifféremment pour ravauder les chaussettes ou pour inciter les poules à pondre dans les nids qu'elle leur affectait.

Il n'eut guère de mal à s'en procurer un en furetant discrètement dans les bâtiments de la ferme dont il voyait sortir tous les matins la servante chargée du ramassage des œufs. Il l'installa sur le pied du cadre, devant la photo qui le représentait à la tête de ses bœufs.

Mais il renonça à l'envoyer à sa sœur. Et jamais il ne s'inquiéta de savoir ce que le chasseur d'images avait fait des autres clichés.

Il les exposa. La tentation était trop forte. Alors que s'allumaient un à un tous les feux de la Belle Époque, le visage remarquable de cet homme, saisi par le hasard autant que par le savoir-faire du photographe dans trois situations totalement étrangères les unes aux autres, ne pouvait pas ne pas être exploité.

Et il le fut, sans que Louis Grollier n'en sût jamais rien. Il acquit ainsi une sorte de célébrité dont personne, jamais, n'eut l'idée de lui parler.

Il se trouva pourtant que le photographe, qui avait tiré de tout cela une bonne notoriété, crut bon de se spécialiser dans les portraits rudes, rugueux et rubiconds de paysans, bûcherons et autres marchands de bestiaux. Il se mit ainsi à courir toutes les foires un peu connues.

Et il vint à Saint-Christophe-en-Brionnais.

Tous les jeudis matin, depuis le quatorzième siècle, dans cet infime village posé sur les prés lumineux du Brionnais, entre Charolais et Bourbonnais, convergent vers un immense foirail tous les animaux et tous les marchands qui ont à se rencontrer. Il y a, dans ce site à la simplicité sans le moindre fard, quelque chose de totalement irrationnel qui captive et passionne à la fois. Ceci fut de tous les temps. Et devait donc, nécessairement, attirer ce chercheur d'images.

Il y vint et, pour mettre en confiance ses futurs sujets, leur fit une brève exposition de son travail dans chacun des nombreux cafés-restaurants qui longent la rue principale et d'ailleurs unique du village.

A cinq heures du matin, lorsque arrivent les négociants, après un premier tour sur le foirail et avant que retentisse la cloche autorisant les transactions, on y vient prendre une solide collation. Après neuf heures, et après que la même cloche a mis fin au commerce, on y revient, cette fois, pour y déguster de pleines assiettes de pot-au-feu ou de côte de bœuf.

Les convives ordinaires de ces petites tavernes locales n'avaient pas pour habitude de détailler ce qu'il y avait sur les murs avant de s'attabler. Les photos attirèrent pourtant les regards.

— Ou, tout au moins, elles ont retenu celui de mon père, dit Gaston Fossurier. Moi, j'étais encore trop jeune pour avoir droit, tous les jeudis matin, au voyage à Saint-Christophe.

» Mon père faisait atteler sa voiture anglaise vers trois heures du matin. La jument, une grande charolaise osseuse mais capable de traverser le monde entier au grand trot, savait le chemin par cœur. Le mercredi, lorsque mon père annonçait son intention de se rendre à Saint-Christophe, elle avait double ration d'avoine. Et les commis n'étaient pas trop de deux, à la nuit encore faite, pour contenir ses ardeurs pendant qu'ils l'attelaient.

» Lorsque mon père apparaissait, comme par miracle, elle se calmait. Il fallait alors voir cette grande carcasse, qui ne manquait pourtant pas d'élégance, dont il semblait qu'elle n'était plus qu'un prodigieux ressort entièrement tendu vers la course dans laquelle elle allait se jeter.

» Devant les commis toujours très vexés d'avoir eu à se battre contre cette furie, mon père, sans même prendre la précaution de se saisir des guides, montait en voiture, s'installait confortablement, tirait sur ses genoux le plaid et la lourde couverture de cuir. Il enfilait ses gants sans se presser.

» Puis il se saisissait enfin des guides. Sans même qu'il ait la moindre action, le seul fait de les prendre en main faisait tressauter la bête comme sous l'effet de la plus énergique des mises en garde. Pendant qu'il prenait encore le temps de nous saluer, et donnait une ou deux dernières directives pour le travail de la journée, elle piaffait sur place, faisant parfois naître des étincelles de ses fers heurtant le pavage de la cour. Puis mon père émettait de la bouche un incomparable petit claquement.

» Je n'ai jamais su l'imiter. Ce n'est pourtant pas faute d'avoir essayé. Le résultat était prodigieux. Comment saisir et surtout décrire cet instant aussi bref que l'éclair où la voiture passait sans transition aucune de l'immobilité à l'allure la plus vive ?

» Mon père nous saluait encore d'un geste de la main. Puis l'attelage et lui se fondaient dans la nuit. Jamais il n'arriva à Saint-Christophe après qu'eut retenti le premier coup de cloche.

C'est ainsi que, alors qu'il venait se réchauffer dans une de ces petites tavernes, après une course que l'hiver n'avait en rien modérée, il se trouva que l'éclairage électrique pourtant encore modeste dont disposait l'établissement parut forcer le regard du père Fossurier à se poser sur une des photographies exposées là.

Il crut d'abord s'être trompé. Et il passa son chemin sans s'arrêter à l'impression qu'il avait eue. Pourtant, après le coup de cloche de neuf heures, lorsque, avec quelques amis, il revint vers le pot-au-feu, ses yeux furent à nouveau attirés par la photographie. Et, cette fois, pour en avoir le cœur net, il se fraya un chemin dans la foule des consommateurs.

Il n'y avait pas de doute, c'était bien Ludovic Grollier. Ils étaient du même âge. Ils avaient partagé les bancs de l'école et plus encore toutes les découvertes que peuvent faire ensemble les galopins courant les chemins, les ruisseaux et les bois.

« Ludovic ! Ben ça, alors. Qu'est-ce qu'il peut bien faire là, lui qu'on dit mort à la Grande Guerre ? »

Mais son étonnement tourna à la stupeur puis à l'incrédulité lorsqu'il le retrouva, sur d'autres épreuves, déguisé en homme du désert ou en marin.

« C'est-y bien lui ? » se demanda-t-il.

Malgré les cris de ses amis qui s'étaient attablés sans lui et qui s'attaquaient au pot-au-feu, il revint aux premières photos. Le chèche et la gandoura, la tenue de marin et le décor d'un pont de navire pouvaient à la rigueur faire douter. En tenue de bouvier, il n'y avait plus d'erreur possible : c'était bien Ludovic Grollier.

Dans le coin inférieur droit de chaque photo, il y avait une date. Mai 1912 pour celle du Saharien. Juillet 1914 pour celle du marin. Septembre 1922 pour celle du bouvier.

Les amis du père Fossurier s'étaient attablés. Ils continuaient de l'appeler, mais avec une ardeur sans cesse décroissante. Lui resta longtemps planté devant les photos. Surtout celle du bouvier. 1922, ça changeait tout, cette histoire-là.

Bien sûr, il n'en dit rien à personne. Mais à la première occasion qu'il eut de venir marchander chez François Villatte, il tenta de faire parler la Pauline. Il y fut d'ailleurs aidé par la photo du marin qu'il remarqua tout à coup dans l'ombre du buffet où il n'aurait pas juré qu'elle se trouvait la dernière fois qu'il était passé. Il fit celui qui s'y intéressait, admira, tenta d'en savoir plus. Rien n'y fit. Il n'eut droit qu'à un mutisme obstiné tout juste assorti, de temps à autre, de quelques borborygmes dans lesquels il n'y avait rien à comprendre.

Mais cela, en fait, lui suffisait. La Pauline ne se

faisait guère prier pour évoquer le souvenir de Fernand lorsque la conversation venait à s'orienter, comme il était d'usage à l'époque, sur les ravages de la Grande Guerre. Et elle ne se serait pas enfermée dans ce silence obtus, dès qu'il s'agissait de Ludovic, l'aîné pour lequel il était de notoriété publique qu'elle avait toujours nourri la même préférence que sa mère, si elle n'avait pas été au courant.

Donc Ludovic vivait, Pauline le savait et n'en disait rien. Et la raison de ce silence parut évidente au père Fossurier. Elle protégeait les droits de Ludovic dont elle espérait bien voir venir le jour où il les revendiquerait. Elle savait pertinemment qu'Antoinette, avec qui elle partageait la conviction que Ludovic réapparaîtrait tôt ou tard, avait fait le nécessaire pour que tout ou presque lui revienne. Seulement, en son absence, pour que ses dispositions ne soient pas discutées trop vite, elle avait laissé la nue-propriété de la Grande Cheintre à Honorine. Octave s'était donc contenté, sans droit bien établi, d'assumer la continuité des gestes de sa mère. Et il l'avait fait jusqu'à sa mort parce qu'il ne s'était trouvé personne pour remettre tout cela en cause.

— Vous ne m'aviez pas dit tout ça, s'étonna Gustave.

Le fin réseau de rides, qui donnait une allure de vieille pomme blette au visage de Gaston Fossurier, s'éclaira d'un large sourire.

— Si on dit tout, après, qu'est-ce qui reste ? fit-il, plein de bon sens. Et puis, ajouta-t-il, il est vrai que quand on a causé, chez le Marcel, je ne savais pas tout. Il y a des bouts, c'est Sylvie, avec ses recherches à l'état civil, qui les a trouvés. Tiens, le Ludovic, justement…

— Eh ben quoi, le Ludovic ?

Gustave, manifestement, commençait à redouter

la fin de l'histoire. Mais, curieusement, toute colère était retombée en lui. Tout cela ne le rendait évidemment pas resplendissant de joie. Mais il écoutait avec une sorte d'ennui poli et en homme qui a définitivement renoncé à ses illusions.

— Ah ben, le Ludovic, reprit Gaston Fossurier qui avait du mal à bien dissimuler une certaine jubilation, pour ainsi dire, il a comme disparu. Pas physiquement. Si on y fait attention, on s'aperçoit qu'il n'a plus quitté sa ferme du Nord où il était bouvier. Il s'est même marié, sur le tard, en 1927. Il a eu un fils. Et puis il est décédé d'accident, en 1930. Et, à dire vrai, c'est de ça et de ça seulement qu'on est sûr.

Gustave Grollier haussa les sourcils. Il voulait bien que s'effondrent toutes ses hypothèses. Mais il tenait à ce que tout cela soit bien clair. Pas question de renoncer pour de vagues recoupements sans fondement.

— Si on n'est pas sûr du reste, alors… fit-il, l'air faussement désabusé mais l'œil déjà allumé d'un dernier espoir.

Gaston Fossurier fit celui qui n'entendait pas.

— Ton père, son petit nom, c'était quoi ? demanda-t-il à Michel.

— Antoine.

— C'est bon, fit laconiquement Gaston Fossurier. Et ton grand-père ?

Michel avait la gorge sèche. Il commençait à comprendre mais ne voulait pas encore y croire. Il eut du mal à prononcer les mots.

— Je ne l'ai pas connu. Il est mort longtemps avant ma naissance. Mon père était encore gamin. Et, par la suite, il n'en parlait presque jamais.

— Jamais il ne t'a dit le prénom de ton grand-père ?

— Lui, je ne me souviens pas. C'était simplement « ton grand-père », « mon père ». Mais on en parlait si rarement.

— Et ta grand-mère ?

Michel acquiesça d'un signe de tête et eut un sourire presque reconnaissant à l'adresse de Gaston Fossurier qui le mettait sur la voie de mots si difficiles.

— Oui, dit-il, ma grand-mère, je m'en souviens bien. On allait la voir, de temps à autre, dans sa petite maison, près de la sucrerie. Il y avait des dizaines, des vingtaines de maisons en brique toutes identiques, jusque dans leurs jardins impeccablement propres et la cabane qui se dressait au fond.

On aurait dit que, tout à coup volubile, il voulait détourner la conversation. Mais il rencontra le regard de Gaston Fossurier. Et il comprit qu'il lui faudrait aller au bout.

— Quelquefois, reprit-il, ça lui arrivait, à la grand-mère, d'évoquer le grand-père. Mais, c'était la même chose, elle disait « ton grand-père » ou « mon mari ». Une fois ou deux, tout de même, je me souviens qu'elle a parlé de Louis.

— Jamais de Ludovic ?

— Jamais.

Sans même qu'il ait eu un regard vers elle, Sylvie lui tendit une feuille qu'elle tenait manifestement prête sur le dessus du dossier. Il la brandit et la fit tourner dans ses doigts.

— C'est la fiche individuelle d'état civil d'Antoine Grollier né à Villers-Outréaux, dans le Nord, arrondissement de Cambrai, en 1927. Nom de son père : Ludovic Grollier dit Louis. Nom de son fils…

Gaston Fossurier fit lentement tourner la feuille de papier devant lui comme s'il la tendait alternativement aux uns et aux autres. Ce fut Michel qui préféra trancher.

— Michel Grollier. C'est mon père, bien sûr. Il est mort jeune, lui aussi. Il avait à peine soixante ans. C'est peut-être pour ça qu'on n'a jamais beaucoup parlé du passé.

Il disait ça comme s'il s'en excusait. Gaston Fossurier, bien sûr, n'en eut cure.

— Tu es donc le petit-fils de Ludovic Grollier, son seul héritier en ligne directe.

— Et après ? fit Gustave pour la forme.

— Si tu avais demandé au notaire, comme je te l'avais dit, le Flûtot, tu ne dirais pas « et après ? ». Parce que, le notaire, il l'a, le testament de l'Antoinette, l'arrière-grand-mère de Michel. Et l'Octave, il pouvait raconter ce qu'il voulait, dans ses dernières volontés, tout ce qui compte c'est ce qu'en disait bien avant lui l'Antoinette qui tenait la propriété en bonne et due forme du vieux père Muselier. Et c'est très clair, ce qu'elle en dit, l'Antoinette. C'est pas à l'Honorine ou à l'Octave qu'elle laisse la propriété. C'est à son fils aîné Ludovic Grollier ou à ses descendants en ligne directe, c'est clair, non ?

» T'aurais demandé à tes cousins qui y sont allés, eux, chez le notaire, ils t'auraient dit. Il ne leur a rien annoncé d'autre, le notaire. Il leur a simplement demandé lequel d'entre eux pouvait se déclarer descendant direct de Ludovic Grollier.

» T'as compris, maintenant, pourquoi t'as pas eu de nouvelle ? Déçus comme ils l'ont été, bien rare qu'ils prennent la peine de se souvenir du Crot-Peuriau.

— Et ma grand-mère, la Pauline ? fit Gustave qui avait tout de même quelques difficultés à gober tout ça.

— Ta grand-mère, comme on dit, elle a été désintéressée par des sous. Marche, à l'époque, les sous, ça ne manquait pas plus que le reste, chez les Grollier. Elle a donc eu sa part. Et, d'ailleurs, elle n'a jamais revendiqué quoi que ce soit. Rien qu'à ses silences, quand on venait à parler de ce que deviendrait la Grande Cheintre, et aux regards qu'elle jetait au cadre, sur le buffet, moi je peux te le dire sans risque de me tromper : pour ta grand-mère, ça n'a jamais fait l'ombre d'un doute, c'était sa mère, l'An-

toinette, qui avait fixé une fois pour toutes le devenir de la propriété.

Il reposa la fiche d'état civil d'Antoine Grollier
sur la table où Sylvie s'empressa de la récupérer
pour la réintégrer au dossier.

— Et elle avait raison, cette femme. Pas vrai
Michel ?

39

Il faisait frais mais beau.

Gustave était parti de bon matin.

L'Ouasse, étonné, l'avait vu passer sans même ralentir devant l'entrée du petit sentier qui, entre ses haies mal taillées, se glissait sous l'ouche de la Grande Cheintre. Devant l'air un peu éberlué de son chien, Gustave avait éclaté d'un rire un peu nerveux.

— Eh ! fit-il, la vie, c'est comme ça… Un jour tu vas là. Le lendemain tu n'y vas plus. Mon pauvre vieux, si tu savais tout ce qui change !

Et, bon pas, un panier au bout du bras, il avait pris le chemin des bois. Il avait longé des prés qu'argentaient les myriades d'infimes gouttelettes de rosée élégamment suspendues au moindre brin d'herbe. Il lui fallut traverser des labours dont, malgré l'heure matinale, montaient déjà de légères vapeurs aux odeurs fortes d'humus et de vase.

Les moissons, après les foins, n'étaient plus que de lointains souvenirs. Les déchaumages et les labours allaient bon train. Septembre était là et les chiens, dans les chenils, hurlaient leur impatience qu'entretenaient les chasseurs comme un feu de forge en leur racontant de mémorables battues et en astiquant leurs fusils sous leur nez.

Gustave n'était pas de cette race-là. Il était bien plus paisible. Et s'il avait ses propres combats, ils étaient d'un tout autre ordre. Pour l'heure, il lui suffisait d'imaginer la récolte de champignons qu'il n'allait pas manquer de faire. Il avait plu, la veille et l'avant-veille, sur une terre chaude de tout un été. Et le soleil qu'annonçait ce beau matin très clair n'était pas près d'en avoir fini avec l'essuyage de toute cette humidité.

Les cèpes, là où il savait, devaient se pousser du chapeau pour jaillir de l'humus. L'Ouasse allant et venant devant lui, Gustave, balançant son panier au bout de son bras, allait, apaisé.

Tout, après tout, était en ordre. Certes, ce n'était pas l'ordre dont il avait rêvé. Mais qu'y faire ? C'était à imaginer le Crot-Peuriau sans maître à la Grande Cheintre qu'on aurait pu craindre. Puisqu'il était là...

Ce vieux drôle de Gaston Fossurier savait bien ce qu'il faisait. Et, s'il ne l'avait pas prévenu, Michel aurait eu bien tort de s'imaginer que tout ce que le vieux avait entrepris était au bénéfice de ses beaux yeux. Peu importait qu'il soit intelligent ou complètement demeuré, qu'il ait eu le bon goût de se faire admettre par la population locale ou qu'on l'ait une fois pour toutes catalogué « Parisien », ce qui, en telles circonstances et que l'on vienne ou pas de la capitale, est un qualificatif pratiquement définitif et de nature à vous exclure une fois pour toutes de la collectivité villageoise.

Non ! Michel Grollier avait certes eu l'habileté de s'attirer plus de sourires que d'inimitiés. Mais cela comptait pour valeur négligeable aux yeux du père Fossurier qui ne voyait d'importance qu'à la légitimité. Et la moindre ombre aurait plané sur le droit de Michel à prétendre au titre de maître de la Grande Cheintre que Gaston Fossurier se serait immédiatement détourné de lui et aurait continué ailleurs sa quête.

Et il avait bien raison, le bougre ! C'était du moins ce qu'était obligé d'admettre Gustave. Il n'y mettait d'ailleurs aucune colère et pas la moindre petite ombre d'amertume. Tant qu'était vacante la fonction essentielle de maître de la Grande Cheintre, toutes les manœuvres étaient permises soit pour tenter d'en récupérer le bénéfice, soit pour en détourner tout ou partie à son avantage.

Mais dès lors qu'était instauré, dans toute sa légitimité, un nouveau maître de la Grande Cheintre, que faire d'autre que de se plier à nouveau à la règle ancestrale qu'instaurait la hiérarchie ainsi reconstituée ? Peu importait que ce soit à Michel ou à un autre que soit reconnue cette nouvelle légitimité. Seule comptait la vacance ainsi éteinte.

Ce n'était pas rien que de savoir à nouveau à qui parler des prés et des champs, des plateaux et des vallons, des bois et des rivières, du ciel qui couvrait tout ça et dont on ne pouvait concevoir, au Crot-Peuriau, que s'éteigne le temps où rien n'existait dans ce vaste domaine qui ne soit « au maître ».

Gustave, en quelque sorte, avait fait allégeance. Parce que, à ne pas le faire, il se serait attiré trop de réprobations et de critiques. Seuls les puissants pouvaient se permettre de se placer délibérément au-dessus de tels jugements. Et Gustave se savait humble, tout à fait humble. Alors, il avait admis l'incontournable.

D'autant plus qu'il en avait besoin. Dès l'instant où l'espoir s'envolait, pour lui, de récupérer par manœuvre les terres escomptées de la Grande Cheintre, il était trop lucide pour ne pas mesurer la dépendance dans laquelle sa petite ferme se retrouvait par rapport au grand domaine voisin tout à coup rendu à la vie.

Ah, bien sûr, du même coup s'envolait l'espoir de reconquérir son indépendance à l'égard des hectares de Juliette. Ce fut ce qu'il eut le plus de mal à admettre. Car, il le savait bien, c'était en même temps renoncer à Sylvie. Sauf à céder à la fuite totale vers il ne savait trop quel mirage d'exotisme, et à supposer qu'elle ait accepté de le suivre dans une telle aventure, là encore, il n'avait pas d'autre choix que d'oublier ses rêves et de rentrer dans la modeste coquille de sa fonction.

Sylvie, qui, avec l'aide de Gaston Fossurier, avait rassemblé tout le dossier de Michel, avait eu le triomphe trop tendre, à quelques mois de là, lorsqu'il les avait trouvés plongés dans tous leurs documents. Et Gaston Fossurier, ce vieux drôle, avait porté un sourire visiblement trop attendri sur leur évidente entente pour que ce pauvre Gustave puisse encore entretenir la moindre illusion. Sa liaison avec Sylvie avait pu durer des mois et des années sans que jamais soit trahi ce secret connu de tous parce qu'elle arrangeait bien les choses.

Aujourd'hui, elle dérangeait. Pourquoi ? Gustave ne le savait pas bien. Peut-être était-il allé trop loin. Peut-être payait-il ses fumeux projets de gagner sur la Grande Cheintre suffisamment de terre pour rendre les siennes à Juliette et se séparer d'elle. Il en avait vaguement le sentiment. Mais seule était certaine l'échéance de leur aventure dont il avait été décidé qu'elle avait suffisamment duré.

Les choses avaient ainsi traîné quelques semaines. Sylvie, bonne fille, n'avait pas voulu lui signifier trop brutalement son congé. Mais il avait vite compris qu'elle ne le recevait plus que par pitié et parce qu'elle ne savait pas trop comment sortir de ce qui devenait un piège.

Gustave avait eu le bon goût de comprendre. De lui-même, il avait espacé ses visites. Puis, un mercredi après-midi, il était venu la voir ouvertement, au vu et au su de tout le monde, presque en visite officielle. Étonnée, elle l'avait reçu avec des façons. Et il s'était senti comme un étranger. Très raide, le dos loin du dossier, il s'était installé du bord des fesses sur une de ces chaises qui l'avaient pourtant vu bien plus à l'aise, lorsque, le matin, après leurs étreintes, il dégustait le café noir qu'elle lui servait.

— Voilà, avait-il dit sans ambages. Je crois que, nous, c'est fini.

Ce n'était pas la teneur de ce qu'il disait qui l'avait laissée sans voix, mais bien qu'il le dise et de façon si directe, presque brutale. Bien sûr, il ne faisait qu'exprimer une évidence. Et Sylvie ressentait une sorte de soulagement à l'entendre dire. Mais que répondre ?

Un instant, à la voir ainsi estomaquée, il se méprit.

— Tu ne crois pas ? dit-il d'une petite voix derrière laquelle, malgré lui, Sylvie sentit que perçait encore l'espoir.

Il ne fallait surtout pas que vive cette ambiguïté. Elle fit l'effort de se reprendre et, pour se donner une contenance, vint s'asseoir à la table en face de lui. Elle eut un haussement d'épaules fataliste.

— C'est vrai, dit-elle, c'est fini. C'est sympa à toi de savoir l'admettre comme ça.

Il n'apprécia que modérément. Ils restèrent un long moment silencieux à se regarder le bout des doigts.

— Bon, dit-il enfin en faisant mine de se lever. Eh ben… voilà, quoi.

Elle le retint en lui posant la main sur le bras.

— Allons, dit-elle, tu prendras bien une tasse de café.

Il fut sur le point de refuser et en eut déjà le geste de la tête. Elle insista d'un sourire. Il le lui rendit en acceptant. Tout le temps qu'elle s'activa autour de sa cafetière, à sortir les tasses, le sucre et les cuillères, ils restèrent silencieux. Il leur fallut encore touiller leur café un long moment avant que reviennent les mots.

— On le savait, dit-elle pour s'en persuader. Il fallait bien qu'un jour ça cesse.

Il n'était évidemment pas convaincu. Il fit tout de même l'effort d'approuver.

— Oui, dit-il dans un soupir. Il fallait bien…

— On restera bons amis.

— Bien sûr.

Il avala vite son café et prétexta un travail urgent. Tout à coup, il se sentait complètement dépassé. Elle aurait dit « le maître », « la Grande Cheintre », « l'ordre des choses », il aurait admis. Elle parlait sentiments. Il ne savait plus où il en était.

Ils se quittèrent avec, sur les lèvres et dans les yeux, des sourires empruntés.

40

Les crêtes s'étaient embrasées. La pluie avait lavé les feuillages et verni le paysage de son fin miroir d'eau sur lequel flambaient les premiers rayons du soleil. On en était à ce moment exquis où les sous-bois silencieux gardent encore toute l'apaisante fraîcheur de la nuit, alors que les lisières ouvertes sur l'espace des prés frémissent déjà, entre ombre et grande lumière, des puissants effluves de chaleur dans lesquels bruissent et vibrionnent des myriades d'insectes.

Gustave allait juste pour la promenade. A son bras, le panier était plein à ras bord. L'Ouasse, devant lui, fusait au long des haies, sautait les talus, s'immergeait dans les buissons qu'il agitait de longs soubresauts avant de jaillir à dix mètres de là. Il s'ébrouait énergiquement et reprenait sa course en slalomant entre les arbres.

Gustave prit longtemps plaisir à le suivre des yeux. Curieusement, il se sentait presque à l'unisson de la formidable joie de vivre dont semblait exulter son chien.

Puis, ils atteignirent la route. Et ils choisirent de prendre le chemin du retour.

Lorsque, l'anse de son panier toujours sous le bras, Gustave atteignit la place du Crot-Peuriau, le

soleil, déjà, l'écrasait de chaleur. L'ombre des châtaigniers dispensait une fraîcheur illusoire. Et les
volets, tout autour de la place, s'étaient clos sur des
pénombres tièdes et suggestives. Gustave passa
devant l'église et prit la diagonale à l'extrémité de
laquelle se dressait la porte de Marcel.

Elle était d'ailleurs grande ouverte. Pendant du
plafond, le grand ventilateur aux pales couvertes de
chiures de mouches brassait méthodiquement l'air
embrasé dans les plis et les volutes duquel s'éner-
vaient des milliers d'insectes.

Gustave posa triomphalement son panier sur la
table.

— Attention, claironna-t-il à la cantonade. On ne
touche pas !

Marcel, qui s'obstinait à frotter son zinc d'un chiffon douteux, eut un sourire narquois : ils étaient
seuls dans le café.

— Tu me mettras comme d'habitude, dit Gustave
en s'accoudant au bar.

Marcel s'activa.

— La grande forme, à te voir comme ça, ce
matin, le Flûtot, estima-t-il.

Gustave hocha la tête.

— Ma foi, ça pourrait être pire.

Il prit le verre que Marcel venait de poser devant
lui, s'amusa quelques instants à faire jouer, dans le
liquide ambré, la grande lumière, dont la porte largement ouverte laissait rouler jusqu'à lui le flot
épais. Puis il le porta brièvement à ses lèvres.

— T'as vu personne, ce matin ?

Marcel, qui s'était remis à l'astiquage laborieux
de son zinc, hocha la tête de droite à gauche.

— Personne, dit-il. Trop tôt. Et puis, pour
Michel, c'est le grand jour.

Gustave fronça les sourcils. Quel grand jour ?

— Eh ben, le notaire. C'est aujourd'hui qu'il
signe.

Gustave avait oublié.

386

— Ah, oui, bien sûr, fit-il.

Il finit son verre rapidement, jeta trois pièces sur le bar, ramassa son panier et vint rejoindre l'Ouasse qui avait préféré le beau soleil de ce matin lumineux au paillasson de Marcel.

— On rentre, grogna-t-il.

En descendant vers sa ferme, il comprit tout à coup que, malgré ce qu'il avait voulu en faire paraître, il n'avait pas suffi de cette évocation pour le mettre vraiment de mauvaise humeur. Que Michel soit au même moment chez le notaire où sa signature, au bas d'un document, allait faire de lui pour de bon le maître de la Grande Cheintre ne le contrariait pas réellement.

Au contraire, il y avait en lui une sorte de soulagement, comme une pression qui cédait et lui laissait enfin un peu de repos. Les choses allaient retrouver un ordre qu'elles n'auraient jamais dû quitter. Malgré l'arrière-goût de déception qu'il se cherchait au fond de la gorge, il s'apercevait que, au fond, il n'avait jamais vraiment cru pouvoir mettre la main sur les meilleures terres du domaine des Grollier.

Certes, il l'avait rêvé. Comme il avait rêvé de se détacher du même coup d'un mariage sans amour. Et il s'était jeté à corps perdu dans la première magouille qu'il avait cru bon d'imaginer autour de ce cousin inespéré.

Tout ça ne tenait pas debout.

« Ça aurait pu », se dit-il comme pour se consoler.

Seulement voilà ! L'homme apparu dans l'église, le jour de l'enterrement d'Octave Grollier, était le vrai et le seul héritier de la Grande Cheintre. Comment lui, le Flûtot, aurait-il pu le savoir puisque l'autre ne s'en doutait même pas lui-même ?

« Allons, se dit Gustave en entrant dans la cour de sa ferme, ce jour-là, au lieu de me foutre une cuite avec lui, j'aurais mieux fait de me pendre. »

Mais il savait déjà qu'il ne le pensait pas réellement.

Juliette dont c'était le jour de repos déjeunait avec les enfants. Lorsqu'il entra, leurs regards se croisèrent. Dans l'un comme dans l'autre, il y eut un curieux mélange d'interrogation et de disponibilité.

Soit pour la conciliation, soit pour la reprise de la guerre. On en était à l'instant parfaitement neutre à partir duquel tout pouvait à nouveau se produire.

Il posa sur la table son gros panier plein de champignons.

— Ils sont beaux, dit Juliette.

— Pourquoi tu ne m'as pas dit ? Je serais allé avec toi, revendiqua la petite voix aigrelette d'Hervé.

— Et moi aussi, renchérit Julie.

Il éclata de rire et, une main pour chacun, leur ébouriffa les cheveux.

— Pour aller aux champignons, faut se lever de bon matin, dit-il.

— T'avais qu'à nous réveiller, trancha Hervé.

— C'est ça, fit Gustave. Et on serait encore là !

Avec Juliette, ils rirent à l'unisson des véhémentes protestations du gamin. Julie mêla ses rires aux leurs. Mais sur un ton en dessous. Elle observait ses parents, partagée entre l'incrédulité et le fol espoir d'un grand bonheur. Ils s'en aperçurent, cessèrent brutalement de rire, bêtement gênés.

— Pourquoi vous vous arrêtez ? dit-elle ingénument. C'est bien, quand vous riez ensemble. J'aime bien.

Il y avait eu là comme un signal qui avait attiré l'attention d'Hervé. Instantanément, il oublia ses champignons et ses velléités matutinales. Par-dessus le bord de son bol qu'il tenait à deux mains, son regard rieur alla de son père à sa mère et de sa mère à sa sœur.

— Et moi, dit-il pour ne pas être en reste, j'aime pas quand vous vous engueulez.

La main de Juliette eut un frémissement en direction de celle de son mari. Mais elle se retint. Et lui ne cilla point. Trop tôt ou trop tard, c'était selon. Il ne pouvait pas encore concevoir ce retour qu'il allait lui falloir effectuer au temps où il n'avait pas de maîtresse.

Ce n'était évidemment pas pour ça qu'ils s'entendaient mieux. Mais il y avait au moins des apparences qu'il était nécessaire de préserver. Y parviendrait-il ? Juliette, il est vrai, avait su avoir, depuis quelque temps, des gestes et des arguments qu'il ne négligeait pas. Mais le plaisir suffisait-il ? N'allait-il chercher que cela auprès de Sylvie ? Il ne s'était pas posé la question et ne voulait encore voir que sa peine pour avoir dû renoncer à elle.

Il finit rapidement son casse-croûte, voulant ignorer les coups d'œil à la fois gênés, un peu malheureux et curieux des enfants. Il fit plus de bruit en se levant qu'il n'aurait fallu. Et il sortit sans que Juliette soit dupe de la mauvaise humeur qu'il parvenait si mal à singer.

41

Septembre savait avoir des journées plus belles ou presque qu'au meilleur d'août. Lavée par la pluie des jours derniers de la poussière grise dont la canicule l'avait souillée, la nature n'était encore marbrée d'aucune des nuances fauves qu'embraserait l'automne bien après la Saint-Michel. Elle avait l'harmonieuse plénitude des belles femmes qui gagnent à l'âge mûr la resplendissante saveur des fruits gorgés de soleil.

Labours et déchaumages bien avancés, les bêtes encore au pré, Gustave avait du temps libre qu'il occupait, la conscience au repos, à mille petits travaux sans grande importance, dans le jardin ou aux abords de la maison. Il y passa sa matinée, brûlé de soleil, et heureux de l'être.

Puis, quand sonna midi au clocher de l'église, il alla ranger ses outils, passa à la maison pour se laver les mains et monta chez Marcel. Il savait que, cette fois, il n'y serait pas seul. Un beau soleil comme ça, ça sèche les gosiers !

La chaleur écrasait la place lorsque Michel vint glisser son vieux break dans le peu d'ombre que dispensaient les châtaigniers. Avant de descendre de voiture, il ôta sa cravate et l'ensevelit sans façon dans sa poche. Il avait cru bon, pour un tel événement, chez le notaire, de se mettre en frais d'une grande tenue. Mais, sous le veston de flanelle gris auquel il n'était plus habitué, il avait cru étouffer.

Il sortit de sa voiture, tomba le même veston dans la poche duquel venait de naufrager la cravate, et, négligemment, par la portière encore ouverte, jeta le tout sur le siège arrière. Puis, en roulant les manches de sa chemise, sans se presser, il marcha vers le café de Marcel.

Bien sûr, il n'était pas différent du Michel Grollier qui avait quitté le Crot-Peuriau, le matin même, pour se diriger vers la ville. Mais il fallait bien tenir compte de quelques changements intervenus depuis et dont il lui semblait qu'ils pesaient déjà lourdement sur ses épaules.

« En somme, se dit-il en quittant l'ombre des châtaigniers, devenir pour de bon le maître de la Grande Cheintre, ce n'est rien d'autre que d'ajouter à ce que l'on est déjà, la traite qu'il faudra bien honorer, chaque mois, à la banque… Et se faire à l'idée d'en avoir la préoccupation chaque jour, à chaque heure, sur les épaules… Enfin, on verra. »

Il n'en était pas encore à prendre la mesure sociale de la fonction.

La porte du café était grande ouverte. Il voyait déjà ses amis de dos, apparemment accaparés par une vive discussion. Il entra. Désiré Boillard se retourna et le vit.

— Pé, les mecs, cria-t-il, voilà le maître de la Grande Cheintre !

Le ton se voulait détendu, blagueur, comme si rien n'était changé entre eux dont Michel avait retrouvé l'amitié par la grâce de la réputation de redoutable séducteur que lui avait tissée Sidonie. Gustave, une fois les gros travaux de l'été passés, avait jugé bon de mettre en sourdine ses griefs à l'égard de Michel. Non pas qu'ils ne soient plus là. Mais il était bien placé pour savoir qu'ils étaient quelque peu exagérés.

L'équipe s'était retrouvée et sa joyeuse ambiance avait eu tôt fait de passer un vernis apaisant sur ces tensions. Gustave et Michel avaient simplement veillé à ne pas se trouver trop souvent en tête-à-tête. Le rire général, les blagues fusant à la cantonade et le soin que mettait tout le monde à éviter les sujets qui fâchaient avaient permis qu'on retrouve le plaisir entier de ces moments de retrouvailles chez Marcel, redevenus quasi quotidiens.

— Alors ? fit tout de même Gustave qui n'y tenait plus et qui se sentait à bon droit celui que concernait le plus directement ce que Michel avait à dire.

— Ah ben, voilà ! fit laconiquement ce dernier, plus soucieux de se désaltérer que d'informer.

— C'est fait ?

— C'est fait.

— T'es le maître ?

Si une main hésitante, balançant de droite à gauche, pour accompagner une moue pour le moins réservée, en était le signe incontestable de reconnaissance, il était bien le maître. Mais peut-être déjà en avait-il une tout autre approche que ses amis.

— Faudrait savoir, s'impatienta-t-on. T'as signé, t'as pas signé ? Si t'as signé, t'es le maître, y a pas à en revenir. Si t'as pas signé, pour dire, t'es toujours le même rigolo.

Michel s'en étouffait de rire.

— Non mais les gars, vous y croyez, vous, à vos conneries ? Pour signer, vieux, j'ai signé, sûr. J'ai même signé plus qu'à mon tour. Tiens, c'est simple, regarde mon poignet. Il en a chauffé, mon poignet. Encore un peu, et puis je coulais une bielle, moi, là-dedans. Le problème, c'est qu'à force de signer, c'est peut-être bien vous qui avez raison, je suis toujours le même rigolo. Peut-être même plus qu'avant.

Le verre figé à la main, en rond autour de lui, ils avaient l'air sidéré.

— Attends voir, fit enfin Fernand Dessorle à qui le commerce donnait, du moins le croyait-il, l'autorité nécessaire pour argumenter de ces choses-là. Qu'est-ce que tu nous racontes là ? T'as signé et t'es pas le maître ?

— Si je n'étais que ça !

Ils eurent quelques hochements de tête un peu ulcérés. Comme si ce n'était rien d'être le maître de la Grande Cheintre du Crot-Peuriau ! Il mesura leur déconvenue.

— C'est pas ce que j'ai voulu dire, convint-il. Bien sûr que j'ai signé pour la Grande Cheintre. M'en voilà le maître, comme vous dites...

— Et si on le veut bien, ne put s'empêcher d'émettre gravement Gustave.

Michel n'eut qu'un très bref temps d'hésitation.

— Allons, dit-il rapidement, m'en voilà le propriétaire. Ce n'est déjà pas si mal.

Ils opinèrent du chef.

— Mais c'est cher, laissa-t-il encore tomber.

Ils eurent l'air éberlué.

— Les droits, dit-il simplement. T'imagines, les droits, sur un pareil domaine, et avec le temps ? Et les impôts de retard, et puis ceci, et puis cela... Crois-moi qu'ils ne te font pas de cadeaux. Depuis le temps qu'ils étaient là à attendre qu'elle leur rapporte quelque chose, cette Grande Cheintre-là qui n'était plus à personne. Alors, tu penses, après être restés si longtemps bredouilles, pour une fois qu'ils mettaient la main sur un cochon de payeur...

Les mines se renfrognèrent. Elles se firent même douloureuses et semblèrent plaindre sincèrement ce pauvre Michel.

— Et t'as tout payé ?

Il s'esclaffa.

— Tu penses ! Rubis sur l'ongle. Un chèque, et voilà l'affaire !

393

Ils rirent sans enthousiasme. Comme si ces choses-là existaient !

— Avec quels sous ? finit tout de même par hasarder Gustave.

Michel prit un air très détaché.

— Des sous ? Qui parle de sous ? Plus de sous, maintenant : des signatures. Ah, mon pauvre ami ! Je te dis, j'en ai le poignet usé. Si ce n'était que de l'acte de propriété ! De la rigolade ! Un apéritif, un amuse-gueule ! Le plat de résistance, maintenant, ce n'est plus le notaire ; c'est le banquier qui l'apporte. Mais alors, tu peux me croire, il a la main lourde, le banquier. Sa tambouille, elle te reste un peu là. Et avant que tu la digères, tu en as pour quelques années à ne plus trop savoir ce que c'est que l'estomac et surtout l'esprit léger. Ces gens-là, ils te prêtent autant d'argent que tu en veux. Mais, pour le coup, avec chacune des signatures qu'ils te demandent, en bas de leurs pages pleines de chiffres, d'attendus, de considérants et d'hypothèques, ils te piquent un peu de ton insouciance. A finir par se demander ce qui compte le plus, pour eux, de leur argent ou de ta tranquillité.

Cette fois, ils avaient tous l'air parfaitement catastrophés.

— Tu t'en es pris pour longtemps ?

Michel parut, d'un geste de la main, vouloir en rejeter fort loin la perspective de toute façon déjà noyée dans les brumes d'un improbable futur.

— Vieux, dit-il, qu'est-ce que ça aurait été si je n'avais pas été l'héritier ? J'aurais rien dû dire. En l'achetant, ça m'aurait peut-être coûté moins cher.

Ils firent l'effort d'en rire. Même Gustave.

— T'aurais dû, dit-il. Au moins, j'en aurais touché mon bout.

Ils voulaient échapper à la suggestion de toutes ces lourdeurs, ces mains crochues, ces connivences qu'ils sentaient grouiller et s'entremêler au-dessus d'eux et dont ceux d'entre eux qui, d'aventure, devaient les affronter ne pouvaient être que les complices s'ils n'en étaient pas les victimes.

Et de quels substantiels avantages pouvaient être payées ces compromissions ? Nourrie des pires suppositions devenues certitudes à force d'avoir été élaborées dans tant de cas similaires, au lendemain de pareilles excursions, si son auteur ne se méfiait pas, la rumeur pouvait prendre des proportions et des directions tout à fait inattendues. Il pouvait en naître des réputations, des quasi-situations que bien peu de choses, par la suite, pouvaient parvenir à infirmer ou même simplement à remettre dans le droit fil de la simple réalité.

Sa prudence lui tenant lieu d'expérience, Michel, au fond de lui, s'estimait plutôt satisfait. Quitte, pour une fois, à ne pas mettre les rieurs de son côté, il préférait, à cette sorte d'étrange examen de passage, faire figure de victime. Il était celui que l'on plaignait et non celui que l'on admirait. Il était certes moins facile d'en rire. Mais, pour l'avenir, c'était plus sûr.

Ils trinquèrent.

— Alors, comme ça, dit Gustave qu'habitait tout de même un rien de satisfaction, il va falloir que tu la fasses produire, la Grande Cheintre ?

Michel accueillit l'allusion sans joie et eut un bref regard noir pour son voisin.

— T'inquiète, dit-il. J'ai mon idée.

— Les moutons ?

Michel haussa les épaules.

— Pas les bœufs, tout de même ?

Cette fois, Michel fit celui qui n'avait pas entendu.

— Marcel, t'en remets une, décida-t-il. Celle du nouveau maître de la Grande Cheintre. La première. Et m'est avis que ce ne sera pas la dernière.

Ils rirent et se le tinrent pour dit.

L'heure passa. L'ambiance monta. Peu à peu, sans qu'ils y prennent garde, leur cercle bruyant et rieur, face au bar, s'était réorganisé. Et Michel, tout naturellement, sans paraître s'en apercevoir ni en tirer la moindre vanité, s'en était retrouvé le centre.

Tous, le verre à la main, tournaient légèrement les épaules vers lui et vers Gustave qui se tenait sur sa droite, légèrement dans son ombre. On n'en rigolait pas moins pour autant.

— Tiens, émit enfin Désiré d'une voix légèrement pâteuse, c'est pas tous les jours qu'on arrose un nouveau maître. Celle-là, ce sera la mienne, à sa santé.

— Et ce sera la dernière, décida fermement Michel. T'as vu l'heure ? Si je commence par me faire engueuler…

— Je te redescends, si tu veux.

Ensemble, ils traversèrent la place et les grandes taches d'ombre qu'y dessinaient les feuillages épais des châtaigniers. Gustave, pour se glisser à la place du passager, eut les gestes presque serviles du subalterne admis par exception dans le confort du maître. Michel, très à l'aise, fit une rapide marche arrière avant d'inscrire énergiquement sa voiture sur une large courbe qui l'amena au bateau de sortie de la place où il marqua le stop.

— Voilà, dit-il. Une affaire de faite.

Gustave, qui, légèrement tassé sur son siège, fixait la chaussée en malaxant maladroitement sa casquette des deux mains posées sur ses genoux, acquiesça gravement.

— Et c'est aussi bien comme ça, dit-il.

Surpris, Michel glissa un œil vers lui et, machinalement, ralentit.

— C'est ce que tu penses ? insista-t-il.

Gustave n'eut pas une hésitation. Sans quitter la chaussée des yeux, loin devant le capot, il opina encore énergiquement du chef.

— Sûr, répéta-t-il. C'est aussi bien comme ça.

Et, sans rire, sans même qu'une ombre parcoure son regard toujours aussi déterminé, il ajouta :

— Seul, de toute façon, j'aurais pas suffi.

L'Ouasse, oublié sur la place mais qui ne s'en était pas formalisé, passa comme une flèche devant le portillon du jardinet de Sylvie au moment où elle l'ouvrait.

La voiture de Michel se garait doucement devant la grille de la Grande Cheintre. Il y eut quelques instants d'hésitation. Puis les deux portières s'ouvrirent alors que le chien, marquant l'indépendance dont on ne lui laissait pas le choix, disparaissait déjà au fond de la cour de la ferme de Gustave.

Ils parurent ensemble, de part et d'autre de la voiture. Sylvie n'eut guère le temps de marquer sa surprise.

Les portières confondirent leurs claquements. Gustave, d'un geste instinctif, recoiffa énergiquement sa casquette.

— Salut, Sylvie, lança-t-il. Une belle journée, pas vrai ?

Déjà, il traversait la rue. Il eut un dernier et très bref regard pour Michel.

— Quand je te le disais, fit-il. C'est pas aussi bien comme ça ? Seul, de toute façon...

Anost, le 2 avril 1998.

"Une enfance paysanne"

Les labours d'hiver
Didier Cornaille

Août 1914, dans le Morvan. Marie et Anne, deux petites filles, sont en train de faire les foins. Soudain, le tocsin du village retentit : c'est la guerre ! Les hommes montent au front, les femmes descendent à la mine. Les fermes, elles aussi, doivent continuer à vivre. Marie quitte donc brutalement le monde douillet de l'enfance pour affronter la dureté de la vie paysanne. En 1917, des prisonniers de guerre, dont des déserteurs français, arrivent au village. L'un deux, Roland, un "soldat perdu" du Nord, pris en amitié par Marie et sa mère, aide à la ferme. Quand un beau jour il disparaît, Marie découvre ses sentiments…

(Pocket n° 10092)

Il y a toujours un Pocket à découvrir

Au cœur de l'Auvergne avec Jean Anglade

Le tilleul du soir (n° 1824)

La suite d'*Une pomme oubliée* : la vieille Mathilde, dernière habitante du Peyroux, un petit hameau auvergnat, doit quitter ces lieux dont elle était la gardienne. Elle se prépare à partir pour la maison de retraite, où elle va découvrir un tout autre mode de vie…

Le saintier (n° 10516)

En 1732, Pardoux Mosnier, digne descendant d'une grande famille de fondeurs de cloches auvergnats, fut choisi par le tsar Pierre le Grand pour participer avec d'autres maîtres à la réalisation de la plus grosse cloche du monde.

La soupe à la fourchette (n° 4362)

En 1943, dans la France occupée. Zénaïde, une petite Marseillaise, est envoyée dans le Cantal, chez les Rouffiat. Commence alors une merveilleuse histoire d'amitié entre la fillette et Adrien, le jeune fils des Rouffiat.

Le Grillon vert (n° 10573)

Fontgiève, le "petit Cayenne", un quartier populaire de Clermont-Ferrand, entre les deux guerres. Un quartier plutôt chaud… Au *Grillon vert*, hôtel-restaurant-comptoir, se retrouvent des personnages hauts en couleur. Entre un verre, un dîner et une manille, on y refait le monde.

Il y a toujours un Pocket à découvrir

ROMANS DE TERROIR CHEZ POCKET

ANGLADE Jean
La bonne rosée
Le jardin de Mercure
Un parrain de cendre
Les permissions de mai
Qui t'a fait prince?
Le tilleul du soir
Le tour de doigt
Les ventres jaunes
Le voleur de coloquintes
Une pomme oubliée
Y'a pas de bon Dieu
La soupe à la fourchette
Un lit d'aubépine
La maîtresse au piquet
Le saintier
Le grillon vert
La fille aux orages

ANNE Sylvie
Le secret des chênes

ARMAND Marie-Paul
La courée
   tome 1
   tome 2, Louise
   tome 3, Benoît
La maîtresse d'école
La cense aux alouettes

BIÉVILLE Clémence de
L'été des hannetons

BORDES Gilbert
L'angélus de minuit
Le porteur de destins
Les chasseurs de papillons
La nuit des hulottes
Le roi en son moulin
Le chat derrière la vitre
Un cheval sous la lune
Ce soir, il fera jour
L'année des coquelicots
L'heure du braconnier

BRADY Joan
L'enfant loué

BRUEL Annie
Le mas des oliviers

CAFFIER Michel
Le hameau des mirabelliers
La péniche « Saint-Nicolas »

CARLES Émilie
Une soupe aux herbes sauvages

CARRIÈRE Jean
L'épervier de Maheux

CHABROL JEAN-PIERRE
Le bonheur du manchot
La Banquise
Les mille et une veillées

CORNAILLE Didier
Les labours d'hiver

COULONGES Georges
La fête des écoles
La Madelon de l'an 40
Ma communale avait raison
L'enfant sous les étoiles
Les flammes de la liberté
Les blés deviennent paille

DUBOS Alain
Les seigneurs de la Haute Lande
La palombe noire
La sève et la cendre

DUQUESNE Jacques
Théo et Marie

GANDY Alain
L'énigme de Ravejouls
Un sombre été à Chaluzac

Achevé d'imprimer sur les presses de

BUSSIÈRE
GROUPE CPI

à Saint-Amand-Montrond (Cher)
en février 2002

POCKET - 12, avenue d'Italie - 75627 Paris Cedex 13
Tél. : 01-44-16-05-00

— N° d'imp. 16039. —
Dépôt légal : février 2002.

Imprimé en France